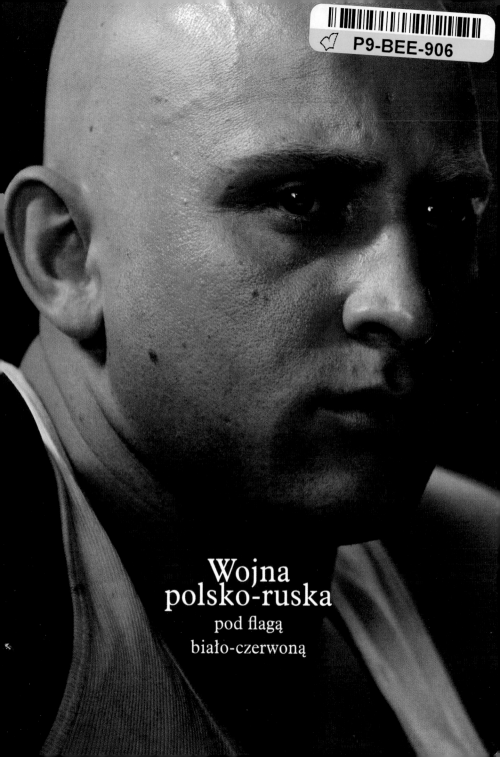

Wojna
polsko-ruska
pod flagą
biało-czerwoną

Dorota Masłowska

Wojna
polsko-ruska
pod flagą
biało-czerwoną

Lampa i Iskra Boża
Warszawa 2009

Najpierw ona mi powiedziała, że ma dwie wiadomości: dobrą i złą. Przechylając się przez bar. To którą chcę najpierw. Ja mówię, że dobrą. To ona mi powiedziała, że w mieście jest podobno wojna polsko-ruska pod flagą biało-czerwoną. Ja mówię, że skąd wie, a ona, że słyszała. To mówię, że wtedy złą. To ona wyjęła szminkę i mi powiedziała, że Magda mówi, że koniec między mną a nią. To ona mrugnęła na Barmana, że jakby co, ma przyjść. I tak dowiedziałem się, że ona mnie rzuciła. To znaczy Magda. Chociaż było nam dobrze, przeżyliśmy razem niemało miłych chwil, dużo miłych słów padło, z mojej strony jak również z niej. Z pewnością. Barman mówi, żebym kładł na niej laskę. Chociaż to nie jest tak proste. Jak dowiedziałem się, że tak już jest, chociaż raczej, że już nie ma, to nie było tak, żeby ona mi to powiedziała w szczere oczy, tylko stało się akurat na tyle inaczej, że ona mi to powiedziała poprzez właśnie Arletę. Uważam, że to było jej czyste chamstwo, prostactwo. I nie będę tego ukrywał, chociaż to była moja dziewczyna, o której mogę powiedzieć, że dużo zaszło między nami różnych rzeczy zarówno dobrych i złych. To przecież nie musiała mówić tego przez koleżankę w ten sposób, że ja się dowiaduję ostatni. Wszyscy wiedzą od samego początku, gdyż ona powiedziała to również innym. Mówiła, że ja to jestem raczej bardziej wybuchowy i że musieli mnie przygotować do tego faktu. Boją się, że coś mi odpierdoli, bo raczej tak zawsze było. Mówiła, żebym wyszedł pooddychać. Dała mi te swoje fajki z gówna. Tymczasem ja czuję tylko smutek bardziej niż cokolwiek. Jeszcze żal, że nie zostało mi to powiedziane w cztery oczy przez nią. Chociaż jedno słowo.

Przechylając się przez bar niczym sprzedawczyni przez ladę. Jak gdyby zaraz miała sprzedać mi jakieś podróby, jakiś wyrób czekoladopodobny. Arleta. Żelazistą wodę w szklance od piwa. Barwnik do pisanek. Cukierki, co by sprzedała, by były puste w środku. Samo pażłotko. Czego by nie dotknęła swoimi palcami z paznokciami, podrobione i fałszywe. Gdyż ona sama jest fałszywa, pusta wewnętrznie. Pali fajkę. Kupioną od Ruskich. Fałszywą, nieważną. Zamiast nikotyny są w niej jakieś śmieci, jakieś nieznane nikomu dragi. Jakieś papiery, trociny, co nie śniło się nauczycielkom. Co nie śniło się żadnej policji. Chociaż powinni Arletę posadzić. Których nie zna nikt, a na które ona wszystkich bajeruje, na swoje oczy. Na swój telefon, na swoje dzwonki w telefonie.

Teraz siedzę i patrzę na jej włosy. Arleta w skórze, a obok włosy Magdy, długie, jasne włosy, jak ściana, jak gałęzie. Patrzę na jej włosy również jak w ścianę, gdyż nie są dla mnie. Są dla innych, dla Barmana, dla Kiśla, dla różnych chłopaków, co wchodzą i wychodzą. Dla wszystkich, chociaż tym samym nie dla mnie. Inni będą wsadzać w nie ręce. Przychodzi Kacper, siada, pyta, o co chodzi. Jego za krótkie spodnie. A jego buty są niczym czarne zwierciadło, w którym przeglądam się, neony w barze, automaty do gier, różne rzeczy, które są wokół. Tuż koło klamry widać Magdy włosy, które są jak nieprzepuszczalna ściana. Odgradzają ją ode mnie niczym mur, niczym beton. Za nim są nowe miłości, jej wilgotne pocałunki. Kacper jest naspidowany wyraźnie, szyje butem. Toteż obraz rozmywa się. Jest samochodem, żuje gumę miętową. Pyta, czy mam chusteczki. Gubię Magdę w tłumie.

Mówię mu, że nie mam. Chociaż mieć być może powinnem. Kacper ma spida, cały samochód spida, cały bagażnik od golfa. Rozgląda się wszędzie, jak gdyby ze wszystkich stron czaiła się armia Ruskich. Jak gdyby chcieli tu wejść i wsadzić mu między te trzęsące się szczęki wszystkie swoje ruskie fajki. Wyciąga LM-y czerwone. Pyta dlaczego siedzę z twarzą do ściany. Mówię, czy gdybym siedział przodem, to może by coś zmieniło, tak? Może by tu Magda ze mną była, tylko siadam przodem, a ona przylatuje i sru mi na kolana, włosami w twarz, wkłada sobie moją rękę wewnątrz ud, jej pocałunki, jej miłość. Mówię, że nie. Chociaż wolałbym powiedzieć tak. Ale mówię nie. Nie i nie. Nie zgadzam się. Gdyby nawet chciała tu przyjść, bym powiedział: nie zbliżaj się, nie dotykaj mnie, śmierdzisz. Śmierdzisz tymi facetami, co cię dotykają, jak nie patrzysz i myślisz, że nie wiesz, że cię dotykają. Śmierdzisz tymi fajkami, co od nich bierzesz, co cię częstują. Pierdolonymi LM-ami mentolowymi. Kupionymi u Rusków po tańszej cenie. Tymi drinkami, tym bagnem, co ci kupują w szklance, w którym pływają bakterie z ich ust niczym ryby, niczym morskie kurwy. I gdyby chciała, żebym ją taką miał teraz, nie doczekałaby się. Nie powiedziałbym ani słowa. Podałaby mi szklankę

z drinkiem, powiedziałbym: nie. Najpierw zdejmij tą gumę, co przykle-
iłaś pod spodem, gdyż ona jest z ust jednego z tych brudnych facetów,
z ich ust, jest ta guma, chociaż myślisz, że o tym nie wiem. Potem się
umyj, a wtedy możesz mi usiąść dopiero, kiedy będziesz czysta od tych
lewych fajek, od tych lewych spidów, co pijesz w drinkach. Dopiero jak
się rozbierzesz z tych szmat, z tych piór, które nie są dla mnie.

Oczywiście wtedy ja jestem nieco jeszcze obrażony. Odwracam się, nie
chcę z nią gadać. Mówię, że jak będzie taką, rozpierdolę cały bar, wszystkie szklanki pójdą na podłogę, będzie chodzić w szkle, będzie łamać
sobie wszystkie swoje obcasy, potłucze sobie łokcie, podrze sobie kieckę
i wszystkie w niej zawarte w sznurki. Ona prosi, żebym do niej wrócił. Że
będzie dobra jak nigdy, bardziej dobra, bardziej oddana. Ja mówię na to, że
nie. Mówię: raz mam tłumaczyć czy dwa razy mam ci to wytłumaczyć, że
już nie chcę nigdy z tobą być i albo ze mnie zejdziesz, albo sam to zrobię.
Ona mówi, że mnie kochała. Ja mówię, że też ją kochałem, że zawsze mi
się podobała, chociaż najpierw była dziewczyną Lola i chociaż zanim była
moja, to jego samochód był lepszy, to wszystko Lolo miał lepsze, lepsze
buty, lepsze spodnie, lepsze pieniądze. Że chciałem go zabić, bo nie był dla
Magdy dobry, tylko raczej szorstki. Że potem chociaż była moja, zawsze
byłem dla niej, zawsze byłem za nią. Chociaż nie zawsze było dobrze,
co już mówiłem, gdy owszem, kradła ciuchy ze sklepów, wycinała kody
w przymierzalni. Kolczyki, torebki, cienie do oczu. Wszystko w torbę
i w siatkę. Nie było dobrze, gdyż musiałem potem raz błyszczeć oczami,
chociaż przeważnie jej się udawało, co wpływało dodatnio na jej humor.
Poza tym miała tę wadę, że była młodsza, o co zresztą mieli mi za złe moi
rodzice. Poza tym było wszystko odpowiednio, mówiła często, że nie innego chłopca, ale właśnie mnie i to uczucie jest dla mnie, a nie dla nich.

Przychodzi Lewy, mówi, że wie i że Magda to bardziej niż zwykła
szmata spod dworca, niż te, co stoją na Głównym. Bordowe na pysku,
brudne. Również te od Ruskich. Rozumiem, ale co to, to już nie mogę
pozwolić. Żeby ktoś Lewego pokroju tak powiedział, więc wstaję. Żeby
ktoś z tikiem komputerowym mówił mi, jakie jest moje życie, jakie są
moje uczucia, co mam robić, a co nie, czy Magda jest dobra, czy nie, bo
tego to już nawet w grobie może nikt nie udowodni, jaka jest prawda

o Magdzie. Żeby oceniał jej sumienie, jak sam wjechał samochodem w Arletę z poczucia zemsty, czego by nikt Arlecie nie zrobił, chociaż jest jaka jest. Więc wstaję. Patrzę w jego skaczące oko, tak z bliska, żeby wiedział, jak jest. Milcząc patrzy głęboko w swoje piwo. Mówi, że toczy się w mieście w ostatnich dniach wojna polsko-ruska pod flagą biało-czerwoną. Myśli, że zmienił temat. Temat jest ciągle ten sam, Lewy. Wiem, że czy się toczy wojna, czy się nie toczy, to ją miałeś przed Lolem, wiem, że wszyscy ją mieliście przede mną i znów teraz wszyscy będziecie ją mieć, bo od dzisiaj jest wasza, bo od dzisiaj jest pijana i jest czynna całą dobę, świecą jej żarówki osiemdziesiątki w oczach, świeci jej język w ustach, świeci jej neon nocny między nogami, idźcie ją wziąć, wszyscy po kolei. Ty, Lewy, na pierwszy rzut, bo ciebie znam, wiem jaki jesteś, dla ciebie najświeższe mięso, bo ty musisz w życiu dostać same najlepsze rzeczy, samą piankę, kawkę ze śmietanką, najszybszy komputer, najlepszą klawiaturę, złoty telefon na złotej tacy, więc jak chcesz, masz Magdę, gdyż ona jest najlepsza, ma złote serce. Ma złote serce, gdy kładzie ci na głowie rękę i mówi, co by chciała. Ma złote serce, wszystko potrafi osiągnąć, ale w taki sposób, że jeszcze jak płacisz, to czujesz się jakbyś pożyczał. Że czujesz się, jakbyś zastawiał się w lombardzie. Ma złote serce, jest delikatna i romantyczna, na przykład lubi zwierzęta i często gęsto mówi, że chciałaby mieć różne zwierzęta, lubi oglądać chomiki w akwariach. Może nawet chciałaby mieć później dziecko, ale tylko pięcioletnie, takie, co by urodziło się, jak miało pięć lat i nigdy nie urosło. Z odpowiednim imieniem. Klaudia, Maks, Aleks. Małe dziecko, pięcioletnie, a ona już zawsze by miała siedemnaście lat, by prowadziła go pod ramię rynkiem, w swojej sukni ze sznurków, w swoich obcasach. By je nosiła w swoich torebkach ze szminką w jednej przegródce. Ona by z tym dzieckiem tańczyła w dyskotece, przychodziłyby gazety i robiły zdjęcia jej włosom, jakie są lśniące i błyszczące, a dziecko brzydkie, bo twoje, Lewy, urodzone ze złamanym nosem, urodzone z tikiem komputerowym, od urodzenia brzydkie, od urodzenia skurwysyńskie, bo twój syn to by był z miejsca skurwysyn. Bo ty byś nie wiedział, jak być dla Magdy dobrym, jak ją uczynić szczęśliwą. Jak jej z siebie dawać, nie pokazałbyś jej świata, tylko swoje komputerowe gry, krew, rozpacz, ból. Ona nie jest do tego, ona jest do robienia z nią delikatnych rzeczy.

9

Bo to jest Magda. Arleta przyszła, żebym dał jej ognia, mówi, że niby robię cyrk, podobno tak Magda mówi. Proszę bardzo, oto są słonie, co przeze mnie idąc, zniszczyły moje serce, oto są pchły. Oto są psy tresowane, gdyż byłem niczym psy tresowane, co nie dostają nic w zamian, tylko jeszcze liścia na twarz i ani dziękuję, ani spierdalaj. Oto jestem psem tresowanym, żeby prowadził samochód bez dachu. Ognia nie mam. Gdyż jestem wypalony. I chcę teraz umrzeć. W ostatniej chwili, gdy będę umierał, chcę zobaczyć Magdę. Jak pochyla się nade mną i mówi: nie umieraj. Nie umieraj, to wszystko moja wina, będę teraz z tylko tobą, tylko nie umieraj, przecież nie o to tu chodzi, chodzi, żeby się dobrze bawić, a to wszystko były takie żarty, tak naprawdę przed tobą nie byłam z nikim, z innymi nie byłam albo nawet nie byłam wcale, tak żartowałam, żeby cię rozzłościć, palancie, teraz wszystko będzie dobrze, będziemy mieć dziecko, Klaudię, Eryczka, Nikolę, wiesz zresztą, zawsze tego chciałeś, będziemy je wozić w wózku, zobaczysz, jak będzie, tylko obiecaj, że nie umrzesz, a teraz ja muszę iść do toalety, ponieważ Arleta bajeruje teraz takiego jednego, on mówi, że jest prezesem i zna wszystkich, podobno ciebie zresztą zna nawet, mówi: Silny, znam go, a ja nic, cisza, nie powiedziałam mu, że jesteś moim chłopakiem, bo było inaczej, ale teraz mu powiem, jaka jest prawda, żeby wiedział, jak jest.

Więc to najwyżej zrobię później jako ostateczność, gdyż Arleta mówi, że Magda teraz wyszła gdzieś. Mówi, że nie wie gdzie. Mówi, że nie wie z kim. Mówię jej, czy jest moją koleżanką czy też taką samą szmatą jak Magda. Ona mówi, że koleżanką. Ja mówię, że o co wtedy kurwa chodzi. Ona mówi, że z Irkiem. Że Magda poszła z Irkiem popatrzyć na miasto, pogapić się na samochody, zostać przyjaciółmi, ot po prostu. A więc z Irkiem. A więc dziecko będzie jednak brzydkie. Gorsze bardziej niż z Lewym. Genetycznie nienormalne. Genetycznie zboczone od urodzenia. Genetycznie bez sensu. Genetyczny skurwysyn. Od początku z genetycznie wrodzoną kieszonką w dziąśle na skradzione rzeczy, z wrodzonymi brudnymi paznokciami. Któregoś dnia będę jechał pociągiem i jak jakieś dziecko mnie poprosi o na jedzenie, i kiedy spojrzę w jego twarz, to zobaczę oczy Magdy, jąkanie Irka i swoje uszy lekko odstające w jednej osobie, gdyż coś tam po mnie również musiało w niej zostać, jakieś geny.

Bliznę na czole też po mnie, co się wywaliłem kiedyś na szkło, złamany nos po jeszcze kim innym, sama rozpacz, najbrzydsze dziecko świata. Wtedy się spytam go, gdzie jego matka. Jak powie, że nie ma, że umarła, to w porządku, dam mu. A jak powie, że z tatusiem, to koniec z nim, niech mnie lepiej nie spotyka na swej drodze, bo tak będzie lepiej dla niego samego.

Magda wchodzi, ale bez Irka. Wygląda tak, jak gdyby coś się stało, jak gdyby rozsypała się na czynniki pierwsze, włosy gdzie indziej, torebka gdzie indziej, kiecka na lewo, kolczyki na prawo. Rajstopy całe w błocie na lewo. Twarz na prawo, z jej oczu płyną czarne łzy. Jak gdyby walczyła na wojnie polsko-ruskiej, jakby podeptało ją całe wojsko polsko-ruskie, idąc przez park. Odżywają we mnie wszystkie moje uczucia. Cała sytuacja. Społeczna i ekonomiczna w kraju. To cała ona, to wszystko jej. Jest pijana, jest zniszczona. Jest naspidowana, jest upalona. Jest brzydka jak nigdy. Cieknąjej po brodzie czarne łzy, ponieważ jej serce jest czarne równie jak węgiel. Jej łono jest czarne, podarte. Przez całe łono idzie oczko. Z tego łona ona urodzi dziecko murzyńskie, czarne. Andżelę o zgnitej twarzy, z ogonem. Z tym dzieckiem to ona daleko nie zajedzie. Nie wpuszczą jej do taksówki, nie sprzedadzą jej białego mleka. Będzie leżeć na czarnej ziemi na działkach. Będzie mieszkać na szklarniach. Jedzona przez glizdy, jedzona przez robaki. Będzie karmić to dziecko czarnym mlekiem z czarnych piersi. Będzie je karmić ziemią ogrodową. Ale ono i tak umrze prędzej czy później.

Przychodzi Arleta. Mówię, że niech przekaże Magdzie, że życzę jej rychłej śmierci. Arleta puszcza balona z gumy. Poczym nawija tę gumę na palec i zjada. Wygląda na to, że w swoim życiu niczym innym się nie zajmuje, tylko robi balony i nawija je na palce. Że taką ma pracę, za co dostaje całkiem dobrą kasę i kupuje sobie za to wszystkie te szmaty, wszystkie te ruskie fajki. Mogłaby wystąpić z tym całym swoim przenośnym burdelem we *Śmiechu warte*. Arleta mówi, że mam nasrane w głowie. Żebym nie mówił to, co mówię, bo to się może sprawdzić. Mówi, że jej się już tak zdarzyło parę razy. Na przykład w szkole kiedyś powiedziała: „zdechnij" do nauczycielki od przedmiotów zawodowych, i potem ona

podobno wylądowała na porodówce na podtrzymaniu życia. Podobno powiedziała również kiedyś do koleżanki na zajęciach wuef: „złam sobie nogę", i ta dziewczyna złamała sobie palca małego u ręki. Mówi też, że nie pali nigdy LM-ów, gdyż są niezdrowe i są to najbardziej rakotwórcze z papierosów. Także podobno los siedzi i czuwa, czy nie mówi się coś złego w czarną godzinę. Jeśli coś powiesz, a akurat jest czarna godzina, nie ma przebacz i to się staje, i nie ma odwołań, nie ma przepraszam. Jest to, być może, coś związane z religią, z życiem paranormalnym, jest to pewna właściwość życia paramentalnego.

Ale co Arleta ma do powiedzenia na tym tle, to już mnie, za przeproszeniem, gówno obchodzi. Gdzie była z Irkiem Magda, to się do ciebie pytam, mówię do Arlety. Ty pizdowata matko chrzestna. Razem z sobą we dwie będziecie miały te wszystkie pozamałżeńskie dzieci, nie wpuszczą was do jednej złamanej knajpy. Powiedz, co on jej zrobił, ten złodziej. Ukradł jej czyste serce, całą jej delikatność, wszystkie włosy, zniszczył jej rajstopy, doprowadził ją do płaczu. Zranił ją. I ja go za to zduszę, ale to potem. Teraz chcę wiedzieć, Arleta.

Ale jednak z jej kieszeni w dżinsach rozlega się odpowiedni sygnał i Arleta dostaje tekstową wiadomość. Że jej się fajnie ze mną rozmawiało, gdybym nie był taki cham, mówi do mnie i idzie gdzieś szybko. Wtedy Barman przychodzi i mówi do mnie, że są dymy. Ja mówię, że niby jakie są to dymy. On na to, że Magda zawsze była nieco wpadająca w histerię, za łatwo wpadająca. Ja mówię, że niby, że o co chodzi. I już jestem lekko podkurwiony, bo nie lubię, jak coś się dzieje nie po myśli.

No on na to, że zaistniała jakaś historia z Magdą. Historia nie historia, ale Barman to też niezły skurwiel, że zamiast sama Magda mi o tym powiedzieć, to on to w jej miejsce mówi.

Wtedy idę do kibli, gdyż Arleta mnie woła, jest cała podjarana, pali naraz dwa papierosy mentolowe, LM-y dodatkowo, oba trzyma w jednym kąciku ust, a drugą ręką podtrzymuje Magdę. Jestem trochę nieswój, gdyż wiem, iż Magda mnie zraniła, skrzywdziła. Pytam więc, że co się stało. Ona mówi, że to skurcz. Ja mówię, że to może od spida, że za dużo spida. Arleta mówi, że ona nas wtedy zostawi już samych i zamyka od zewnątrz drzwi. No to stoję. Magda ma skurcz w łydce i siedzi na sedesie. Lewą ręką trzyma się za łydkę, równocześnie płacząc, równocześnie histeryzując. Nie wiem teraz nawet, czy jest piękna, czy też brzydka i trudno jest mi to naprawdę powiedzieć. Jedno jest pewne, ogólnie jest ładna, ale obecnie w złej kondycji jeżeli chodzi o wygląd, ponieważ wszędzie są jej czarne łzy, z którymi spływa z niej jak z rynny tusz do oczu, rajstopy ma podarte do skóry, jakby zresztą nadmiernie duże i dość rozmiękczoną twarz, która mi przypomina, nie chcąc być nieprzyjemnym, czerwony wóz strażacki. Zastanawiam się więc, czy ją jeszcze kocham, kiedy tak jęczy dość głośno, nawet nie patrząc mi w oczy i nie mówiąc do mnie ani słowa. Ale wtedy już prawie nie wytrzymuję.

Czy zrobiłem coś źle, Magda? – mówię do niej i zamykam zasuwkę. Czy zrobiłem coś źle, przecież mogliśmy jeszcze raz wszystko zacząć ponownie. Zawsze wyglądałaś na szczęśliwą, gdy cię kochałem, czemu teraz mnie raptem nie chcesz, czy to taki kaprys, czy znudziłem się ci? Pamiętasz, jak wtedy cię suki spisywały na przystanku, i chociaż byłaś tam wtedy z Masztalem, chociaż z nim cię spisali, i chociaż wiesz, że on miał sprawę o dilerkę. To kto ci potem chodził sprawdzać skrzynkę, żeby nie przyszło wezwanie do rodziców na policję, kiedy ty miałaś praktyki. Święty Józef chodził sprawdzać? Poszedł chociaż raz Masztal sprawdzić?

Czy ja nie byłem dobry, powiedz sama? Kwiatki czekoladki, romantyczne sraczki.

Teraz nie wiesz, co powiedzieć. Jęczysz i powiem ci, że to jest żenada, bo jesteś teraz niczym, jesteś jak dziecko, tak żenująca. Gapisz się w te brązowe kafelki, które nie raz widziały nas, jak byliśmy ze sobą tak bardzo blisko, jak tylko dziewczyna albo kobieta może z mężczyzną być. Tym kafelkom jeszcze odbija się nami, cokolwiek było wcześniej, to właśnie to jedno ci powiem.

Twoje imię jest ładne, Magda, tak samo jak twa twarz. Ładne są twe ręce, twe palce, twe paznokcie, czy nie możemy dłużej ze sobą być? Jeżeli chcesz, to zabiorę cię stąd, gdzie tylko chcesz. Może nawet do szpitala, jeżeli jest to niezbędnie konieczne. Pytasz się, czy piłem, no więc piłem, ale to nikogo nie stanowi, czy piłem czy nie. Jedziemy to wsiadamy w samochód i jedziemy, ciebie zawiozę wszędzie, choćby dziesięć tysięcy Rusków nas chciało zbadać na zawartość alkoholu i narkotyków. Mówisz, żebym nie pierdolił od rzeczy, od sedna sprawy. Mówisz, że to chyba skurcz łydki, że robiłaś test i być może jest możliwe, że jesteś w ciąży, chociaż nie jesteś tego pewna do końca. Mówisz, że dlatego stchórzyłaś, dlatego nie chciałaś ze mną dłużej być, bo wiedziałaś, że będę zły. Powiedz mi, kiedy ja byłem na ciebie zły dłużej niż jeden dzień? Jeżeli masz dziecko, a może nawet jest to moje dziecko, to zawsze możesz iść do lekarza i to stuprocentowo sprawdzić. A tymczasem jedziemy. Biorę Magdę na rękę i ona drze się w niebogłosy, po prostu drze ryj, chociaż jeszcze chwilę temu była cichutka i potulniutka jakby we śnie. Od razu Arletka przybiega z tym balonem wystającym z ust, chce wszystko wiedzieć, co się kręci, co z tym skurczem i czy Magda nie chce żadnej z jej strony pomocy, wody, panadolu. Ja mówię do Arlety, żeby spierdalała, jak również do Barmana, który się gapi, jakby nie wiedział, o co chodzi. Inni też się głupio patrzą, Lewy, Kacper, Kisiel też z jakąś panną, którą nawet nie znam, musi być nowa, chociaż dosyć niezła, leci muzyka, istny burdel na kółkach. Arleta przysyła mi tekstową wiadomość, że być może prawdopodobnie jest to brak nadmanganianu albo potasu we krwi, ze względu na zły tryb odżywiania. Odsyłam jej, żeby spierdalała, gdyż napisałbym więcej, ale telefon mój się rozładowuje i jedyne, co zdążam, to właśnie to: spierdalaj arle. Napisałbym więcej, żeby wzięła swoje złe przepowiednie, złe podszepty, gdyż to ona prawdopodobnie sprowokowała swoim paraprzyrodzonym pierdoleniem, swoimi zaklęciami o tej nauczycielce geografii, że Magdę złapał tak bardzo bolesny skurcz.

No więc wychodzimy i wsadzam Magdę do pierwszej taksówki, po czym sam także wsiadam, ona mówi, że do szpitala, a on, czy coś się stało. Ja mówię, czy to jest wywiad do gazety, czy to jest taksówka i czy to jest spowiedź grzechów i rozgrzeszenie, czy nas wiezie, bo inaczej ja wysiadam i Magda również ze mną, zero kasy i jeszcze kamień na przednią szybę, i może się nie pokazywać na mieście. On chwilę milczy, a potem zagaja, że podobno ostatnio walczymy pod flagą biało-czerwoną z Ruskimi. Ja mówię, że owszem, chociaż my raczej nie jesteśmy tak bardzo radykalni na tym tle. Magda mówi, że ona jest raczej przeciwko Ruskim. Teraz się wkurwiam, mówię: a skąd ty to wiesz, że ty jesteś akurat przeciwko? Gra radio, grają wiadomości, różne piosenki. Ona mówi, że ona tak sądzi. Ja mówię, że się naspidowała i urządza wielkie sądzenie, wielkie poglądy urządza, że skąd ona wie, że akurat tak sądzi, a nie właśnie inaczej? Ona się trochę boi. Ja mówię, żeby mnie zostawiła, żeby mnie nie wkurwiała. Ona jęczy, gdyż skurcz się nie skończył.

Potem łazi sama, mówi, żebym jej nie dotykał. Jest kulawa. Mówi, że jestem tak brutalny, że gdy ją tylko jedynie dotknę, zabiję nasze dziecko i ją samą. Gdyż ona wtedy popęka wzdłuż i nasze dziecko zginie. Jestem dość zdenerwowany. Na izbie przyjęć spotyka nas ordynator albo ortopeda, już sam nie wiem, gdyż boję się, żeby jej nie pobrali krwi, bo oprócz braku potasu wyjdą inne jej konszachty ze spidem, bo jest teraz naspidowana jak świnia, jej sprawki z prochem i odbiorą jej to dziecko. Głównie jednak chodzi o tę nogę, gdyż skurcz jest potężny i robi przerzuty. Ortopeda mi mówi, żebym wyszedł na okres badania, o co się podkurwiam dość, gdyż jakkolwiek bądź jest to moja kobieta, czy nie jest? Patrzę mu prosto w same centrum oczu, w same białka, które są dość naszłe od krwi, żeby wiedział, jak jest i niczego nie próbował, żadnych ortopedycznych sztuczek. Magda błaga mnie wzrokiem, żebym był spokojnym, więc się dość uspokajam. Jako że najprawdopodobniej jest to ten niedobór potasu w mięśniu, który ją właśnie boli. No więc czekam i jestem spokojny, chociaż nosi mnie, żeby rozpieprzyć ten szpital w drzazgę. Za tego ortopederastę i innych zboków, którzy tu urzędują, za to, że takie z nich krochmalone książęta z prętem w ręce, ze słuchawką, jako że w kwestii, w której chodzi o wyrażenie poglądów, jestem przeważnie lewicowy.

Raczej się nie zgadzam na podatki i postuluję o państwo bez podatków, w którym moi rodzice nie będą sobie flaków wyprówać na to, żeby wszyscy ci fartuchowi książęta mieli własne mieszkanie i numer telefonu, podczas gdy jest inaczej. Co już zresztą mówiłem, że sytuacja w kraju gospodarcza jest kategorycznie na nie, ostentacja rządu i ogólnie rzecz biorąc słaba władza. Ale odchodzimy od tematu, w którym Magda wychodzi właśnie z gabinetu. Dalej kulawa. Ale uczesana. Chuj z tym, kto ją czesał. Już nie będę w to wnikać, gdyż ten wieczór jest przepełniony po brzegi stresem. Ona mówi, żebym zabrał ją nad morze. Ja mówię, że jak ona chce jechać nad morze z tą gangreną na nodze. Ona mówi, że kurwa normalnie, po polsku. Po czym, ponieważ na korytarzach szpitalnych nie widać gołej duszy, zapieprza jakieś kule do chodzenia. Ja mówię, że to nie jest godzina nad morze. Ona mówi, że właśnie, że jest najlepsza, i że chce tam jechać tylko ze mną, bodajże dlatego, że dla mnie jest to uczucie, które jest w niej, które ona czuje. Ja mówię, że jest pierdolnięta w mózg, ale generalnie bardzo się zmiękczam na tę myśl, że ona kocha mnie i tak bez cienia fałszu to przyznaje.

Ona mówi, że ma takie przeczucie, taki impuls prawie że wewnętrzny, że wkrótce umrze, że to już jej czas. To dziecko w niej ją zabija, tak Magda mówi, ono ma przedwcześnie rozwinięty układ zębowy, który każe mu ją gryźć od wewnątrz, przegryzać żołądek, a potem wątrobę. Mówi, że to już koniec z nią i efektem tego, zarówno jak stygmatem, jest ta noga ze skurczem, co znaczy, że dziecko już pociąga ją od wewnątrz za sznurki. Niszczy ją wewnętrznie, również psychicznie, wyniszcza ją po prostu, niszczenie, rozkład. Czuję ból, gdyż ja również prawdopodobnie mam udział w tym dziecku i bardzo mi się robi żal tej dziewczyny, że to właśnie tak wyszło, że ono w niej się rozwinęło. Widzę, jak bardzo cierpi, nawet bez względu już na te kule, które niby mają jej pomóc, ale w związku z nimi jeszcze bardziej się męczy, gdyż ma ubrane buty z obcasami, które utrudniają jej normalne poruszanie się. Czyli ogółem biorąc, jedziemy nad morze. Magda jest bardzo przedsiębiorcza w tym kierunku, powinna robić pieniądze na tym, na właśnie takiej firmie, która jeździ nad morze, kasuje bilety, wszystkie te czynności wykonuje, które odstręczają ludzi od jeżdżenia nad przysłowiowe morze. Mimo że jest kulawa, mimo to nawet. W sumie mówię, że jest już późno. Ona mówi: no i co z tego, że późno. Czy jestem już całkiem głupi i czy myślę, że mi zamkną to morze, jak się spóźnię? Czy że nie starczy dla mnie tego morza? Ja mówię, że nie będę się z nią na ten temat wypowiadał. Gdyż, jeżeli ona ma się zachowywać jak cham, pomimo że wspólnie byliśmy w szpitalu, wspólnie przeżyliśmy wiele gorszych lub lepszych chwil, i jeżeli ona ma się zachowywać w ten sposób, to bardzo dziękuję, niech weźmie mój bilet i sobie pojedzie te kilometry, które miały na mnie przypaść, również. A najlepiej niech sobie tam zostanie, bo tylko tam się nadaje. Magda mówi, żebym teraz z niej zszedł, gdyż ona właśnie marzy o czym innym i że czy ja idę z nią, czy przed nią, skoro ona właśnie jest w ten sposób niepełnosprawna, że z taką prędkością nie może iść.

Ja mówię do niej, że skąd miała ten towar, gdyż z twarzy i ogólnie z wyglądu jest raczej przekrwiona, niezdrowa, szczerze mówiąc wygląda, jakby to dziecko właśnie urodziła, tylko zgubiła gdzieś i aktualnie szuka teraz po dworcu. Ona mówi, żebym lepiej nie pytał, bo od Wargasa. Mówię, że to zły towar, łączony, mieszany. Ona mówi, że zajebisty. Ja mówię, żeby mnie nie denerwowała, że nie, bo zły, to gnój, a nie towar. Ona mówi, że na chuj ja jej sprawiam przykrości. Ja mówię, że dobra, jak chce sobie zapodawać od Wargasa, proszę droga wolna, proszek do czyszczenia wanien jest jej już na zawsze, ale jak to dziecko urodzi się potworem, jedna noga dłuższa, druga krótsza i genetyczny brak włosów, to ja w tym rąk nie maczałem. Na to ona odpowiada, że dobra, że jak chcę, to się przekonamy. I jak tylko nadjeżdża pociąg, jak wsiadamy, to owszem, ona bierze gazetkę z Hitu i mi robi ścieżynkę od okna.

I kiedy budzę się nad morzem, to właśnie tyle pamiętam z tego czasu, kiedy jeszcze kojarzyłem ze sobą różne fakty, że ciągnę przez długopis, co na nim napisane jest Zdzisław Sztorm, Wytwórnia Piasku, ul. 12 Marca ileś. Jak wyobrażam sobie ten piasek, który jest produkowany przez nowoczesne technologie, nowocześnie przetworzony, nowocześnie zapakowany w worek, nowocześnie podany do dystrybucji ręcznej i czynnej. Pamiętam moje myśli o charakterze prawdziwie ekonomicznym, które mogły uratować kraj przed właśnie zagładą, o której już zresztą napominałem, przed zagładą, którą szykują na kraj skurwieni arystokraci ubrani w płaszczach, w fartuchach, którzy, gdyby tylko stworzono im takie warunki, by nas sprzedali, obywateli, na Zachód do burdeli, do Bundeswehry, na organy, na niewolników. Którzy wreszcie chcą wysprzedać nasz kraj, jako pierwszy z brzegu lumpeks, kupę szmat i dawnych płaszczów z metką Mińsk Mazowiecki, starych pociętych pasków za przeproszeniem, gdyż w moim pojęciu jedynym środkiem jest tu wypędzenie ich z domów, wypędzenie ich z bloków i uczynienie naszej ojczyzny ojczyzną typowo rolniczą, która produkuje, chociażby właśnie na eksport, zwykły polski piasek, który ma szansę na światowych rynkach w całej Europie. Gdyż są to moje właśnie poglądy natury lewackiej, które każą mi uważać, że by należało rozbudować sieć zsypów w blokach, żeby rolnicy, bo właśnie na rolnikach by w moim mniemaniu kraj polegał, mogli wyrzucać więcej płodów, mieszkając w blokach, właśnie o to chodzi, żeby tą drogą ich życie stało się bardziej zmechanizowane, bardziej po prostu dobre.

I kiedy teraz budzę się, pamiętam to dobrze, bo mógłbym powiedzieć każde słowo, co pomyślałem, ale kiedy budzę się, Magdy już nie ma, choć może nie ma jej jeszcze albo nie ma jej wcale. Wstaję z ziemi, która jest o tej porze nocy zimna i strzepuję się z dżinsów, strzepuję się z katany. Magdy nie ma i to zauważam od razu, od razu się podkurwiam, choć po ocenieniu okazuje się, że mam zarówno portfel, co jest kluczowe dla sprawy, jak również dokumenty. Nie bardzo też wiem, co było, kiedy już moja wizja natury gospodarczej znikła na ten czas, kiedy robiłem coś, zanim się tu obudziłem. Jest to gorzej, bardziej niż, przepraszam za słowo, ale urwany film. Widzę mnóstwo piasku, co uważam, że jest prawdziwie aekonomicznym marnotrawstwem, co, muszę stwierdzić z przykrością, mnie prowadzi do kurwicy. Po prostu groźna choroba kurwica. Kiedy więc idąc, znajduję woreczek foliowy, bez cienia zwłoki sypię do niego piach. Po czym zakręcam i chowam, gdyż na przypadek braku gotówki, na przypadek załamania rynku, może się to okazać cennym faktem, wręcz plusem. Potem znajduję jeszcze dwie reklamówki z Hitu, co również boli mnie w serce, ten brak jakiejkolwiek ekonomii w kraju, gdzie dobre jeszcze całkiem reklamówki są położone na ziemi i zostawione na marnację. A przede wszystkim pastwę lumpenproletariatu. Tak więc po obietnicy solennej, że zaraz Magda na pewno przyjdzie, gdyż przykładowo poszła się chociażby odlać, idę sypać piasek. Uważam, że trzeba go w całości zebrać jak najprędzej. Gdyż jeśli on nie trafi w nasze ręce, to koniec. Zostanie on do cna rozdrapywany przez zdrajców.

Wtedy tak w podobny sposób rozmyślam. Zaczynam nawet, co jest rzadkie, zapisywać te różne myśli, obliczenia na ziemi. Niestety, piszę szybko. Co rzutuje na to, że są to litery, są to cyfry z gruntu niewyraźne. Ale chuj z tym, gdyż gdzieś w pobliżu, ponieważ jest zupełnie ciemno, słyszę Magdę, która najwyraźniej się śmieje z czegoś. Zastanawiam się, co jest w tym śmiesznego. Nie w tym, ale wręcz w ogóle, co jest śmiesznego. No więc widzę ją, chociaż ona wyraźnie nie jest sama, tylko jest z kimś. Wręcz z mężczyznami, w dodatku dwoma. Co mnie skłania do interakcji. Do reakcji. Gdyż, co by nie było między nami złego, jej miłość jest z tego, co pamiętam, moja, a jej ciało również moje. Tak więc czegoś tu nie rozumiem, kiedy ona tak idzie swawolnie. Macha dupką. Sama słodycz. Noga niekulawa. Modelka, aktorka i równocześnie piosenkarka w jednym. Przeleciana na wylot. Dziurawe rajstopy reklamuje, kupujcie dziurawe rajstopy, takie są teraz w ostatnich trendach najbardziej modne. I koniecznie kule pod pachą, koniecznie zajebane ze szpitala.

Co kurwa? – mówię do niej, gdyż ta, zaistniała nagle, sytuacja wytrąciła mnie zupełnie z rozważań. A ona mówi do tych facetów tak: to jest właśnie ten mój upośledzony psychofizjologicznie brat. Jak sobie radzisz, co? – to mówi do mnie. Piszesz sobie na piasku, to dobrze z twojej strony. Bo ja jeszcze z tymi panami mam tu kilka spraw, twoje kule ci tu zostawiam, jakbyś chciał wracać do domu albo w ogóle może gdzieś iść, to przyduś tą kulą do ziemi, to będzie ci łatwiej.

Stoję tak chwilę z patykiem, a jeden z tych facetów, straszny z wyglądu zboczeniec i utajony perwers, czarna skóra, sweterek z paskiem, mówi: wiesz co, Magda, w ogóle nie jesteś podobna, mimo że jesteś jego rodzeństwem. Ona na to mówi: No. Tak jak w życiu. Za to mamy te same nazwisko. Po czym mówi do mnie: Silny, słuchaj, jak ty masz na nazwisko?

Robakoski Andrzej – odpowiadam zgodnie ze swoimi zapatrywaniami. A ta szmata na to przebiegle mówi: no właśnie! Ja też się tak nazywam właśnie. Robakoska na nazwisko.

Wtedy ja jeszcze milczę. Drugi facet podchodzi bliżej, jest takiego bardziej sportowego typu w dresie i mówi: patrzcie, on tu coś napisał. Wtedy stoją tam wszyscy nad moim pisaniem, niczym bez mała ministerstwo edukacji i sportu, i starają się odczytać. Jak już nadmieniałem trochę wcześniej, są to litery niewyraźne, takie znaki trochę bardziej abstrakcyjne, żeby nie powiedzieć: nieistniejące.

Gdyż on jest niezupełnie normalny – mówi Magda. Dlatego właśnie używa takiego pisma. Jest to pismo używane przez psychicznych z dałnem.

Oni już chcą iść. Magda jest już prawie bliska zrobienia fiku-miku i odejścia w otchłań, odejścia w pizdu z tymi dwoma bumelantami. Trójosobowa komisja do spraw edukacji i sportu, ten spedalony pedał od edukacji i od spraw liter, a Magda z tym w dresie robią w sporcie, świetnie robią, bardzo to widzę.

Mówię tak: chodź no, flądro, na momencik tu na stronę. Chodź, nie bój mi się, nie zajebię ci. Ponieważ z szoku, z tego szoku dokonanego na moich poglądach, na moich uczuciach, jestem całkowicie bezradny. Całkowicie bez sił. Nie jestem taki z natury znowu delikatny, gdyż powiem nawet otwarcie, że w mojej przeszłości, która była nawet jeszcze nie tak dawno, byłem dość porywczy, co zresztą miało swoje stygmaty w moim związku z Magdą. Od razu skory, od razu gotowy, żeby wyjść na solo. Ale ta jątrząca przykrość, wyrządzona mi tak bardzo bez udziału mojej winy. To mnie nagle uczyniło delikatnym, łagodnym. Gdyż jest to kolejna krzywda, ponownie wyrządzona na mnie, niczym na ofierze.

Więc mówię: no chodź. Chcę minutkę z tobą mówić. Widzę, jaka jest w niej niepewność. Ona się waha, ona się, że tak powiem, boi. Wie, co uczyniła, wie, że wszystko między nami będzie inaczej, więc trzęsie tyłkiem, obciąga sobie kieckę, patrzy raz w prawo, raz w lewo, raz prosto. W różne strony patrzy, przeważnie raz w tę, raz wewtę. Czy ona jest doszczętnie głupia, ja się tak jej pytam, gdyż już coraz to gorzej ze mną, gdyż moje uczucia runęły, moje nerwy runęły, jestem przez nią zniszczony, jestem psychicznie i nerwowo konający.

Tamci dwaj patrzą się na mnie. Są współczujący dość, ale chcą już iść. Magda spogląda na tego z dresem raz, a raz na tego pedała, który – jak się potem dowiedziałem – ma ksywę Jaskóła.

Dupa mu odżyła, mówi, wskazywawszy na mnie, po czym szybko mówi: idziemy stąd do tamtych ich oczywiście.

Teraz się wkurwiam nie na żarty. Teraz już nie ma przebacz, nie ma, że Silny, dobra dusza, ministrant na kościele służący do mszy, sama łagodność, samo dobre serce. Dobry kochany Silny, co będzie spełniał za innych dobre uczynki, jak są na praktykach. Silny błyszczący oczami u kierownika sklepu za jakieś szmaty ukradzione bez gustu nawet, bez żadnego poczucia gustu. Bo Silny to taka jest firma, chcesz, to z nią zrywasz, potem skurcz w łydce, to myk, jeden telefon, Silny na miejscu wyliże ci podłogę spod nóg, żebyś chodziła po czystym. Silny zginie za ciebie w wojnie polsko-ruskiej, zasłaniając cię od ciosu sztandarem, flagą biało-czerwoną. Chociaż wszystkie twe koleżanki będą ci chętnie chciały nią przyjebać za te wszystkie twoje wręcz niezbyt moralne po prostu występki. Ale Silny stanie i cię obroni. Nie ma przebacz, dziewczyno, teraz, gdy na ciebie patrzę, to wiem, iż moja miłość do ciebie była z gruntu niesłuszna. I że tę wulgarną zniewagę, którą teraz poniosłem od ciebie, będziesz musiała surowo zapłacić.

Teraz właśnie decyduję, że nie będę dłużej czuł tego uczucia, które we mnie wzbudziłaś, gdy cię pierwszy raz ujrzałem w samochodzie Lola. Teraz właśnie upuszczam kijek, choć przed chwilą wypisałem nim na ziemi plany na przyszłość dla nas, ilość naszych dzieci, koszty mieszkania, prania, koszty wesela i pogrzebów, wszystko na wspólną przyszłość. Teraz jednym gestem potrafię to skreślić, zmazać. Teraz podchodzę obok ciebie blisko, biorę w jedną rękę twe włosy, które kiedyś tak kochałem, choć teraz nie czuję nic na ich temat. Owijam sobie wokół pięści. Teraz jestem spokojny spokojem, że tak to określę, pracownika rzeźni, pracownika uboju drobiu.

Mówię tak, choć cały drżę na ciele, choć nie ze strachu, lecz z żalu: panowie, jest taka sprawa. To jest moja kobieta. Tak się nażarła spida, że nic wam do niej. Nie jestem nierozwinięty lub nienormalny. Ja ją teraz zabieram. A dla was, chłopaki – respekt od Silnego, miło, żeście ją tu sprowadzili, tę szmatę, która za swoje partactwa zaraz dostanie za swoje.

Uśmiecham się w duszy. Ponieważ to ich naprawdę upokorzyło, zaskoczyło. To moje opanowanie, ten mój opanowany smutek. To ich uczyniło zaskoczonymi zupełnie, zdziwionymi wręcz. Paraedukacyjny pedał jeszcze coś mamrotał, ten w dresie również. A ja pociągnąłem ją za te włosy, full kultura, spokojnie, bez zajawki, bez syfu. Oni tam stanęli jak stali, Magda trzyma pysk cicho niczym mysz, ja idę spokojnie, chłodnie, wlekę ją za sobą. Wtedy jeszcze ci dwaj coś niby mamroczą, coś niby mruczą, coś szepczą. To mnie również podkurwia. Obracam się gwałtem i mówię: co kurwa, bunt w więzieniu stanowym?

Wtedy oni milczą równie raptownie i mówią obaj: respekt.

Poruszyłem się, rozmiękłem. Jako że jednak, wobec czystego chamstwa, czystej nienawiści do drugiego człowieka, matactwa, zła, człowiek z człowiekiem potrafią jednak się solidarnie zmówić, solidarnie walczyć przeciw nim. To są również moje takie poglądy, lecz staram się głośno ich nie mówić. Tak wyglądają jednak właśnie na tę kwestię moje zapatrywania: respekt dla człowieka, szacunek ramię przy ramieniu, ponieważ nie jest to jego wina, że się w ten sposób, w tej formie urodził. Co jak co, ale w dawniejszych czasach miałem silne odczucia rodzaju religijnego, sakralnego. I to we mnie zostało, to we mnie jeszcze na dzień dzisiejszy tkwi, to uczucie żywione dla Matki Boskiej Fatimskiej, do samego Boga zresztą też.

Chłopaki! – tak wołam, gdyż jesteśmy z Magdą coraz to znowuż dalej. Jak będziecie u nas na mieście, pytajcie o Silnego. Jest wojna polsko-ruska na mieście. Jak ktoś, coś, jakiś dym, to o mnie pytajcie, chłopaki.

Oni się patrzą za nami jeszcze bardziej w szoku, ale tymczasem mówią znowuż po raz ostatni: respekt, Silny, gdyż mimo iż jestem daleko, rozpoznaję to po ruchu ich ust.

Tak więc jestem z nimi rozprawiony na dość pokojowych warunkach, ustaleniach. A teraz poloneza czas zacząć z Magdą. Sadzam ją na murku przy plaży. Ma ból wypisany na twarzy, na ustach, gdyż trzymam ją niezrównanie mocno za te farbowane kudły.

Trudno mi w tej danej chwili powiedzieć akurat, czy jest ładna lub ponętna. Jedno oko doszczętnie rozmazane. Sznurek w kiecy przedarty, przypięty na agrafkę. Jest w raczej złym stanie, doszczętnie kłapią jej zęby od tej amfy, z którą sobie przesadza. Jakby ktoś jej zaproponował, zlegalizował hodowlę amfy u niej na chacie, to proszę bardzo, jeszcze z pocałowaniem. W rękę, w usta i w policzki. Nawet jeśli to by miało być jej kosztem, jej starych, jej sąsiadów i kumpli.

Pierwsza sprawa – mówię tak do niej, gdyż się krzywi z bólu być może, a być może, że też ze wstydu, z poczucia winy – gdzie masz twą gangrenę na nodze?

Ona milczy. Burczy coś. Mówi tak: a co ty myślisz? Że ja do reszty życia będę kulawa chodzić, paralityczna? Tak by ci odpowiadało, ja to wiem. Ale jednak tak nie będzie.

Ja mówię tak, ponieważ puszczają mi z powrotem nerwy. W moich oczach to ty jesteś, Magda, umysłowa. Paralityczna, ale umysłowo. Uczuciowo.

Co więcej – mówię jej dalej tak: albo masz tę nogę kulejącą, albo nie. Na ma takiej możliwości w uczciwym, apolitycznym życiu, że dla mnie ta noga jest kulejąca, wymagająca operacji ordynatora, lecz z kolei dla tych panów ona jest zdrowa i chodząca. Takiej możliwości niet. Albo tak albo siak, to jedno ci powiem Magda w szczere oczy, że w ten sposób, to ty możesz się zapisać do sejmu i senatu i tam snuć nici swoich kłamstw, swoich oszczerstw, gdyż tylko tam się nadajesz.

Jestem spokojny, jestem niczym głaz. Ona zaczyna płakać, co wygląda raczej nie widowiskowo, mało telewizyjnie. Zapalam papierosa, gdyż muszę zaznaczyć, że ostatnimi laty wpadłem w ten nieprzyjemny nałóg. Lecz jest to mój wyraz sprzeciwu, mój wyraz oporu przeciwko Zachodowi, przeciwko amerykańskim dietetykom, amerykańskim operacjom plastycznym, amerykańskim złodziejom, którzy są uprzedzający, lecz cichaczem zdradzają nasz kraj. Kiedyś już to mówiłem Magdzie w takiej rozmowie o charakterze przyjacielskim, że gdy wyjadę do Ameryki, to będę palił fajki prosto na ulicy, mimo iż jest to tam w przeważnie złym tonie, ponieważ cały Zachód wycofuje się z palenia.

Ona w tym samym czasie mówi tak dosyć marzycielskim głosem, co mnie dziwi: ach, Silny, chciałabym stąd wyjechać. Zbajerować prezesów, magistrów, zbajerować tych wszystkich nadzianych ortopedałów, ustukać jakąś sumę kasy. Wyjechać. Z kimś, kogo kocham. Z tobą zresztą może nawet też. Może nawet przede wszystkim z tobą Silny, ponieważ jestem przy tobie tak bezpieczna. Gdyż w tym kraju nie ma przyszłości, nasza miłość nie ma tu szans rozwoju, gdzie nie spojrzysz, tam przemoc, wojna choćby ta polsko-ruska, co ma teraz miejsce na mieście, że nie można wejść, żeby nie natknąć się na ruskich zboków.

Wszędzie drzewce, wszędzie biało-czerwone flagi. Kiedy ja chcę tylko twego uczucia, a na każdym kroku mogę zostać uderzona lub też nawet zabita. Przez kogokolwiek. Człowiek człowiekowi wilkiem. Przyjaciel zdradza.

Jest noc bardzo późna, głęboka, morze i plaża. Ani żywej duszy, gdyż tamci dawno podwinęli swe skórzane ogony i znikli niczym kamfora, jak gdyby nigdy nie istnieli. Mimo to wyrządzonej mi zniewagi, nie mogę tak ot po prostu przejść do porządku dziennego. Nie mogę tego, ot tak po prostu znieść. Gdyż, co jak co, ale to już z jej strony było chamstwo, choć jest teraz wrażliwa i czuła, rozmarzona.

Nie mów tak, Magda, bo i tak cię nie słucham. Nie chcę cię więcej. Ani słuchać, ani nic. Ponieważ w twych słowach jest samo kłamstwo, sam jad kłamliwości. Którego dłużej nie zniosę. Dziś jeszcze mnie odrzuciłaś, nie patrząc na odnośniki czasowe. Bo według reguł zegarka stało się to niby wczoraj. Ale, tak czy siak, odrzuciłaś moje uczucie. Potem mówisz, że jednak nie, że masz skurcz w łydce, że masz dziecko. Twierdzisz, że ono cię zabija, oskarżasz mnie, iż to moje dziecko. Potem zostawiasz mnie na zgonie na plaży, idziesz precz z jakimiś kutasami. Skurcz w łydce raptem ci odchodzi. Dziecko również. Pełna mobilizacja. Niczym ryba, gdy poczuje cudzą krew. O mnie twierdzisz głośno, jak Judasz, że ja jestem umysłowy. Tak, nie zaprzeczaj, są to twoje uczynki, które popełniłaś. Choć teraz znowuż zaznaczasz swą miłość do mnie, to ja, Silny, mówię ci, że między nami koniec.

Tak, mówię to. Bez ściemy, bez specjalnych gorzkich żalów, bez pierdolenia się z jakimiś łzami, z jakimiś uczuciami. Ponieważ to w przypadku, jakim jest Magda, nie ma cienia szansy na wyrozumiałość. Jej aempatia mnie przeraża, mnie wyniszcza. Magda w jeszcze gorszy, bardziej zaawansowany po prostu płacz. Mówi, że nikt w życiu jeszcze jej tak nie skrzywdził, jak właśnie ja swoją brutalnością, swoją oschłością, swoją mentalną, uczuciową skorupą. Łuską wręcz, która mnie pokrywa. Mówi, że ci dwaj chcieli ją zwyczajnie zabić jak psa i również mnie by zabili. Gdyż gdyby ona nie powiedziała im, że jestem nienormalny umysłowo, oni by mnie również zajebali. Mieli pistolety, wiatrówkę na pucharki, noże myśliwskie, różne bronie. Wszystko pod kurtką, gdyż jej to pokazali. Musiała udawać, że jestem jej bratem, który ma nasrane w bańce, jako że chciała mnie powstrzymać od niechybnej śmierci.

Ponieważ jestem na granicy wytrzymałości, szoku i czegoś jeszcze, co nie mogę nazwać. Gdyż to, co słyszę, jest już przegięciem, przesadą, czystym etycznym matactwem, które, na dłuższą metę, jest nie do wytrzymania. Magda korzysta z mojej chwili milczenia między nami.

Toczy monolog na temat swojej dobroci, poświęcenia i zrobiła się nagle szaleńczo rozmowna, jak umysłowa dziwka, jak umysłowa dama do towarzystwa. Ja mówię tak: słuchaj, Magda. Ona dalej od rzeczy. Ja na to w ten sposób: masz skurcz w łydce czy nie masz?

Ona na to w ten sposób, choć mówi z wyraźną ociężałością, gdyż amfetamina powoduje wstrząs kości szczękowej, która drga w jej twarzy nieprzytomnie: czy mam, czy nie mam, nie jest to już twoja rzecz, gdyż ja stąd spadam, ja stąd jadę, biorę swą torebkę w troki i stąd spierdalam, gdyż tacy chamscy, bez krztyny kultury pozbawieni mężczyźni nigdy mnie nie obchodzili, nigdy dla nich nie miałam swych uczuć, mnie interesuje kultura i sztuka, pewna delikatność w obejściu, prawdziwa miłość na wieki, prawdziwa czułość, która może zajść między ludźmi dwojga płci. Gówno mnie interesuje twoje lesbijskie zainteresowanie, choć zawsze uważasz, iż kręcą cię lesbijki, to ja ci coś powiem, jesteś zwykłym zbokiem niczym wszyscy inni i interesuje cię tylko jedno, jeszcze w sposób typowo zboczony, o czym wiesz, że mnie to nie interesuje, że mnie to obrzydza, coś takiego. A może nawet jesteś o gejowskim charakterze, co nie mogę ci udowodnić, bo o to jest zawsze trudno na dowody, ale mogę ci to powiedzieć w oczy, gdyż to właśnie na twój temat myślę. To ci teraz powiem: nienawidzę cię, gdyż jesteś prosty, płytki. Nie interesujesz się obrazami, czasopismami, kinem, co ja zawsze lubiłam, aczkolwiek nie miałam okazji na okazanie tego, co więcej, nawet powiem ci, że bałam się z tym wyjawić, gdyż mógłbyś mi odpowiedzieć na to negatywnie, że nie. Powiem ci, że nie interesuje mnie miłość w taki sposób, w jaki ty chcesz to robić, dlatego zawsze nasz temat do rozmowy był kruchy, rwał się. Ponieważ mój światopogląd w dużym procencie polega na uwolnieniu się kobiet spod jarzma, na zaprzestaniu feudalizmu w tym temacie, w tej kwestii. Powiem ci, że dość i że wznoszę tę pięść przeciw takim właśnie ludziom, jak ty, którym chodzi tylko o jedno, o hołd pruski u ich stóp. Jeszcze by tak dalej poszło, to do ostatniej krzty straciłabym swą osobowość, swój osobisty, indywidualistyczny wymiar, tryb zachowania się, poglądów, który złożyłabym ci w lennie wiernopoddańczym. To ci jedno powiem, jakkolwiek bądź staje się dla mnie życie koszmarem u twego boku, to uczucie wygasło we mnie już wczoraj i powiem ci, że patrzyłam wtedy na Lewego, że on na pewno jest od ciebie lepszy, czulszy, że gdy z nim byłam, cały świat wydawał mi się przepełniony głębokością, cierpieniem, ale poprzez właśnie taki egzystencjalistyczny nurt w jego zachowaniu ja czułam, że o co chodzi w życiu, to właśnie o mądrość, czytelnictwo, obsługę komputera. Że roztacza się przede mną przyszłość zmechanizowana, skomputeryzowana, nauczenie się podstaw ksera, nauczenie się podstaw angielskiego, wyjazdy zagraniczne. A wtedy twoje pojawienie się w moim życiu poprzez Lola, choć z nim nawet też byłam bardziej szczęśliwsza, choć był on człowiekiem oschłym, surowym, nie pozwalającym na swój głos, swoje zdanie. Twoja obecność zniszczyła we mnie wszystko, każdą chęć, która pochodziła z mojego wnętrza. Ogółem to nie wiem, po co z tobą byłam, gdyż od początku właściwie było źle między nami, różne napięcia, paranoja i choć nie mówię tego nigdy, co mi Lewy wtedy wyjawił, wyjawił mi on, że jesteś zwyczajnym, nieedukacyjnym skurwlem, który nie ma pojęcia o dziewczynie, prawdopodobnie nawet że będę dla ciebie twoją pierwszą inicjacją zaraz po Arletce, która jest moją przyjaciółką, choć ty się do tego nie przyznasz, ponieważ główną wiodącą twoją cechą jest zakłamanie. Wyjawił mi, że nigdy by nie pozwolił, abym z tobą była, gdyż nigdy w życiu tak nie było, byś ty używał trzech magicznych słów, proszę, dziękuję, przepraszam, byś otworzył przed dziewczyną drzwi. Lub chociażby symboliczną przysłowiową perspektywę.

Coś ty powiedziała? – ja tak mówię, gdyż z moich trzewi dobywa się nagle głos piskliwy, prawie powiedziałbym: żeński. Jest to efekt uczucia gniewu, które zalało mnie raptownie jak ocean i przysłoniło mi wszelkie racjonalne pobudki, wszelkie racjonalne przesłania. I dostrzegłem się na tym, że nie chcę, by dała mi odpowiedź na to pytanie. Chcę ją zabić, teraz dopiero widzę, iż to odczucie jest to moje wrażenie odnośnie całego wieczoru.

Magda, choć tego imienia nienawidzę do ostatniej krzty, każdą literę po kolei wzdłuż i wszerz chcę skreślić w nim, dostaje strachu o to, co powiedziała przed momentem. Trzęsie tyłkiem o to, co mi wyrządziła. Wygląda, jak ktoś, komu ma zaraz zostać spuszczony wpierdol. Skurczona, zmniejszona, łeb wklęsły, noga podkurczona.

Ja tego nie powiedziałam – mówi szybko, zasłaniając rękami swą pustą do ostatniej nitki głowę – to Lewy powiedział.

Co Lewy, co kurwa Lewy, skoroś ty to powiedziała, szmato, tu i teraz i ja jestem na to świadkiem koronnym, żeś to wyrzekła prosto z twoich ust? – mówię na to, a ze względu na zażyty wcześniej w dużej ścieżce proszek, jest u mnie ciężko z gadką odnośnie trzęsącej się szczęki.

No Lewy to powiedział, a nie ja. Ale Lewego także nie można traktować jako poważnego człowieka. Wiesz, jaki on jest. Nienormalny, przez co zresztą się skończyła między nami cała zabawa. Szczególnie chodziło o ten tik w jego oku. Co spojrzałam, on miał tik. Zęby całkowicie bez żadnego sensu, nie ustawione w rządek jak u każdego normalnego, tylko inaczej: jak kto chce. To mi również odrażało podczas całowania się. A szczególnie bardzo jednak tik, mówi ona.

Co do Lewego, to się jeszcze policzymy, myślę sobie. Jak jedynie wrócimy na miasto, to z miejsca. Tak sobie w duszy myślę. Wojna polsko-ruska nie ma tu szans. Sztandary, flagi na nic nie pomogą, proszenia, błagania, przebacz, Silny. Nic mu nie zdadzą się w tej krucjacie, która zajdzie między mną a nim. Po jednej stronie ja, po drugiej Lewy. Po jednej stronie Silny przeciwko o dwulicowym poglądzie na świat pierdolonemu Kapitanowi Oko.

A teraz koniec z pitoleniem się, koniec z litością, ze skrupułem, który dotychczas mnie mamił. Teraz będzie miała tu miejsce z prawdziwego wydarzenia rzeź, teraz jest po dwudziestej drugiej, teraz proszę dzieci zamknąć oczy, ten kto ma słabe nerwy.

Dawaj nogę – mówię do Magdy, gdyż mam dosyć po dziurki w nosie jej wyzwolonego pierdolenia rodem z gazety, rodem z przeczytanego poradnika po ciemku. Pierdolniętego w głowę przewodnika po lewym feminizmie. Koniec. Koniec z dobrocią, łagodnością. Ona na to: zostaw mnie, głupi świrze, co chcesz zrobić. Dawaj nogę, nie bajeruj – mówię grubym głosem, będąc tak okrutny, jak nigdy mi się nie zdarzało w najgorszych wyjściach na solo, wobec najgorszych przeciwników prosto z anabolu, prosto z koksu. Nie tą, tą ze skurczem, tą co to miałaś w niej taki śmiertelny brak potasu i polichromu. Ona o to zaczyna wić się i jęczeć, mówiąc: jak tylko chcesz, jeśli mnie wypuścisz, to ci powiem wszystko. O tym, jaka była prawda z tą nogą. Jeśli mnie tylko wypuścisz. Samotność uderzyła ci do głowy. Amfa uderzyła ci do głowy. Stałeś się

naspidowany na prochu lump. Jakub Szela. Pierdolnięty wampir z Zagłębia.

Koniec z tobą, Magda. Już mnie nie stanowi. To, co teraz mówisz.
Jest po prostu bez sensu, zero zawartości sensu, gdyż ty cała od środka
jesteś bez sensu, twoja literatura i edukacja, twoje profeministyczne
przekręty, zagrywy ze sztuką piękną, to wszystko, mam tego dość. Już
mnie na nic nie weźmiesz, na nic mnie nie ześwirujesz, gdyż znam
prawdę o tobie, o całym twoim prowolnościowym majdanie, o całym
burdelu paramentalnym, który za przeproszeniem prowadzisz razem
z tym szatanem Arletą. Dawaj nogę, gdyż nie ręczę za swój gniew. Który
jest wielki, a będzie tylko jeszcze większy. Dawaj nogę. Pytasz, że jak
mi dasz nogę, czy ci powiem, co chcę zrobić. A więc powiem ci, więc
się szykuj. A najlepiej zamknij oczy, zatkaj uszy, gdyż polecą brzydkie
wyrazy. I dawaj tę nogę, bez żadnych szwindli, bez żadnych numerków,
popraw sobie jeszcze majtki, co by ci nie było nieprzyjemnie i szykuj
się na rychłą śmierć. A przedtem przed śmiercią w ostatnich chwilach
twego zasranego życia popatrz sobie, jak morze jest piękne dzisiejszej
nocy, jak sobie fajnie szumi to w lewo, to w prawo, raz do przodu, raz do
tyłu. Gdyż potem już raczej tego nie zobaczysz, chyba że w piekle. Jeśli
oczywiście twoja śliczna Arletka zechce ci przysłać kartkę z Jastarni do
kotła z tobą, z najlepszymi życzeniami udanego pobytu, ponieważ ona
się bawi świetnie i poznała sympatycznego czterdziestolatka biznesmena
bezdzietnego. Popatrz, ileż to rzeczy mogłaś zrobić i zrozum to. Pytasz,
co chcę ci zrobić z nogą, mówisz, żeby tylko nic zbyt bardzo bolesnego.
A ja powiem ci jedno, lepiej się zamknij, lepiej sobie się ponawciągaj jeszcze jak ci został jakiś towar, a jak nie, to nie wiem co zrób, strzel sobie
tego fajnego, polskiego piasku do nosa, gdyż to właśnie będzie bolało, co
ci zrobię. Gdyż cię zabiję, nie wiem, czy o tym wiesz. To znaczy bardziej
chodzi o to, że oberżnę ci twą najmodniejszą nogę w rajstopie, co równa
się w twoim przypadku śmierci. Tak myślę. Jak nawet nie umrzesz w po-
łogu, w tak zwanym krwotoku, to i tak koniec z tobą. Nie będziesz mogła
dawać, dupka ci od tego uschnie, co równa się także dla ciebie śmiercią.
Kule ci owszem, położę. Trzy metry stąd i tak cię zostawię, spoglądając,
jak się czołgasz, pełzasz do usranej śmierci niczym morska roślinność.

Tak do niej mówię, do tej idiotki Magdy. A ona na to w śmiech. Kwiczy ze śmiechu, mówi, żebym dał jej spokój, gdyż ma gilgotki, a ponadto ból promenstruacyjny, więc jest raczej bardziej znerwicowana, skłonna do podrażnień. Potem nagle trzeźwieje i mówi tak: Silny, ty nie mówisz poważnie, nie? Co ty z tą finką, z tym nożykiem tak, co? Zgłupiałeś do cna? To, że ty jesteś tak gwałtowny, to mi się zawsze w tobie imponowało. Ale ten nożyk do ziemniaków, to sobie ze sobą weź i go zabierz ode mnie, gdyż ja jestem wrażliwa na punkcie krwi, nawet jeśli własnej. Mamie to gówienko zajebałeś z szuflady? Chcesz mnie pokroić? Jesteś perwersem? Chcesz mi tu urządzić zawody w rzeźnictwie na żywym człowieku? Ty jesteś w ogóle fair czy nie, jesteś moim kolegą w końcu czy jakimś gejem? Jak chcesz się tak bawić w ten sposób, bo to cię kręci, to sobie rób sam albo idź na wojnę polsko-ruską i Rusków tym dziabnij, gdyż wiem, że jesteś przeciwnikiem Ruskich, choć się nie przyznasz do tego. Co z gruntu wychodzi, że jesteś fałszywy, jesteś fałszerzem prawdziwych uczuć, gdyż nigdy się do nich nie przyznasz, nie powiesz swoich poglądów, o których wiem, że są raczej krańcowo lewicujące, nie?

Wtedy, choć jestem znieważony, ja patrzę na nią i wydaje mi się ładna, czemu nie mogę zaprzeczyć. A co zobowiązuje mnie do różnych gestów. Ogólnie rzecz biorąc jest tak ładna, tak krucha, gdy w jej kierunku patrzę, że robi mi się żal wszystkich słów, wszystkich wyrazów, które były wypowiedziane. Robi mi się jej żal, ponieważ miała być może trudne dzieciństwo, więcej niż trudne. Być może nie ma w życiu najlepiej, od początku odrzucana, wpuszczana wiecznie w maliny przez rząd, przez państwo, bez szans na perspektywy. Gdy tak patrzę na nią, przychodzi mi myśl o tym, że być może jej dramat polega na urodzeniu się nie w tym miejscu, nie w tym czasie. Wyobrażam sobie, że w innym mieście, w innym państwie by mogła zostać nawet królową dworu królewskiego. I nikt by się nie skapnął, iż jest tylko zwykłą dziewczyną, włącznie z królem, włącznie z marszałkiem. I gdyby nie było między nami tak źle, różne spięcia, gdyby nie powstała cała ta paranoja, te pretensje o wszystko i nic, ten żal jeden do drugiego, byłoby inaczej. Wziąłbym ją postawił na tym murku. Ściągnął jej rajtki i od nowa włożył, by nie były tak poprzekręcone, zniszczone, podwinąłbym jej kieckę i od nowa zaciągnął, by nie była tak nie w tym miejscu. A gdybym miał chusteczki, o co już zresztą Lewy mi przypomniał, gdyż te chusteczki to jest jednak rzecz, którą każdy nawet twardziel powinien ze sobą, jako osobisty przybór mieć i zawsze się przydadzą. To bym jej wytarł twarz z tego smaru, co roztacza się, niczym krajobraz, wokół jej oczu. Z tej szminki barwnej niczym niedojedzony do reszty deser w okolicach jej ust.

Tak bym zrobił. A jednak tymczasem ona jest nadąsana, jakby była co najmniej panią na włościach tego murku, a ja bym był abnegatem, nielegalnym tu emigrantem bez paszportu, bez wizy do niej, bez niczego.

Ładny dzień jest, zagajam bardziej w tonie łagodzącym

Ona mówi na to: no to ja chyba mam już zjazd z proszku, chce mi się rzygać i normalnie zaraz się zrzygam ci na spodnie, jak mi od nowa nie nasypiesz choć małą kreskę. Mam niechybne wrażenie, że chyba już nawet jestem martwa, że już prawie nie żyję. Starczy jeden podmuch wiatru, jeden z jego strony gest. Wybacz, ale teraz będę serialnie uczuciowa. Bo gdy na gospodarstwie ucinają kurze łeb, ona również biega taka jeszcze bez głowy piętnaście metrów przez całe podwórze. Tak się właśnie, jak ona czuje, niczym kura o głowie obciętej, biegnąc resztą sił przez podwórko. Lecz wiem, iż zaraz, bez wątpliwości, umrę. Gdybyś ty, Silny, umiał mi choć raz pomóc, zrozumieć mnie.

To, co było, resztkę, co znajduję w jej torebce, gdyż Magda ma już dość całkiem wyraźne zejście, to jej nasypuję na gazetkę z Hitu. Co ją znalazłem nieopodal w pobliżu. Jest już świt. Mówię, by nie umierała, mówię, iż to uczucie, cokolwiek by go nie jątrzyć, nie niszczyć, ono między nami istnieje. Ona natomiast ma głowę cofniętą w stosunku do ciała i tylko idzie na zmianę przytakując. Jej twarz jest mizerna raczej, anemiczna. Bardziej jakby pod spodem, wewnątrz, Magda miała ziemię ogrodową niż mięso. Co mnie szokuje. Idziemy do dworca, choć byśmy mogli wziąć taksę. Ale raczej jest to niemożliwe, gdyż istnieje możliwość pawia ze strony Magdy, rzygania ziemią ogrodową być może, gdyż tak ona w tej chwili wygląda. Poza tym, myślę, iż dobrze jest spacerować z rana dla zdrowia. Co kategorycznie może w jej sytuacji pomóc w ustąpieniu objawów, zmienić całą sytuację na naszą korzyść. Po drodze wstępujemy na stację benzynową, ponieważ kupuję Magdzie „Filipinkę", by poczytała sobie jakieś czasopismo, gazetę. Choć raczej jestem przeciwko w sposób deklaratywny. Magda mówi, że to dobry znak, iż jestem miękki, romantyczny, czuły dla niej, jak żaden przede mną. W gazecie załączona jest wyraźnie taka dżinsowa torebka z materiału. Co Magda z miejsca od razu zauważa. Co w jej stanie jest znaczące, bo widać, iż musi być nagle radosna, szczęśliwa, choć ogólnie wygląda fatalnie. Gdyż z aferacją, z podniesieniem wysypuje ze swojej torebki inne rzeczy na chodnik. Są to przeważnie gumy do żucia, różne damskie farmazony jak dezodoranty, szminki, ustniki, różne przyrządy do urody. Lekko mnie to podkurwia, jako że, mimo że jest ranek, to to jest jednak siara, niezła kaszana takie postępowanie, co mówię, żeby nie robiła na środku miasta syfu. Ona mówi, że gówno, bo ponieważ nikt i tak jej tu i teraz nie widzi, to więc ona może sobie nawet tu nasikać, jeśli by jej się akurat zachciało. No więc tamtą torebkę wywala precz, a tę nową wykorzystuje, rzucając do niej wszystko, co ma, zostawiając tylko na chodniku puste woreczki po prochu, śmieci po gumie. Jak również długopis z napisem „Zdzisław Sztorm", ziołowe tabletki na uspokojenie się, które poznaję na wylot. Bo śmierdzą kurzym gównem.

E, ten długopis to zostaw, może się przecież później być potrzebny – mówię. Ona na to, iż się odchudza teraz ostatnio i zeszła dziesięć kilo z ramion, a długopis wywala kategorycznie, ponieważ przypomina jej złe wspomnienie Wargasa, od którego go posiada.

Zastanawiam się, skąd u niej ten deklaratyzm, ten dar decyzji. Wiadomo, bilety niebilety, kolejka, odlewamy się pod dworzec, papierosy LM, mentole, gdyż jako takie tylko zostały. Mówię jej, iż kobiety są wyjątkowo pokrzywdzone musząc sikać w ten sposób i że wygląda jak odlatująca maszyna latająca. Magda mówi, że chuj mi do tego, żebym lepiej pilnował, jak samemu sikam. Mało energicznie czyta „Filipinkę", mówi, wyjadę, wyjadę stąd gdzie indziej, do lepszych państw. Ja mówię, że niby gdzie. Ona na to, że do ciepłych krajów chociażby. W międzyczasie chodzi w kąt kolejki, jako że nie ma żadnych prawie prócz nas pasażerów, bo cokolwiek by nie mówić, jej mdłości są przemożne, nie mówiąc już o szczegółach. Poczym ze spokojem czyta dalej. Mówi, że pojedzie do tych krajów, gdzie są te ciuchy, te kosmetyki, kremy z ogórków, ze wszystkiego, gdyż tylko tam chce żyć, jeśli ja chcę z nią być, żele pod oczy, różne kremy, sole kąpielowe. Ja mówię, że owszem chcę, choć moje w tej kwestii rozumienie rzeczy jest inne, powiedziałbym bardziej lewicująco-patriotyczne. No i mówię Magdzie, jaki jest naprawdę stan rzeczy w naszym kraju. Opowiadam jej o powszechnym ucisku rasy panującej nad rasą pracującą, rasy posiadającej nad rasą nieposiadającą. Iż są to te same relacje, co niewolnictwo. Iż Zachód śmierdzi, ma zniszczone środowisko, które zaśmieca różnymi związkami nienaturalnymi, PCV, CHVDP. Iż panują tam żydobójcy, robotnikobójcy, mordercy, którzy utrzymują się i swe nieślubne dzieci z ucisku, z tego, że sprzedają ludziom firmowe gówna w firmowym papierku sprzedawane przez firmę Mc Donald's.

Pierdolisz – mówi Magda bez krwi w twarzy, z wyrazem bardzo przejętym. Niby dziecko któremu demaskują na oczach oszustwo, którym jest św. Mikołaj, równie śmierdzący zwyczaj czerpany garściami z Zachodu. To nie jest gówno, gdyż ja to jadłam.

Owszem, ja też to jadłem, ale nie chcąc cię zmartwić, jest to właśnie gówno, gówno ludzkie, a nawet krowie, psie, zwierząt domowych i cyrkowych. Tak jej to obrazowo tłumaczę, żeby sobie pojęła. Jest to gówno preparowane, chemicznie wynaturzane, zmieniane ze swego składu na inny skład i smak. Jest to już kwestia specjalistyczna, technologie, produkcyjne procedury, precedensy. Jedno gówno idzie bardziej na te bułki, z drugiego robią mięso, z trzeciego cebulę, z czwartego, najgorszego rodzaju gówna, keczup i musztarda.

Magda nie chce mi wierzyć, mówi: skąd to wiesz, prozaik i poeta w jednym jesteś, co?

A ja jej na to, gdyż nie mam dowodów rzeczowych, a nie chciałbym jej zawieść, mówię, że z poradników, podręczników różnych do spraw lewicy, do spraw anarchistycznych, wolnościowych.

Ona na to gapi się na mnie i mówi: czy gówno, czy nie gówno, ale dobre dosyć, znaczy smaczne.

Ja mówię na to: a to jest akurat prawda, i oboje patrzymy w okno, marząc o produktach żywnościowych, spożywczych, gdyż dłuższy czas nie jedliśmy obiadu ni kolacji, nie licząc tych drinków, tej amfy. Potem już milcząc wracamy do mnie na chatę, gdyż akurat jest wolna, pusta. Zaraz jest już po wszystkim, po całej naszej miłości, gdyż jesteśmy dość zmęczeni, znużeni całą tą nocą pełną uczuć i wielu zdarzeń. A Magda idzie do lustra, poprawia sobie gatki, naciąga na twarzy skórę i mówi do mnie zrazu tak z wielkimi pretensjami: czemu mi żeś nie powiedział?! Czemu żeś mi nic nie powiedział? To znaczy na jakim tle? – ja odpowiadam pytaniem z tapczanu, gdyż jestem dość zmęczony całą tą sytuacją. Ona mówi: że wyglądam tak! Grubo! Wręcz puszyście! To co z rąk zeszłam poszło mi w twarz chyba, cały tłuszcz, całe mięso, co mi z rąk zeszło! Kurwa mać! W dupę! Wyglądam jak wieprz i knur! Oko i usta podwójne! Dwa razy powtórzone na moją twarz!

Dalej niestety nie wiem, gdyż pomimo jej nienaturalnych wrzasków i tłuczenia o umywalkę różnych kosmetycznych rzeczy, zasypiam i budzę się już kiedy indziej. A co mi się śni, to już, za przeproszeniem, nie jej rzecz.

★ ★ ★

Na komórkę dostaję wiadomość tekstową od Andżeli. Cześć Silny, poznaliśmy się tam i sram, oraz czy się jeszcze kiedyś spotkamy. Taka wiadomość. Taki sms. Budzę się w tym momencie ze snu, w pościeli, w rodziców tapczanie, snu być może, że długiego, choć być może, że krótkiego. Ponieważ która jest godzina, jest to wątpliwe. Być może, że nie ma godziny żadnej, gdyż jest koniec świata z apokalipsą, co ujawnia się i daje syndromy w mojej psycho i fizjologii. Gdyż nie jest ze mną dobrze, szczególnie fizycznie, fizjologicznie. Wtedy zauważam jeden nieznośny do przyswojenia i logicznego zrozumienia fakt. Tuż blisko mnie leży najwyraźniej Magda, śpiąc, co nakręca mi wokół tego tematu niezły film. Klasyczny halun. Gdyż wyraźnie obok jest, ale czy żyje, czy nie żyje, jest to wątpliwe. Boję się, dostaję niezłego stracha na tym punkcie, ponieważ ona wygląda raczej źle, raczej jak nieżyjąca, wręcz powiedziałbym dosłownie martwa. Raz oddycha, a na zmianę raz nie oddycha, dla odmiany, zapewne by mi zrobić jeszcze gorszy film. Nie ruszając się w międzyczasie na krok od swej ustalonej pozycji. Usiłuję sobie przypomnieć ze wczorajszego wieczoru jakieś wydarzenie, jakiś fakt, podczas którego Magda poniosła niechybną śmierć. I przypomnieć nie mogę.

Natenczas, choć każdy mój najmniejszy ruch jest prawie że śmiertelny, a ból i cierpienie są mym nieodłącznym kochankiem, sięgam po jej torebkę. Co dużo mnie kosztuje bólu w bańce i wszystkich ludzkich organach, jakie są w moim ciele. Aczkolwiek muszę z niej wywalić na kołdrę ten cały gównatus, który ona tam nosi ze sobą, a którego zawartość mnie gówno, za przeproszeniem, interesuje. Wszystko, by wydobyć jeden złamany panadol w postaci tabletki.

Ponieważ może nawet zdradzam swe antyglobalistyczne światopoglądy, zapatrywania. Jednak panadol, choć robiony z trujących zwierząt, trujących roślin i odpadów międzyludzkich Zachodu, z zachodnich minerałów, z zatruwającego na całym świecie wodopoje paracetamolu, który na sterylnej wadze odmierza się sterylnym odważnikiem.

Jednak mimo wszystko to jest dobry, o wręcz właściwościach leczniczych środek. Nieważne. Czy to jest jad pszczół, os, czy to jest jad trupi. Ma postać zwykłej najzwyklejszej tabletki, zdatnej i wygodnej do połykania. Pomaga zarówno na ogólny ból przy zjeździe, który ja mam przykładowo teraz, jak również na chorobę, gorączkę. Kto wie, czy nie kaszel, biegunkę? Może jednym słowem uleczyć wszystko.

Wtedy znajduję długopis „Zdzisław Sztorm". Jest to dla mnie bez mała szok. W tym momencie staje przede mną niby fatamorgana, wszystkie wydarzenia i wszystkie zdarzenia, co miały miejsce wczoraj. Choć, chronologicznie rzecz ujmując, może nawet był to dzień dzisiejszy.

Jest to niczym w momencie śmierci: leci dym, przed tobą całe twe życie zamknięte w fotograficznej klatce niczym w slajdzie. Więc pamiętam, iż dotyczyło wiele zdarzeń, wiele słów właśnie śmierci, umierania, cierpienia. Patrzę na Magdę, która nie dość, że ma zamknięte oczy, to jeszcze się za grosz nie porusza. Myślę o tym dziecku, co ona chwaliła się, że ma, myślę, czy być może, kiedy ja akurat nie patrzyłem się, je urodziła i zmarła w porodzie, dyktowana amfetaminą. Lecz tę wersję odrzucam, gdyż pamiętam również, że miałem ją później, na tym tapczanie, co się wzajemnie wyklucza, eliminuje, ponieważ z dzieckiem, z tym całym biologiczno-fizjologicznym kramem, który potem podobno ma miejsce, jest mało możliwe.

Potem przypominam swój afekt, który mnie skłonił do niepowstrzymanej agresji z udziałem ostrego narzędzia. Przypominam sobie, iż chciałem urżnąć jej nogę w okolicy uda. Przeraża mnie to, gdyż przychodzi mi myśl, że to zrobiłem. A to, to jest to amnezja chwilowa, wywołana szokiem zbrodni, nawałem okrucieństwa. Robakoski Andrzej i to się zgadza. Ale bym jej nogę obcinał, jest to już wyeksmitowane z mej pamięci, być może na zawsze nawet. Strachliwie wsuwam ręce pod kołdrę i szukam nogi tej ze skurczem, która, z tego co pamiętam, jest bardziej od kierunku ściany. Noga jest i ma się dobrze, i jeszcze mruczy, jak gdyby zadowolony z własnego odchodu pies. Magda jest również wyraźnie, zielonkawa, bo zielonkawa, rozrzucona po całym łóżku, niby ofiara morderstwa, ale wyraźnie zabita nie została ni też nie zginęła w bitwie o flagę polskoczerwoną, nie poległa w wojnie o drzewce. Nawet ma świeży makijaż wymalowany do snu, tamte ciapy zmyte, a nowe nałożone, nieco krzywo i nieco odwrotnie, jako że od tej amfy, od tego niczym nie zawinionego zjazdu, trzęsły jej się łapska i narobiła sobie różnych kresek i kropek, jak gdyby cały alfabet Morse'a przemaszerował przez jej twarz. Patrząc na to, może nie powinnem uciekać się do takich aluzji, ale powiem tylko, że jako nieduży chłopak aż do późniejszego mojego życia nie wiedziałem nigdy, które są to brwi, a które są to rzęsy. Oczy owszem wiedziałem, ale brwi i rzęsy to były dla mnie czarna magia. To samo sukienka i spódniczka. Mało dodać. Chińskie kazanie w polskim kościele narodowym. Spowodowało to dosłowną lawinę sytuacji osobistych, intymnych, w których zachowywałem się omyłkowo i niesłusznie. Lecz zawsze jakoś z nich wybrnęłem.

A kiedy już wiem, że nic jej nie jest, to odgarniam ze swego brzucha cały ten nieorganiczny, zagraniczny chłam, który wytrząsłem z jej torebki. Torebki z ulotką ogłaszającą radośnie „Filipinka". Oddzieram z siebie kołdrę i myśląc właśnie w podany sposób, cichaczem udaję się do kuchni.

Gdzie spoglądam w swój telefon, na którym widnieje tekstowa wiadomość od Andżeli. Więc bezzwłocznie dzwonię do niej. Raz dwa trzy. Ona wesolutka. Może jeszcze pijana po przedwczoraj, od kiedy to właśnie ją poznałem. Mówię jej, że jest bardzo piękna i bardzo ładna, że zachwyciła mnie jako dziewczyna i jako kobieta. Różne takie męskie sranie w banie, bajery, telefony, piękna i ładna, i śliczna, i również jednocześnie ładna. Mówię, że ma fajny charakter i to mi się w niej podoba. Ona pyta jakiej słucham muzyki. Ja mówię, że każdej po trochu, że ogólnie wszystkich rodzajów. Ona mówi, że też. Podsumowując fajnie nam się gada, dyskusja jest na poziomie wysokim, kulturalnym. Nieco tematów o kulturze i sztuce, ona: jakie lubię filmy, ja, iż jest bardzo urodziwa, ale najładniejszą to ma samą twarz, lubię różne filmy, a najbardziej różne aktorki i aktorów. Iż ona sama mogłaby zostać niezłą aktorką, modelką. Ona mówi, że ją świruję, ja mówię, że jeśli mi nie wierzy, to jest to jej już sprawa, choć mogę przysiąc na świętego Jakuba Szelę i wszystkich świętych. Ona na to odpowiada, że musi kończyć. Ja na to, czy widziała *Szybcy i wściekli*. Ona, iż może tak, a może nie. Ja proponuję spotkanie na video. Ona pyta, czy mam już jakąś dziewczynę. Ja mówię, że jeszcze nie, ponieważ trudno mi się otrząsnąć po mym ostatnim związku, który był pełen niezawinionej, wręcz tragicznej miłości skazanej na upadek. Ona na to, iż lubi chłopców romantycznych, czułych, lecz równocześnie twardych i mrocznych. Z poczuciem humoru, lubiących miłość, przygodę, spacery we dwoje, wspólne kolacje, długie spacery we dwoje brzegiem plaży, długie wspólne rozmowy o wszystkim, romantyczne przechadzki, pisanie długich listów, otwartych i z wesołym poczuciem humoru, którzy będą dla niej prawdziwymi kolegami, przyjaciółmi, szczerymi, czułymi, z gestem, z kulturą, ze sztuką, rozmowami szczerymi o przemijaniu. Ja odpowiadam, że również lubię takowe dziewczyny, ładne, piękne, z poczuciem humoru, lubiące szybkie kino akcji i dobrą muzykę do posłuchania, lubiące się bawić, potańczyć, urodziwe, zgrabne. Ona mówi, czy nie świruję. Ja się obruszam. Gdyż jeśli już coś mówię, to jest to prawda, chociażby przez sam fakt padających słów. A nawet jeśli nie jest, to jeszcze może być. Wtedy ona pyta, czy wiem, że jest wojna polsko-ruska na naszych ziemiach przy fladze biało-czerwonej, która się toczy między rdzennymi Polakami a ruskimi złodziejami, którzy ich okradają z banderoli, z nikotyny. Ja mówię, iż nic o tym nie wiem. Ona na to, że tak właśnie jest, że się słyszy, że Ruscy chcą Polaków wycwanić stąd i założyć tu państwo ruskie, może nawet białoruskie, chcą pozamykać szkoły, urzędy, zabić w szpitalach polskie noworodki, by wyeliminować je ze społeczeństwa, nałożyć haracze i kontrybucje na produkty przemysłowe i spożywcze. Ja mówię, że są to zwykłe świnie, zwykli konfidenci.

Wtedy ona mówi, że musi kończyć. Pyta, czemu mówię takim głosem cichym, jak gdyby ściszonym. Ja mówię, że moja matka tuż w pokoju obok śpi, gdyż jest na zejściu. Ona pyta, na jakim zejściu moja matka jest. Ja mówię, że moja matka to jest taka matka, która lubi sobie czasem przygrzać, ścieżkę do noska do pracy czy na wieczór. Andżela się śmieje, mówi, że mam wesołe poczucie humoru, za co mam u niej sto punktów na wejście. Ja mówię, że dzięki, że jeszcze pogadamy o tym, gdyż jest fajna z charakteru i usposobienia, co mi się szczególnie bardzo w niej widzi.

Wracam do pokoju, gdzie jest istna sodomia, gomora, syf, malaria, umór. Tapczan sam w sobie poskakany, powariowany. Ból w bańce. Długopis „Zdzisław Sztorm" toczy się przez cały pokój, niby po równi pochyłej. Wzdłuż i wszerz. Gumy do żucia kulki, kolorowe, czerwone, niebieskie, sypiące się z Magdy torebki jak grad i śnieg, opady pogodowe na linoleum. Patałaszki, ciuszki, rajtuzy. Wszystko niczym by przeszła po tym burza. Szmaty bez realnej zawartości. Wydyma je huragan lecący przez okno. Żyrandol kołyszący się w tę i we wtę. Brud, kurz na meblach. Jednym słowem chaos, panika. Magda na tapczanie w dwuznacznej pozycji niczym pani na wysypisku śmieci, w koszuli nocnej mej własnej matki, co mnie do reszty rozsierdza. Gra w gry zręcznościowe na swym telefonie. Wkłada język do woreczka po amfie, co znalazła w kieszeni mej katany. Jest rozpaczliwa. Jest leniwa, nie ma z niej żadnego pożytku. Ujrzawszy mnie, swego chłopaka, nie daje do zrozumienia cienia radości. Raczej raptowne zniechęcenie, rozczarowanie.

Z kim żeś gadał? – mówi do mnie, a wcześniej zdejmuje ze swego języka worek po amfie.

A co, z kimś niby gadałem? – tak odpowiadam będąc raczej nieprzyjemnym, lecz to właśnie jest stan opryskliwości, szorstkości do którego mnie prowadzi swoim widokiem.

No gadałeś, co: nie gadałeś, skoro gadałeś? Ja to także słyszałam, więc są świadkowie. Lecz tak inaczej, gdyż wtedy spałam. Tak muszą podwodne ryby słyszeć rozmowy nas, ludzi. Beł beł beł, tam i sram. Dosłownie takie rzeczy słyszałam, pół śpiąc, pół kojarząc. A jak idzie o to, co bym miała zrozumieć, to często gęsto powtarzałeś matka.

No to ja jej mówię tak, bo już jestem nieźle podkurwiony, gdy ją muszę oglądać: bo właśnie ma matka dzwoniła do mnie na komórkowy telefon, nie wiem, czy wiesz. Mówiła, że wnet tu robi wjazd na chatę i że masz stąd co sił spierdalać. Gdyż jak cię zobaczy, to zabije jak psa. Gdyż ty, Magda, nie jesteś odpowiednim dla mnie towarzystwem. Gdyż ona ma zasady, sądzi, iż skarbem dziewczęcia jest jej skromność, a ty jej nie posiadasz, jeszcze mniej niż kultury. Że na osiedlu są o tobie plotki, że bierzesz amfę, kwas, zadajesz się z nie tymi, co trzeba. Że ogólnie jesteś skończona, że mnie wycieńczasz moralnie i mentalnie. Że jeśli chodzisz tu jeszcze wypindrzona w jej koszulę nocną, w jej szmatki, to ma dla ciebie śmierć w męczarni. Więc się zabieraj szybko, jak nie chcesz nam dwojgu narobić problemów, żółtych papierów. Musiałem powiedzieć jej: matko, o nic się nie martw. Magda śpi li jedynie w komórce, w piwnicy, przyniosła własną żaluzję i wygospodarowała sobie tam nieduży kącik, gdzie ma grzałkę. Tam śpi, naszych przedmiotów, banknotów nie tyka.

Magda milczy, lecz nagle wybucha. Chorobliwą formą. Całkiem nie-czytelną. Formą pośrednią między kaszlem a gniewem. Zaczyna zbierać swe piekło, paski, rajtki niczym błyskawiczna segregacja śmieci. Jest wyraźnie jadowita. Mówi: twoja stara też ma nasrane równie jak ty, jest równie umysłowa. Na osiedlu mówią o niej, że położyła sobie na wasz dom panele od Ruskich i że te panele, ten siding już wkrótce w najbliż-szym czasie, się wam odklei.

Wtedy naciąga rajtuzy, które gdzieś zapodziała. Oczka pociera pal-cami, jakby mogły od tego zarosnąć i by nie było ich widać. Spogląda na mnie, niby że współczująco i mówi: bo ruski ten siding. I ten siding się zjebie z wielkiej wysokości. Mordując całą rodzinę. Weź sam sobie pomyśl. I lepiej tą panelę zrywaj póki czas. Ja cię, Silny, ostrzegam. Potem będzie grill w ogrodzie, wszystko cacy, żeberka z Hitu, twa stara pochyla się nad grillem z pogrzebaczem, twój bracki z podręcznym kompletem przypraw. I, Silny, wtem wszyscy pochylacie się nad grillem patrząc w niego jak w objawienie, jak w zaćmienie słońca. A tu jeb, jeb, jeb, lecą panele wam na te genetycznie posrane łby jak jakieś jebnięte meteoryty, księżyce czy planety z nieba. Jeden na twego brackiego. Za dilerkę, za jego egoizm, utratyzm, przelecenie Arlety i jej potem zostawienie, porzucenie na pierwszym przystanku. Za trzymanie piątki z Ruskimi. Jeb mu w głowę. I do szpitala na oddział zakaźny. Lub lepiej zamknięty od razu. Jeb! Kolejny w twą matkę. Za ploty, za całego Zeptera, w którym robi interes i niezłą kaskę. Za bandyckie ceny w horrendalnym solarium. Za całe zło, za zniszczenie naszej, Silny, miłości. Jeb. I na oddział.

Wtedy Magda, gdyż widzi, że mimo milczenia z mej strony jestem już podjuszony do reakcji, robi przepraszający uśmiech, lecz jednocześnie jadowity. Jak gdyby chciała mi powiedzieć: sorry, Silny, że masz taką rodzinę, co ci robi siarę na całym mieście. Ja ci nic na to nie poradzę. Możesz się najwyżej nie pokazywać, możesz się schować. Ponieważ wśród normalnych nie ma dla ciebie szans. Ogólnie to łazi po mieszkaniu. Kłapie stopami po linoleum. Rozpaczliwa. W samych rajtkach.

W twego psa kolejny panel. Jeb! W sam łeb. Gdyż to jest nienormalny patologiczny pies, on ma tylko brzuch. Zero nóg, zero rąk, szczątkowa głowa. Jak cała twa rodzina.

To mówiąc, Magda przynosi z łazienki szczoteczkę do zębów mojej matki, naciska sobie na nią pasty i szczytując w bezczelności szoruje swe nie do końca udane zęby. Lecz to nie koniec tej mowy, gdyż mimo oporów stawianych jej przez czynność mycia zębów, ona dalej gada. Mówi teraz tak, a jest to kulminacyjny gwóźdź w jej programie. A ostatni panel jebnie w ciebie, Silny. Byś wiedział, jak na ciebie pluję, jak cię wcale nie kocham. Byś wiedział prawdę o sobie. Iż jesteś nikim, brudem pod paznokciem mym. Który mam, za przeproszeniem gdzieś. Gdyż nie tylko to, że byłeś takim wymoczkiem, że zapędziłeś mnie w historię z dzieckiem. Co już jest mniejsze zło, gdyż nawet może Klaudia czy Dona, Nikola czy Markus nie będą twym dzieckiem, tylko moim, a ty umrzesz. Nieważne czy chłopiec, czy dziewczynka. Bardziej o to, że usiłowałeś mnie zabić, że celowałeś we mnie nóż. Że nie było w tobie wyrozumiałości dla mego zejścia. Bo twoja lewicowa dusza jest cała zasrana wzdłuż i wszerz.

Wypowiadawszy te słowa, Magda spluwa na wykładzinę pianę z pasty.

Co za pasty używałaś do mycia zębów? – mówię do niej na to patrząc, gdyż nagle uświadamiam sobie cały dramatyzm, całą rozpaczliwość i denerwuję się do reszty. Mów, kurwo nędzo. Tej po prawo, czy tej po lewo? Ona odpowiada, że już nie całkiem pamięta, jako że ma ostry zjazd i bym się jej dzisiaj nie dobierał do psychiczności. Bo ona jest w strzępach.

Bo ta pasta po lewo była wielkanocna. Jak jej użyłaś, to zabiję jak psa, mówię do niej. Za zniewagę zasad, konstytucji mego mieszkania. I za zniewagę mej matki. Jaka by ona nie była, dobra czy zła, szyldu Zepter czy szyldu PSS Społem. Bo matka jest matką, a ja ją kocham jak własną. I nic ci do tego. Tu masz swe całe piekło, torebkę i twe skundlone szmaty, tu masz swój przenośny świat. Tu masz, to ci rzucam na klatkę schodową, niczym kość psu, byś wiedziała, gdzie twe miejsce w życiu. Skamlij. Skamlij jak pies. Mnie już nie ruszysz. Mam ważniejsze sprawy do roboty.

Po czym to mówiąc wypycham ją dość okrutnie, dość brutalnie za drzwi Gerda automatycznie zamykające. W niespełna rajtuzach. Jest to z mej strony złe, nielojalne, przyznam. Lecz wyprowadzenie mnie z równowagi równa się śmierć w spazmach. I ona to poniesie. Wszystkie za to konsekwy. Takim czy innym sumptem. Czy lewym, czy prawym.

★ ★ ★

Arleta, przechylając się przez bar, jest, szczerze mówiąc, dość pijana. Niczym egzotyczne zwierzę o spuchniętej twarzy. Robi balona z gumy, który pęka zakrywając jej swą różową strukturą, jej twarz. Po czym go zdejmuje, zjada na powrót. Jest niczym symbol konsumpcjonizmu. Zjadłaby wszystko, by wyjadła do ostatniego okruszka cały świat i porzuciła niczym zniszczone opakowanie foliowe. By wypaliła wszystkie do cna papierosy z paczki naraz, gdyby tylko mogła je gdzieś umieścić w sobie i podpalić. Ślad po drinku zlizałaby z blatu.

W ręku ma zatkniętą fajkę o nazwie Viva, którą sięga swych ust z wyrazem twarzy dość nietęgim. Mówi do mnie tak: słuchaj, Silny, mam do ciebie jedno pytanie na stronie. Ja mówię: wal dalej. Ona na to: czy mi powiesz, co się zaszło naprawdę między tobą a Magdą? Ja mówię, że gówno jej do tego. Ona na to, że i tak to wie bardzo dobrze, więc nie muszę jej nic wcale mówić, bo i tak wie. Ja na to: no to co, co między nami zaszło według ciebie? Ona mówi: mogłeś jeszcze wszystko zmienić, wszystko naprawić, gdy byliście nad morzem i Magda chciała z tobą być. Wszystko mi się wyspowiadała. Lecz ty byłeś zazdrosny i ona rankiem, budząc się w twym mieszkaniu, gdzie ją przyprowadziłeś podstępem, powiedziała sobie w duchu, że nie może z tobą być. Tak również postąpiła. I jest to twoja zasługa, co chciałam usłyszeć od ciebie, Silny.

Kładę sobie rękę na twarz. Gdyż dobrze się stało, że jej dziś tu nie ma, jej włosów szmacianych, jej głosiku ptasiego, jej śmiechu niby sypiącej się kobiety na klimaksie. Bo by dziś już na pewno nie uszła z życiem na sucho. Patrzę za nią, by, jakby co, ją zabić, zniszczyć. Muzyka, światła, neony. Tymczasem nie ma jej nigdzie, więc rozglądawszy się mówię Arlecie: gdzie Magda? Ona mówi, gdyż widzi moje wkurwienie nieczęste, krańcowe: z Lolem na działkę pojechała.

Na jaką działkę to mi już nie powie. Drży, bym nie pojechał tam i ich dwojga naraz nie zabił jednym ciosem. Nie zdusił i podeptał im twarzy własną stopą. Nie zakopał pod altanką wbiwszy w ziemię osikowy kołek i zalawszy w tym miejscu glebę rozpuszczalnikiem, denaturatem, by nigdy już nie zdołali wyjść. By uprawiali miłość podziemnie, niepublicznie, w ciemnych i przytulnych zapleczach gleby ogrodowej. Arleta nie, nie dopuści do tak przebiegłej zbrodni, gdyż sama trzęsie dupą, czy w toku śledztwa nie wyjdzie kwestia jej występków przeciw prawu z ruskimi papierosami.

Barman mówi, bym kładł na to laskę. I owszem, tak właśnie czynię. Lecz nie dlatego, bo mi nie zależy na Magdzie, lecz dlatego, bo mam na dzisiejszy dzień ważniejsze scenariusze, sprawy. Otóż jakie to się jeszcze okaże.

I siedzę tak. Ubranie pięknie, bo się ubrałem, ponieważ gdy rano wtedy wstałem, byłem wyłącznie w majtkach. Spodnie też czyste. Wtedy wchodzi Andżela i idzie niczym klientka całego baru, mistrzyni i bilarda, i fliperów. Tak apropos to przychodzi mi na myśl, że w sumie nie pamiętałem, jak za bardzo ona wygląda, ta Andżela. Ktoś, coś, lecz nie wiadomo w jakim kościele, parafialnym czy woje-wódzkim. Teraz bezpardonowo ją rozpoznaję i wstaję na jej powitanie.

Andżela jest to dziewczyna innego typu niż Magda. Inna w dotyku, inna w ogóle. Jest w stylu bardziej takim mrocznym, ciemnym. Czarna kiecka z jakby takiego meszku, takież buty na sznurowadła, rajtki nie normalne, lecz dość wyzywająco siatkowe. Kolczugi, kastety na dłoniach i uszach. Cała w lakierze do paznokci odcienia czarnego. Cała nim wysmarowana, ale równo i starannie. Wokół ust, a także i oczu. Z których sterczą sklejone na ostateczność rzęsy.

Masz fajny, ciekawy styl – tak jej z miejsca od razu zamykam usta komplementem.

Widzę zaraz, że sprawia jej to rozkosz, mówienie o tym. Ona na to odpowiada: o jaki styl ci chodzi? Ja mówię od razu: no wiesz. Ubioru, zachowania, noszenia się.

Ona mówi, że ona po prostu taka już jest, że nie jest to z niczyjej strony narzucone, tylko przez nią wybrane. Że całe życie nosiła się ot tak, jak ja i ty, jak my wszyscy, lecz któregoś dnia powiedziała sobie, że chce być sobą i zachować swój własny niepowtarzalny styl. Tak jak ona sama wewnętrznie mroczny i czarny.

Ja mówię, iż to bardzo ciekawe i interesujące z jej strony. Że najważniejsze w życiu, to być właśnie sobą, nikim innym. Ona mówi, że również to odkryła.

Wtedy rozmowa na chwilę urywa się. Andżela popijając drink rozgląda się po sali.

Dobrze się bawisz? – mówię do niej, by napocząć rozmowę.

Pewnie – mówi ona – dobrze. Choć nienawidzę przeważnie takich ludzi jak ty. To ci powiem od razu.

Mnie to kompletnie zaskakuje, taki gryps usłyszeć od pozornie miłej dziewczyny, która jeszcze przez telefon okazywała się tak sympatyczna. Patrzę się na nią. Ona na to w ten sposób: bo wiesz. Nie chodzi mi konkretnie o ciebie, gdyż ty jesteś przyjemny, schludny, po prostu inteligentny. Bardziej mam na myśli te diskodupy, te diskowywłoki, które nienawidzę po prostu. Spójrz na swych znajomych. Same dziwki, palanty, łaknące się nawzajem. Wszystkie myślą o tym, by znaleźć męża. Jest to totalna żenada, proszenie się samemu o rozpłód. Brak antykoncepcji. Lecz ty jesteś inny, co od razu tu zauważyłam. Romantyczny, gdyż z miejsca rozpoznaję to w twej prawdziwej naturze. Romantyzm, czułość, spacery we dwoje, motory, rowery wodne. To, co lubię.

Poczym pyta, czy mam już jakąś dziewczynę. Na co ja odpowiadam, że jeszcze nie, gdyż nie mogę się otrząsnąć po dziewczynie, od której musiałem odejść, gdyż codziennie kilkakrotnie niszczyła mnie duchowo. Ona na to: jasne, dobrze, żeś zerwał z nią. Ja na przykład nie jestem taka. To znaczy płytka, głupia. Na przykład pomyśl, że ja nie jem mięsa. Mięso produkt zbrodni. Cukier robiony z kości zwierzęcych, więc cukru nie jem również.

Patrzę na nią jak w zaklętą. Przychodzi mi taka myśl, że może ona jest jakąś wariatką, co zwiała ze szpitala i mnie sobie upatrzyła na kolejną ofiarę. I powinnem teraz uciekać precz stąd, zapłacić za siebie, Barmanowi powiedzieć, że fajna ostra dupa chce go poznać i spiżdżać stąd co sił. Lecz tego nie robię. Nie mam instynktu zwierzęcego, który ratuje przez wyniszczeniem gatunku. Siedzę i patrzę na nią, jej kieckę, jej nogi. Co będzie to będzie.

Ona to widzi, dopija swojego drinka. Czy wiesz, że nie jem również jajek?

Tego już nie wytrzymuję, gdyż pojmować takich niedorzecznych poglądów nie pojmuję. Mówię do niej: co ty, jesteś walnięta? Coś ci jajka złego zrobiły?

Ona patrzy na mnie dość z oburzeniem, jak gdybym nie wiedział o elementarnych podstawach moralnych. Mówi do mnie tak: A jak ty byś się czuł, gdyby cię zabijano bez twej zgody? Gdybyś nawet był tego nieświadomy, wobec tego bezbronny? Zresztą przekonasz się o tym. Ponieważ świat jest już na krawędzi. Gdy patrzę rankiem przez balkon, wiem jedno, świat ginie, umiera. Środowisko naturalne. Człowieczeństwo do reszty zdegradowane. Powszechna nadwaga, otyłość. Smutek. Amerykanizacja gospodarki. Rozumiesz te wszystkie fakty? Zanieczyszczenie CV. Azbest. VTC. My, jako ludzie jesteśmy skończeni. To koniec.

Tu nawiązuje się na tym tle dyskusja. Mówię tak, gdyż wytrąciło mnie to z ustalonej równowagi: a czy ty wiesz, że czasem bywa tak i tak się zdarza, że kury, koguty zadziobią swe własne jajka i je jedzą?

Na to ona jeszcze bardziej rozsierdzona: gdyż one się buntują! Mówią nie przeciwko złym ludziom, którzy bezprawnie odbierają im jedyne potomstwo. Wolą je zniszczyć niż żywić ponury naród ludzki.

Choć sam postuluję za niezanieczyszczaniem przyrody przez amerykańskie przedsiębiorstwo, jej mowa nieco mnie zaszokowała. Są to jakby moje myśli o charakterze antyglobalistycznym, lecz niezupełnie do końca. Bardziej histeryczne, bez trzeźwości, bez równowagi.

Uważam, iż twe poglądy są zbyt radykalnie pesymistyczne, mówię, kładąc jej rękę na udzie. Ona mówi, że po prostu jest realistyczna. W zeszłym miesiącu rzucił ją jej chłopak. Amen, taka to historia. Od tej pory nie ma żadnych złudzeń, nie jest już tak naiwna, by się wiązać. Świat ją przeraża, przytłacza. Lecz gdyby tylko spotkał ją ktoś, kto lubiłby jeździć na rowerze, uprawiać sport, badminton, piłka plażowa. Podzielał jej hobby. Kto by jej pomógł odkryć piękno świata. Przyjaźń, miłość, romantyczne spacery. Potrafiłaby się poświęcić, oddać. Odpisałaby na list.

Nie myśl, bo nie będzie tak, iż twe problemy raptem wtedy znikną – mówię do niej, dziwiąc się swej wewnętrznej głębokości, swej duchowości, która bierze nade mną górę. Mówię tak: nie będą te, będą inne problemy, kłopoty. Życie nie jest tak proste.

Ona na to mówi takie wyznanie: nie wiem, czy wiesz, ale nie wierzę w Boga. Boga nie ma, bo skazał swe dzieci na cierpienie i śmierć. Boga nie ma ot i już. Ani w kościele, ani nigdzie. Kategorycznie w to nie wierzę, choćbyś nie wiem, jak mnie przekonywał. Jest wyłącznie szatan. Żaden argument nie zadziała przeciwko mym poglądom, bym mogła z nich zrezygnować. To jedyne co ci powiem w tym temacie. Czarna Biblia, musisz tą lekturę przeczytać, przeanalizować, gdyż to najlepsza moja lektura przez całe liceum ekonomiczne, najlepsza moja szkoła poglądów. Szczególny rozdział, w którym mówi się o tak zwanych energetycznych wampirach, które zabierają z ciebie energię, nie zostawiając ci nic, tacy ludzie. Taki właśnie był mój chłopak Robert Sztorm, który pozbawił mnie wszystkiego.

Ja od razu się przyczepiam do tego Roberta, bo na te jej sądy o religii, sferze sacrum i profanum, nie mam żadnej, totalnie żadnej riposty. Lecz nawet jeśli mam, to nie chcę ich głośno wypowiadać. Taka umowa, każdy myśli swoje i drugi wcale nie musi o tym wiedzieć.

Robert Sztorm, skądś kolesia znam – tak mówię do niej. Ona na to, że być może, ze szkoły, z dyskoteki lub też z klubu, z giełdy. Ja mówię, zaraz, zaraz, czy on nie ma ojca Zdzisława. Ona na to, że owszem i czy go znam. Ja mówię, że tak, że jasne, że są oni niechybnie właścicielami wytwórni piasku, z którymi robię interesy, porachunki. Ona na to już dużo weselej, że to się nieźle składa. Ja mówię, że też. ona, że nigdy by się nie spodziewała. Ja na to, że ja także. Że mam firmę przewozową, turystyczną. Że przede wszystkim jednak mam również fabrykę wesołych miasteczek, która pożera mnóstwo właśnie piasku. Chodzi o to, iż takie wesołe miasteczko musi na czymś stać, a jest fachowo udowodnione, by najlepiej stało na podłożu piaskowym.

Dodaję jeszcze: żelazistym i jakąś mniej zrozumiałą nazwę zachodnią, by wiedziała, że w naszym przedsiębiorstwie znamy się na rzeczy.

Ona przy tej fabryce wesołych miasteczek mówi, że nie wyglądam. Ja mówię, że mimo to, jednak tak jest. Wtedy ona, że jeśli tak jest, to bym jej dał swój bilet, swą wizytówkę z tego biznesu. Ja mówię, iż są w przygotowaniu przez mą sekretarkę panią Magdę. Za to mogę jej pokazać firmowy przyrząd piśmienniczy firmy „Wytwórnia Piasku", co niby że dostałem od Sztorma osobiście. Pokazuję, jest zachwycona. Mówię, iż jeśli chce, to możemy sobie zapodać nieco bielinki, ponieważ po całym dniu spędzonym na obliczeniach, na bizneslanczach, które są zazwyczaj obfite, zawierające niezdrowy, najczęściej amerykański tłuszcz, spaleniznę. Holenderską sałatę na nawozie z psiego łajna. Że po tych wszystkich codziennych bankietach, bufetach, po codziennej lekturze gazet, magazynów jestem zmęczony, cierpię na chroniczne zmęczenie. Ona na to, iż Robert by jej nigdy nie pozwolił. Ja wtedy już dość jestem podrażniony i mówię jej prosto w twarz: ze mną tu przyszłaś czy z tym jakimś twoim cnotliwym świętym Robertem synem Zdzisława? Idziemy zasunąć proszku albo nie idziemy. Raz dwa trzy i wybierasz ty. Ona na to ostatecznie się ociąga, furczy do samej siebie, narzuca swą skórę. Barman robi do mnie oko. Niechby jednak Lewy zrobił do mnie oko, to bym zabił jego samego i jego całą rodzinę włącznie z kuzynami.

Jest okej, idziemy naprzeciw baru. Chcąc być opiekuńczym, proponuję jej, że jeśli są jakieś dymy z Robertem Sztormem, to proszę bardzo. Robert Sztorm ma załatwione wjazd na chatę. Chłopcy wezmą mu wszystko za darmo i jeszcze będą się z tego cieszyć. A będzie to mógł potem spokojnie wykupić w komisie na gotówkę lub systemem ratalnym, więc krzywda mu nie zajdzie. Szczególnie, iż jest pewnie bogatym prawicowym wyzyskiwaczem robotników we swojej firmie. ZChN-owcem. Szurniętym konfidentem, ruskim LM-em. Ona, że niby jak to by miało być. Ja jej tłumaczę obrazowo. Wpada dziesięciu do niego na mieszkanie, lodówka, zestaw radiofoniczny, audia video, wszystkie hi fi idą do nieba i czekają na niego w niebie. Jeśli on tam oczywiście trafi. Choć najczęściej go nie zabijają. Tylko różne pieszczoty mu zrobią kluczem francuskim po piszczelach. Lokówka jak jakaś lepsza, toner do drukarki, suszarka, łyżworolki, aparat, komputer włącznie z klawiaturą, z myszką, z żoną, z kryształami, jeśli ma, tosterem. Całe, żeby nie powiedzieć, AGD i TVP.

Ona na to milczy, nie bardzo wie, co powiedzieć i jestem zadowolony, że takie robię na niej piorunujące wrażenia. Robię dla nas po kresce i mówię, czy ona ma przy sobie fifkę lub też jakiś długopisik. Ona mówi, że ma. Ja na to, by wtedy dała. Wtedy ona mi daje. „Zdzisław Sztorm. Wytwórnia Piasku". Mówię wtedy: kuuurwa twa mać. Ona na to: co, ruski jakiś, sfałszowany? Ja na to: nie, to nie to. Wręcz dobry. Po prostu zwykły długopis jak długopis. Ale wy jako kobiety jesteście wszystkie jeden chłam, jedno ciemiężnicze ścierwo. I powiem ci coś jeszcze. Już kobiety nie chcę więcej mieć, choćby mi się cisnęła na mnie jak lep. Bo każda jest zwykłą kurwą. Raz na miesiąc się psuje i nie chce działać. Każda ma przynajmniej jeden egzemplarz długopisu „Zdzisław Sztorm". Teraz koniec. Choćby kobieta prosiła, klęczała, abym ją miał. Wtedy powiem do takiej: o nie. Spierdalaj mi. Z serca i z oczu. To znaczy nie bynajmniej do ciebie. Do innej jakiejś suki, co mi się będzie napraszać. Palcem nie kiwnę w bucie ani u ręki. Na to ona patrzy na mnie, jak gdyby chciała być na miejscu przeleciana, tu naprzeciw baru, pod tą ścianą. I tak mi odpowiada: Silny, masz prawdę. Nie chcę być również ani z kobietą, ani z żadnym mężczyzną. Bo nie ma właściwie żadnej różnicy, i z tym, i z tym jeden chuj, jeden wielki problem. Nie ma płci, nie ma podziału na kobiety i mężczyzn. Nie ma płci ani przeciwnej, ani innej. Są tylko skurwysyny, tylko krwiopijcy. Wszyscy ludzie bez względu na otrzymaną przy narodzinach płeć są tą samą rangą. Wiesz jaką? Rangą jak i rasą skurwieli, zwykłych potencjalnych skurwysynów. Tyle usłyszysz ode mnie. jedna rasa, ludzka rasa.

Ja do niej na to mówię: to teraz nie pieprz tyle, lecz ciągnij. Ona wciąga do nosa, raz w tę, raz we wtę, z oczu płyną jej bezbarwne łzy. Potem ja ciągnę swoje. Stoimy tak chwilę. Mówię, czy już to kiedyś robiła. Ona na to, że niezupełnie, nie całkiem. Więc myślę sobie, to teraz dopiero zacznie się jazda, Andżela na oko ze trzydzieści kila góra żywej masy. Jej ręce to mniej więcej tak, jak gdyby u mnie młoteczek i kowadełko w uchu. Raptem śmieje się, jak bez mała psychiczna. Mówi, iż dopiero teraz jest jej dobrze, że czuje się odżywiona, iż jej poglądy zdają jej się bardziej definitywne.

I jak się nie zrzyga raptem przed siebie! Jest to rzyg amfetaminowy, z odskokiem, lecący hen przed siebie. Mam z tego niezłą tubę, jak również wszyscy, co stali dookoła. Takiej ewolucji alpejskiej na oczy nie widziałem, czy to po wódce, czy to po paleniu. Serialnie, dosłownie szczam ze śmiechu. Co, o dziwo, tej rzygającej dziewczynie wydaje się równie zabawne. Choć się jej dziwię, na jej miejscu bym się tak nie cieszył. Lecz ona też śmieje się do rozpuchu. Między jednym a drugim rzygiem woła w moim kierunku: szataaaaan!. Po czym rzyga dalej. Wygląda jakby zaraz miała wybuchnąć na zewnątrz swej zamszowej kiecki i pokryć cały świat rzygowiną, aż poszłoby echo. To byłoby jej królestwo, królestwo szatana, przez które przez całą jego szerokość przeciągłaby linki na pranie i suszyła na nich swe czarne kiecki, rajstopy, czarne majtki i rzecz główną, wręcz manifestacyjną dla jej charakteru: czarny stanik. Takiej nienormalnej jeszcze nie spotkałem nigdy w moim całym życiu. choć rzygające mi się trafiały, choćby Magda, która z kolei robiła to chyłkiem, jak gdyby bokiem. Tyle mądrego, jeśli chodzi o Andżelę. Spoglądam na nią. Ileż

to takie małe ścierewko, chude nieszczęście może narzygać. Strasznie. Całe góry, całe morza, całe krajobrazy, wszystko utrzymane w tonacji jej drinka, niebieskawej, egzotycznej Bols Curaçao. Plus jakieś niezobowiązujące jedzenie, wegetariańskie morderstwo na nieznanej roślinie. Lecz to zaledwie niewielki procent, a cała reszta to nękany burzą ocean niespokojny niebieskiej wódki. Natomiast jeśli chodzi o mnie, to bym się nie dziwił, żeby to, co ona ustami z siebie wyprasza, to był czarny lakier do paznokci, czarny tusz, czarny pogryziony flamaster. Oraz czarne kredki świecówki, czarna farba do włosów włącznie z aplikatorem.

Okej. Wracamy na lokal. Andżela idzie się obmyć z farfocli, z pozostałości. Patrzę za nią. Jest całkiem. Choć brudna. Nienormalna. Ale wesoła, zabawowa, skłonna do śmiechu, inteligentna. Jednym słowem fajna, mimo wszelkich nasz-łości. Co, Silny, mówi Barman, puszczając oko. Kładź na niej laskę, zarzyga ci mieszkanie. Co w tym momencie mnie rozżala, rozsierdza. Gdyż jest to chamskie, co mówi, brutalne, mimo iż całe zajście obserwował wyłącznie przez szybę i nie zna faktów.

Nie chcę być również chamski jak on, lecz wobec Andżeli nie mogę pozwolić na to, by był tak aż nielojalny. Gdy ona jest tak szczupła, że najlżejszy mój oddech, moje kiwnięcie palcem jest w stanie zwalić ją ze stołka i podwiać jej spódniczkę. Andżela wraca. Mówię jej: wychodzimy. Ona na to: po czemu? Ja, że mam dosyć po uszy tego miejsca, gdzie kultura i sztuka są na nie. Ona patrzy na mnie, gdyż chyba się we mnie wręcz zakochała, pokochała mnie od pierwszego wrażenia, które na niej zrobiłem. Mówi do mnie: no właśnie. Ma natomiast brwi zrobione na czarno bodajże węglem, co z miejsca zauważam. Lecz decyduję się tam nie patrzeć, gdyż w niej najważniejsza jest dusza niż ciało. Choć ciało jest równie ważne. Choć tak kruche, chude. Ona mówi, że lubi spacerować, choćby nocą. Że jutro jest Dzień Bez Ruska na mieście, taki festyn i czy się z nią przejdę. Myślę sobie, ładnie: Dzień Bez Ruska, Magda na pewno nie omieszka przyjść, choćby szukać fety za pół darmo u różnych frajerów z całego tutejszego powiatu. Ale mówię mimo to, iż wiem, że Magdę spotkam, że to zatruje mą duszę i me myśli, mówię do Andżeli: to się zobaczy. Ona mówi, że niby co. Ja mówię, że gówno, że są różne uwarunkowania, pogoda, ciśnienie tlenu, to, czy przykładowo jakie będą uwarunkowania z hajcem, że to się różnie może ułożyć. I mówię do niej, czy pójdzie ze mną na moje mieszkanie.

Ona mówi, że może tak, a może nie. Na jej sukni zauważam sieć jasnych plamek, które miały miejsce, gdy rzygała i gdy szły odpryski, doszczętnie zaplamiły jej kieckę od frontu. Mówię, że ma france na dekolcie, co ona spogląda zaraz bystrze w tamtym kierunku, naspidowana do granic mimo tych wymiocin, i mówi, bym ją pocałował w usta, gdyż chciała to robić zawsze na moście, zawsze wśród drzew. Mówi: pocałuj mnie prosto w usta, tego właśnie chcę, zawsze chciałam robić to pośrodku mostu, pośród drzew i krzewów. Zawsze chciałam to robić. Teraz to czuję. Nie wiem, czego to wpływ na mnie. Wpływ ciebie na mnie. Jakieś drobne choć raz szaleństwo, jakiś spontanizm okazany w najmniej spodziewanym momencie. Przykładowo w windzie, w morzu, gdzieś, gdzie nikt się tego nie spodziewa. Gdyż życie jest tak bardzo krótkie, Silny, a śmierć blisko, coraz bliżej, dyszy nam prosto w twarz, kostucha o żółtej miednicy, o wygryzionych oczach. I nie mów, że nie, ponieważ tak właśnie jest, całkowita degeneracja, całkowity powszechny upadek wszystkiego. Despotyzm, deprawacja. Silny, lada dzień już nie będziemy żyć, lada dzień i ty i ja zginiemy. I nieważne, czy to będzie zatrute mięso, zatruta woda, PCV, czy prawica, czy lewica, czy Ruscy, czy nasi. Oni nas zabiją, a potem zabiją sami siebie i zjedzą na deser nawzajem ze wspólnego talerza. Na deser. Gdyż na pierwsze danie będzie co innego. Dzikie piękne zwierzęta wymierających gatunków, exodus jeleni w potrawce, eksterminacja tygrysów w marynacie i żyraf jedzonych jednorazowymi sztućcami wytworzonymi z ich ości. To wszystko ginie, umiera. Jesteśmy tylko ty, tylko ja. W ogóle to piszę poezje. Różne wiersze. Czasami potrafię siedzieć bez końca. Skreślać, przekreślać bez pamięci. Pisać znów od nowa. Na razie do szuflady. Później dla szerszych czytelników z całego świata, kto wie czy nie z Polonii amerykańskiej. Bez ściemy, mam tam wujostwo. Wujka i ciocię, świetnych po prostu Kanadyjczyków. Wesołych. Zaradnych. Prowadzą tam oni sklepik dla Polonii. Interes nieduży, ale lukratywny. Dostali spadek. Rozkręcili. Ciocia handlowała, choć nie obyło się bez agresji ze strony autochtonów. Wujek sprowadzał. Wiesz, ruskie baby, różne rdzennie narodowe ikony, które szły tam jak woda. Płyty i wydawnictwa zespołu Mazowsze. Vader również szedł. Który lubię. Lalki jednak lepiej, matrioszki, kilimki, kukły, marzanny. Poza tym kocham zwierzęta. Długo prenumerowałam czasopismo „Mój Pies". Czy wiesz, które to czasopismo? Nie? To dziwne. To jest właśnie czasopismo o zwierzętach. Wiesz. Różnych, domowych, jucznych. Są tam różne ciekawostki, wiesz. Zabawne. Ile wielbłąd może udźwignąć w swym garbie wody, środków zapasowych. Wiesz na przykład ile? Nie? Po prostu mnóstwo. Całe dzikie mnóstwo. Albo pies, jakie są objawy jego chorób pasożytniczych.

Pociera o dywan dupką – wtrącam ponuro z autopsji. Sam również mam psa.

Ona na to z oburzeniem: nie tylko! Jest wiele objawów. Ból odbytu, łysienie, wymioty, suchy nos. Nienawidzę morderców zwierząt. Gdy oglądam programy o traktowaniu zwierząt w Polsce i na świecie, chcę umrzeć. Już raz chciałam umrzeć. Zniszczyłam wtedy wszystkie swe listy, które otrzymałam od Roberta. Wszystko. Była to próba samobójcza. Nieudana zresztą. Mówię dużo. Chcę powiedzieć wszystko, teraz to wiem. Gdyż życie jest krótkie, Silny. A gdybym wtedy się nie zrzygała wszystkimi panadolami świata, gdy miałam już lada chwila umrzeć, byłoby jeszcze krótsze, niż jest. O pół roku. Ponieważ minął już okres pół roku od tych zdarzeń. Degeneracja. Degrengolada. O tym piszę w swych utworach. Świat jest do szpiku zły, a ja chcę umrzeć. Lecz jeszcze nie teraz. Chcę umrzeć skacząc z dachu i krzyczeć: zajebiście. Chcę umrzeć pod kołami pędzącego pociągu. On pędzi, a ja wszerz torów, on trąbi, ja nic, on mnie przejeżdża, ja nic, zero reakcji. Dopiero potem zdjęcia w gazetach, wszyscy przepraszają, wszyscy się winią, Robert jest winny najbardziej, gdyż to on mnie do takiej ostateczności doprowadził, zdegradował mnie, zniszczył mnie jako człowieka i jako kobietę. Nekrologi, epitafia, odczyty. Silny, a teraz pytanie wieczoru, czy masz odwagę umrzeć ze mną? Wśród zgliszczy, wśród popiołów i pogorzelisk. Które będą się wokół nas roztaczać, jak pejzaż zniszczenia. Szatan będzie pełzał po wszystkim, co napotka. Także nas dotknie, a wtedy ten film się skończy. Ziemia rozstąpi się w nicości twarz. Koniec. Kompletna dekadencja, kompletny modernizm. Węże, otwarte łona kobiet. Nie mów nic, nie chcę znać twej odpowiedzi. Wolę się łudzić, że kiedyś to się stanie. Lecz nie wiem, kiedy. Teraz lub później. Kiedy na ciebie patrzę, myślę, że mnie nie słuchasz. Kiedy tak idziemy. Nic nie mówisz. Milczysz.

Andżela była dziewicą. Okazało się to później. Gdy już zbrukała tapczan mych rodziców. Magdzie na taką antyrodzinną profanację nigdy bym się nie zgodził. Inna sprawa, że takich problemów nigdy przedtem ani potem z nią nie miałem. Lecz to się stało później. Zanim to się stało, zdarzyło się jeszcze wiele różnych rzeczy. Tylko jeszcze nadmienię, iż Andżela wyraźnie nie dawała do zrozumienia, iż jest nienaruszoną dziewicą. W żaden sposób. Podkreślała, że z Robertem odeszło wszystko, co miała, więc choć jest bardzo jeszcze młoda, myślałem że cały kram fizjologiczny również odszedł razem z nim. Okazało się, że ten bal z krwią Robert Sztorm pozostawił mnie, za co nazwisko jego do końca życia będę przeklinać. Lecz o tym później.

Najpierw było tak. Idziemy do mnie. Ona nawija bez końca. Jak pozytywka, tylko jeszcze gorzej. Że gdybym mógł, gdyby to było w mych możliwościach, wyciągnąłbym jej ten towar z powrotem przez nos. Po czym schował do worka. Po czym szczelnie zamknął i schował tak bardzo, by go nigdy na żywe oczy nie zobaczyła. Ponieważ nawet jego widok mógłby przyprawić ją o tę nieskończoną lawinę słownictwa, którego używa bez przerwy, bez ograniczeń. Nie mówię nic. Ani pół złamanego słowa nie mówię. Nie chcę niczego popsuć. Wszystko słucham niczym na spowiedzi. Najpierw byli skurwiali politycy, co nic ją nie obchodzą, zabójcy niemowląt, krwiopijcy. A jednak następnie znowu wjechała na tą płeć, co niby płci nie ma, nie ma narządów, nie ma kobiet, nie ma mężczyzn, są skurwiali politycy. Zabójcy niemowląt, noworodków, krwiopijcy całego narodu. Degradanci środowiska naturalnego, mordercy niczemu niewinnych zwierząt, którym ona mówi nie. Potem znowuż na tapecie szatan i jego świta, świat pochłonięty czynieniem zła i rychły jego koniec, apokaliptyczny jeździec na mięsożernym koniu. Piękno przyrody naturalnej. Parki krajobrazowe, wycieczki rowerem, spacery górskie i nadmorskie, złota odznaka turystyczna, listy i pocztówki od przyjaciół z całej Polski.

Mówię, czy ona chce gumę do żucia lub jakieś cukierki, gdyż akurat przechodzimy obok stacji benzynowej Shella, po czym bez żadnej jej wyraźnej zgody kupuję misie-żelki i gumy-kulki. Jest to z mojej strony straszliwy podstęp, lecz me nerwy są zszargane, zbezczeszczone, a wkurwić mnie idzie szybko.

No więc idziemy już na osiedle. Jest noc, ciemno. Chyboczą na wietrze liście. Ona żuje, gryzie. Po trochu, choć chciałem jej dać więcej, chciałem jej wetknąć wszystko razem. Lecz wtedy od tak wielkiej ilości jej małe chorobliwe ciało pękłoby i wtedy porażka. Sam bym miał iść na chatę i ją tu zostawić w postaci strzępów, czy też dzwonić telefonem komórkowym po policję, że właśnie zabiłem panienkę poprzez podanie jej zbyt wielu żelków-miśków. Myśleliby, że robię jawne telefoniczne dowcipy i w międzyczasie by zdechła tu u mych stóp. Takiej wizji swej śmierci ona nie przewidziała w swych mrzonkach, he. Bym jej powiedział, co trzeba, lecz nie chcę nic zepsuć.

Drzwi otwieram kluczem, ona mówi: ładny dom, nowoczesny. Moja ciocia w Kanadzie ma podobny, tylko lepszy, kanadyjski, otwierany pionowo. Ten siding jest ruski? Ruski nie ruski, lecz siding ogólnie jest dobry, choć czasem potrafi opaść, gdy nikt się nie spodziewa. To zależy, kto wykonywał, Ruscy raczej w tym nie przodują na rynkach światowych.

W ten sposób uważasz? – wtrącam uprzejmie nakładając laczki, które również daję jej, tylko mniejsze, mojej starszej.

Sama nie wiem. Sama już nie wiem, co myślę, co sądzę, na jaki temat. Chociaż moje poglądy były jeszcze wczoraj mocno ugruntowane, to dzisiejszej nocy jestem cała od siebie. To wpływ nowiu, to również ciebie wpływ. A także tych prochów, co mi dałeś. To ich także wpływ. Wszystko dzieje się zupełnie szybciej, wiruje wokół mnie niczym wesołe miasteczko.

Przychodzi mi do głowy na myśl, iż to jest śliski temat z wesołymi miasteczkami. Śliski jak trup. Ona gapi się wyczekująca, zastygła w półgeście, jakbym miał jej tu zaraz wyciągnąć pudła kartonowe pełne żelastwa, po czym w cztery oczy jej wybudować dom strachu, toyoty, samolociki ze strzelnicą, po czym najlepiej, gdybym zaczął jeździć, najlepiej razem z nią, na wszystkich z kolei. A przynajmniej pokazał ukryte w meblościance biuro, faktury, papiery wartościowe, wyjściowy uniform na biznesplany, spotkania w interesach. Oraz rzecz jasna ufundowany przez prezesa Zdzisława Sztorma puchar biznesowy roku 2001 za najwyższe spożycie piasku w województwie pomorskim. Najlepiej bym jeszcze ją posadził po jednej stronie biurka, po czym sam się usadził po drugiej. I bym zaczął ją przekonywać do nabycia świetnej jakości wesołego miasteczka na bardzo korzystnych warunkach, cenach. Po promocji, po zniżce, po znajomości. Lecz nic z tego Andżela, twoje niedoczekanie, tego tematu nie było. Dlatego proponuję kawę, herbatę.

Ona nie. Nic nie chce. W ogóle to jest na diecie. Nie je nic, gdyż słyszała, że tak jest najlepiej. Jedne ziarnko ryżu popić sześcioma szklankami wrzącej wody. Z rana. To samo wieczorem. Następnego dnia dwa ziarnka. Potem z kolei trzy, cztery, pięć, sześć, siedem, osiem, po prostu każdego ranka i wieczora jedno więcej. To można sobie łatwo obliczyć. Natomiast liczba szklanek zawsze ta sama. Tak się robi. By uniknąć mordowania zwierząt, które surowo płacą za nasz jebany konsumpcjonizm, niszczenia roślin, zużycia papieru, zużycia pieniędzy. To jest jej głos sprzeciwu przeciwko światu.

Wtem ona pyta mnie, czy chcę z nią umrzeć. Przytuleni. Ja na plecach, ona na brzuchu lub odwrotnie. Twarzą w twarz. Przedtem jednak, by nie czuć bólu, oszołomić się, omamić jeszcze bardziej. Pyta, czy mam więcej prochów. Myślę: święty Wajdeloto przyjdź i zabierz ją ze mnie. Zabierz ją stąd nawet za koszt faktu, iż noc tę spędzę sam, a przedtem zrobię kanapki. Chociaż jest dość ładna. Zgrabna to według gustu. Gdy ktoś lubi takie nastroje anatomiczne, w których widać każdą piszczel, to owszem, zgrabna. Lecz jak dla kogo. Trzeba być żydofilem, by znieść każdy ruch jej kośćca pod skórą. Ale owszem. Z twarzy nic dodać, nic ująć. Usta, nos, wszystko jak trzeba. Pociągające. Próbuję ją trochę sprowadzić na tory właściwego tematu.

Jesteś bardzo ładna – mówię. Mogłabyś zostać aktorką, nawet piosenkarką. Ona na to, bym nie był głupi i czy tak naprawdę sądzę. Ja na to, że jak najbardziej. Ona wtedy kładzie się na tapczan, odgarnia na wierzch włosy, wygładza pokrytą cętkami niczym u zwierzęcia suknię. Strąca na linoleum laczki mej matki i mówi tak głosem sennym i tęsknym:

Nie masz jakichś znajomości, Silny? Jakichś znajomości z wiesz, takim jakimś nieściemnionym prezesem, z jakimiś dziennikarzami? Którzy organizują imprezy, decydują o sztuce? Wiesz o czym mówię.

Wieczorki poetyckie, wernisaże, które umożliwiły mi życiowy start, jako początkującej artystki? Tu nie chodzi o koszta, które przecież możemy razem ponieść. Nie chodzi również o podziemie, ponieważ to mnie zupełnie nie interesuje. Chodzi o robienie w sztuce, kulturze, wieczorki poetyckie, wernisaże, odczyty. Chodzi o ideologię. Nie – mówię ponuro. Choć patrząc na nią, jak pociera udem o udo. Wtedy ona staje się pogardliwsza, oschlejsza. Mówi tak: co: nie? Jak to: nie? Tylko tyle masz mi do powiedzenia, kiedy tu z tobą przyszłam? Wielki pan prezes spółki. Wielki magister inżynier technik. Producent ruskich wesołych miasteczek. Kolejek elektrycznych, Kaczorów Donaldów z napędem tysiąc wat. Firma, papiery, faktury, garnitury. Kapitalistyczna atrapa. Spółka widmo. Zero znajomości, zero korzeni w interesie. Zero powiązań z kulturą i sztuką, zero sponsoringu.

Po czym zmienia odcień głosu na pojednawczy, łagodzący: Starczyłby jeden dziennikarz. Choćby od sportu, ale z wtykami. Jeden wywiad do gazety ze mną. Załóżmy, że do gazety i czasopisma. Niekoniecznie lokalnego. Można coś ściemnić, coś ukryć. Ujawnić próbę samobójczą, gdyż to się zawsze przyda, przetrze tak zwany szlak między autorem a odbiorcą. Zdjęcie, na którym będę sfotografowana właśnie tak. Bądź też w podobnej pozycji, ale makijaż ostrzejszy, demoniczny, właściwe światło, odpowiedni fotograf. Walnie się, że w swojej sztuce ujmuję motywy modernizmu, demonizmu. Satanizmu Przybyszewskiego. To się zawsze sprzeda, to jest modne. Walnie się, że jestem zupełnie młoda, a już tak bardzo utalentowana.

W tym momencie tej rozmowy, co była jakby jednostronna, możliwe, że przysnęłem. Gdyż następne fakty mi się nie zgadzają. To znaczy, że rozbudzam się już w innym momencie rozmowy Andżeli. Gdy właśnie akurat mówi dość dla mnie bez sensu: to jak będzie z nami, Silny, co? Pogadasz z magister Widłowym? Powinieneś go znać, on też robi w biznesie, w kolportażu polskiego piasku. To samo w sumie, co Zdzisław Sztorm. Tyle że wysyłkowo i ratalnie. I większa szycha.

Andżela ma tusz waterproof. Zero zacieków. Sterczące rzęsy. Rozwalone nogi. Zaciągniętą kieckę. Ręce wplecione we włosy. Marzycielską twarz.

Tak – mówię łaskawie i jednoznacznie.

Ona na to jak się nie zerwie z tapczanu, jak nie poleci na ubikację. Jest to kolejny jej rzyg, tym razem już chyba rzygnie żołądkiem i całą swą aparaturą pokarmową. Rzygnie całą zawartością swej jamy chłonąco-trawiącej. Łącznie z mózgiem. Odda światu, co jest mu winna przez wszystkie czasy, co to zaciągnęła dług, rodząc się. Jeszcze z nawiązką. Jeszcze z darmowym dodatkiem. Rzyg pokarmowy plus ona sama w nim zawarta. Tak to sobie wyobrażam. Jednocześnie niecierpliwię się. Zastanawiam się, czy jest do końca ładna. Zastanawiam się, czy jest wariatką. Czy warto się do tego zabierać. Czy ją odesłać. Powiedzieć, że był taki a taki telefon z biura reklamy, z biura przetwórstwa i transportu. Że muszę w trybie natychmiastowym rozwiązać pewne sprawy. Odnośnie papierów, spotkań w interesach, w których to moja obecność jest niezbędnie potrzebna. To i owo muszę podpisać, przypieczętować. Sprawa kluczowa dla rozwoju mej firmy. Drapieżny wczesny kapitalizm, przykro mi, narazka, choć było przyjemnie, miło z jej strony, że wpadła, tu jej skóra, tu jej buty: glany-kozaki, pa, nie będzie mnie na mieście przez kolejny rok. Konferencja wytwórców wesołych miasteczek w Baden-Baden, festiwal piasku w Nowej Hucie, prawa demonicznego kapitalizmu, ot cała historia. Lecz coś mnie jednak kusi, korci. Zostawanie samemu w ciemnym mieszkaniu odstręcza, przeraża.

Wszystko więc pizd! i na jedną kartę. Pizd! gaszę w dużym światło. Pizd! za nią do łazienki, gdzie odgłosy sodomy i gomory, istny zew natury. Ta przewieszona wpół przez wannę niczym czarna ścierka do naczyń. Rzyga bez chwili odpoczynku. Między jednym a drugim wymiotem mówi głosem potulnym, prawie że błagalnym: szatan. Szatan.

I wtem nagle, całkowicie nagle, z nie wiadomo z której strony nadchodzi istna eksplozja. Istna erupcja tej dziewczyny. Rozlega się ku mojemu zaskoczeniu pokaźny brzdęk. Wręcz hałas, wręcz porządne kupione od ruskich płyty podłogowe, tak zwana glazura i terakota sprowadzona przez Terespol za pokaźne pieniądze, teraz drży niczym osika. Huk, hałas, brzdęk, echo idzie przez linki na pranie, przechodzi do sąsiadów, poczym wprawia w nieuchronne drgnienie całe osiedle.

Patrzę na Andżelę, patrzę do wanny. Gdzie na samym dnie średnich rozmiarów ludzkiej pięści kamień toczy się wzdłuż aż do odpływu.

Odrzuca mnie to, jestem w całkowitym szoku. Jestem przerażony, odarty z całkowitej orientacji. Wszystkie moje dotychczasowe poglądy na kondycję człowieka walą się. Tysiąc gwałtownych pytań do zadania samemu sobie, do postawienia Andżeli.

Lecz nie nadążam ich zadać, gdyż chwilę za głazem przychodzi następny wymiot. Teraz jest to z kolei deszcz kamieni drobnych, niewielkich niczym żwir, lecz odrobinę większych. Znaczy się takich zwykłych średnich kamieni, co można znaleźć na każdym kroku bez specjalnego usiłowania. Ja pierdolę. Kurwa twa mać. Księga Guinessa. Mistrzostwo świata. Nowa Huta Katowice. Wytwórnia Piasku. Pierdolę ten świat. Wyjeżdżam dosłownie stąd. Panienka z kamieniem wewnątrz. Panienka rzygająca kamieniem. I co jeszcze. I ja chciałem ją mieć. Przelecieć. Jamę brzuszną z kostkę brukową. Po czym po pomyśleniu tych wszystkich nagłych, cisnących się na usta słów, wykonuję szybki znak przeżegnania się. Coś mi zostało po mej karierze ministranta w kościele pod wezwaniem Wszystkich Zmarłych. Pewna skłonność do zabobonu, do odczyniania złego. Czasem przychodzi na bańkę rodzaj myśli, iż dobrze się stało, iż już tam mnie nie ma. Iż mój surducik ministranta stał się zbyt mały, ciasny póki czas, nim w kościołach, na parafiach stawili się uzbrojeni pedofile. Choć jest to może przemyślenie niesłuszne. Gdyż na przykład gdyby nie tak się złożyło, lecz inaczej. Być może, iż bym był teraz innym człowiekiem o takich, a nie innych upodobaniach. I bym miał tu teraz jakiegoś sympatycznego gówniarza, Markusa, Eryczka, Maksa bawiącego się w klocki. Byśmy się bawili, pokazałbym mu miasto z balkonu. I miałbym spokój, jasne sumienie. Miast pokwitającej Andżeli wypełnionej prawdziwymi kamieniami połykaczki kamieni. Kto wie, czego jeszcze. Być może ognia, być może piasku, co by sugerowała bliska zażyłość ze Sztormem. A kto wie, czego jeszcze innego. Lecz tak nie jest. Oto Andżela przewieszona przez wannę bez tchu. Oczekuję na wyjaśnienia. Oczekuję wyjaśnień od ciebie, dziewczyno. Nie jesz mięsa, lecz jesz kamienie. Jesteś nienormalna. Jesteś zdrowo fiśnięta. Jesteś zdrowo psychiczna. Teraz mi to tłumacz.

Lubisz kamloty? – mówię do niej nieco podkurwiony, z gruntu zjadliwy za to, iż jest tak pierdolnięta, iż me życie zdaje mi się w tej chwili jednym galopującym halunem, istną paranoją. Co, Andżela, lubisz sobie zjeść takiego kamlota, co? Niska ilość kalorii, ja to rozumiem przy twej diecie to rarytas, zjeść taki głaz. Trujące, lecz, kurwa nędza, pożywne. Gadaj, co żeś za jedna. Bez mi tu histerii, bez ściemniania, jesteś wariatka z miasta Wariatkowa i teraz się wreszcie raz do tego szczerze wyznaj!

Lecz ona nie odpowiada. Wisi przez wannę niczym sczerniałe trupisko. Co za noc pełna strachu, emocji, wszystko przy tym to istny pikuś. Przy tej Andżeli jestem skłonny do choroby wieńcowej, do zawału całego ciała. Nawet teraz, choć jest bezwładna całkowicie, może że nieżywa nawet, nie mam już ze swej strony żadnych myśli z gatunku, które mężczyźni mogą mieć odnośnie kobiety. Teraz nie jest ona dla mnie ni mężczyzną, ni też kobietą, ni nawet skurwiałą polityczką. Jest straszliwym zgonem wiszącym przez mą wannę w laczkach mojej własnej starszej, co całe dnie i noce zasuwa w Zepterze przy dystrybucji i reklamie kosmetyków, lamp leczniczych, garnków. To obrzydliwe z jej strony, co mi zrobiła. Z niesmakiem brodzę przez jej bezwładne kończyny i wywlekam z czeluści wanny co większe głazy. Po czym wywalam je przez okno od strony chodnika w noc ciemną, pełną niebezpieczeństw, syków, trzasków. Noc elektryczną z wyładowaniami, noc pod wysokim napięciem. Jest to z mej strony o tyleż nierozsądne, iż bodajże trafiam w kogoś lub coś żywego, akuratnie przechodzącego. Gdyż pośród ciemnych otchłani nocy rozlega się pokaźne tąpnięcie i okrzyk. Wtedy jednak, nie mając już nerwów do konfliktów ze szlajającymi się po nocy palantami, zatrzaskuję oknem i idę na telewizję.

W telewizji nic, choć w meblościance odnajduję ptasie mleczko, które niezwłocznie wciągam. Gdyż poprzez zdarzenia dzisiejszej nocy stałem się kategorycznie głodny. Rozmyślam przez chwilę o swej matce, z domu Maciak Izabeli, po mężu Robakoskiej. Która dziś kupiła te ptasie mleczko z myślą o sobie, lecz szast–prast, wpadła do domu, wypuściła psa na ogród, taszka, garsonka, i dalej w rajzę. W chwili wolnej od pracy zjadła ćwierć, a drugą ćwierć mój bracki, któremu co rusz grożą na każdym kroku pierdlem i odsiadką. Sąsiedzi, rodzina, kuzynostwo. Zresztą on nie za bardzo leci na słodycze. On prowadzi dietę jajkową. Znaczy się, że bierze do łapy dziesięć jajek i wyjada z nich same białka, żółtka i skorupy wyrzucając precz. Lub zależnie od nastroju zlewa do miski,

daje dla psa. Gdyż on potrzebuje mnóstwo białka do rozbudowy, mleko z mlekiem. A niech żałuje, bo dobre jest to ptasie mleczko. To również jest taki z produktów, co by mogły zrobić furorę na stołach całej Unii Europejskiej. Zawojować cały świat, włącznie z Antarktydą. Każdy ci tam powie, zapytany, że nie ma czegoś takiego, jak ptasie mleczko. Ponieważ logicznie rzecz biorąc od wieków wiadomo, iż żadne ptaki nie dają mleka, a gdyby dawały, byłoby to już dawno uprzemysłowione, zalegalizowane, zaciągnięte w kierat. A wtedy ty mu mówisz: a właśnie, iż ptasie mleczko jest. Należy tylko przyjechać do Polski, gdzie są piękne, starodawne jeszcze elewacje w miastach Wrocław, Nowa Huta, Gdańsk Główny. Gdzie jest najlepszy, po korzystnej cenie od kilograma piasek. I zachodnia kaska leci do twej kieszeni. Zjeżdżają się całe wycieczki. Wynajęcie autokarów – kolejna kaska. San i jelcz, najgorsze, najtańsze, lecz egzotyczne, tutejsze, zagranicznym gościom podobają się takie cofnięte machiny w czasie, takie za przeproszeniem relikwie piastowskie. Jeżdżą jelczami, PKS Kamienna Góra, to im się gra, kolejna kaska i szmal. Barszcz gorący kubek, pieczarkowa, cebulowa, nawet chińska – kierowca zalewa podręcznym wrzątkiem – kolejny dodatkowy szmal. Procenty lecą, kasa się napełnia. Wieczorki zapoznawcze dla turnusu z ptasim mleczkiem na stołach, to jest kulminacyjny punkt całego programu. Zapoznanie z tubylczą ludnością autochtoniczną. Do kupienia całe zapasy ptasiego mleczka. Wycieczki do fabryki ptasiego mleczka, przyglądanie się procesom przetwórczym. Oczywiście sfingowanym, lecz turnusowiczom to podoba się.

Ludność naszego miasta jest wtedy przy hajcu. Podpłacają likwidację Rusków z tych terenów. Przekupują urzędników do wykreślenia Rusków z listy mieszkańców, z banków danych osobowych. Dni Bez Ruska to codzienność, jak i festyny, race, festiwale antyruskie, ulotki, wystrzały barwnych fajerwerków, co układają się w obwieszczenia: „Ruski do Rosji – Polacy do Polski", „oddajcie fabryki w ręce polskich hiperrobociarzy", „obalić siding produkcji ruskiej", „Putin zabieraj swe krzywe dzieci". To już mnie jednak mało interesuje, to już nie jest moja dziedzina. Ja mam najwięcej hajcu, robię interes na handlu flagą biało-czerwoną, transparentami. Po czym podpłacam eliminację Magdy z miasta i żyję niczym król, żyjąc wśród kobiet i polewając sobie wino szklankami przed telewizorem. Wszyscy są zadowoleni, choć najmniej to są Ruscy.

Za resztę kasy finansuję inicjację z prawdziwego zdarzenia partii lewicowej. Pierwszą poważną partię lewicowo-anarchistyczną. Anarchistyczny nurt ocalenia lewicy. Tak to widzę. Elewacja największa w mieście, flagi, sztandary, trawniki. Piękny europejski biurowiec w jasnych kolorach. Ja sekretarz, mój bracki prezes, choć czy on jest anarchistą to jeszcze się zobaczy, jeszcze się go podkręci. Matkę jako księgową, elegancka, choć już starsza, full kompetencje, osobne biuro do spraw kontroli anarchii, osobny fotel, pionowe żaluzje. I mnóstwo sekretarek, personel i obsługa to prawie wszystko sekretarki. Cudne sekretarki leżące na biurkach w zawiniętych na głowę spódnicach biurowych, w rozpiętych garsonkach, marynarkach, w ściągniętych rajtuzach, wszystkie chcą jednego. Cudne sprzątaczki czołgające się u stóp w zdjętych fartuchach. Wszędzie automaty z amfą, które za kartą chipową wyrzucają z siebie istne góry amfy prosto do nosa. Wtedy ja w takich warunkach mogę być dobry wujek Silny, Barmana biorę na kierowcę, Lewego na serwis techniczny, Kiśla na magazyniera, Kacpra na załóżmy, że ogrodnika. Anarchistyczne sekretarki dają prosto na biurkach, krzesłach, kto co tam ma, parzą dobrą kawę ze śmietaną, roznoszą jedzenie na tacy. Magdę na sprzątaczkę, co swym językiem wyciera najplugawsze brudy z kafelek. Za oknem są same piękne dni o słonecznej pogodzie. Ja wydaję rozporządzenia: tyle a tyle transparentów puścimy na Słupsk, tyle a tyle naszywek na pomorskie, tyle a tyle arafatek na wschód, tyle a tyle czarnych koszul na szczecińskie. Gospodarka ma się dobrze. Wszystkim żyje się dobrze, nawet ciemiężonym robotnikom, którym rzucamy, co im potrzeba, inspiracje tematów na strajki, na wiece.

Lecz nie zdążam już pomyśleć dalej tych pięknych chwil ostatecznego triumfu lewicy, demonstracyjny wzwód zdąża ogarnąć me spodnie. Mówię w kierunku swych lędźwiów tak: co, dżordż, ty po prostu wiesz, co jest dla nas dobre. I w ten sposób uśmiechasz się. Do mnie. Że ci się ten plan podoba, szczególnie z amfą. A najbardziej z sekretarkami rozwleczonymi po firmowej wykładzinie. Co, dżordż? Na spacer byś chciał wyjść. No pewnie.

Niestety tak łatwo to się nie przewietrzysz, choćbyś na sporty miał tak straszną chętkę, jak masz. Ta pani, którą tu mamy, ma poważny zgon. Być może nawet, że nie żyje. Leży przez wannę. Wyrzygała kurwi kamień. A możliwe, iż we swej kościstej dupce też ma kamieniołom, wyasfaltowane, wybrukowane. Obśrupiesz mi się i jak przyjdzie prawdziwa pora na akcję z jakąś prawdziwą dupką z krwi i kości, choćby Magdą, to nie będziesz takiż znowu cwany jak teraz. Będziesz się nadawał tylko na antykoncepcyjne siusianie poprzez cewnik.

I tak sobie mówiąc półszeptem, półgłośno, gdyż tamta zwłoka i tak nie słyszy w łazience, wpierdalam te mleczka. I proszę, zrazu, nagle jak gdyby wszystkie me życzenia się spełniały od ręki, co nigdy się nie działo nawet w zasranym dzieciństwie. Jak gdyby dobry Bóg król wszechamfetaminy zmiłował się nad mym nieszczęściem.

Gdyż naraz między owymi bibułkami, które dzielą jedne mleczka od drugich, co by się nie skleiły, nie rozmemłały w temperaturze pokojowej i by ogólnie było elegancko, znajduję ukrytą baterię mego białka, mej królowej matki amfy. W kilku zresztą akuratnych w sam raz dla mnie woreczkach. Co najwidoczniej mój bracki skitrał na wypadek dymów z policją, jakiejś kwaśnej rewizji na mieszkaniu. I to się doskonale składa, gdyż złe samopoczucie w kośćcu, w mięśniu, daje mi o sobie już znać. Co więc szybko wykorzystuję, by sobie poprawić kojarzenie, pojmowanie, współpracę psychofizyczną. Ponieważ amfa to nie zgrzewka panadolu, herbatka melisa i dwa dni w śpiączce. To dalszy ciąg zabawy.

Raz dwa, długopis „Zdzisław Sztorm", koniec bajki, po bólu. Od razu robi się na mieszkaniu jakby widniej. Ciemność jest jaśniejsza. Bardziej przejrzysta, bardziej jasna.

Bezzwłocznie też włączam też odkurzacz. Włącznie z kablem oraz rurą. Co by Izabela Robakoska, panieńskie nazwisko Maciak, nie natknęła się rano na syf. Wchodząc do domu po weekendzie. Spędzonym na rachunkach w Zepterze. Wtedy idę do łazienki i ubikacji. Zobaczyć jak jest z Andżelą i czy będzie dżordż miał jakieś szanse na odmianę swego losu lichego. Otóż tymczasowo jeszcze nie. Andżela w stanie wyraźnie złym, zatruta kamieniami, wisi przez wannę bez nadziei żadnej na rychłe przebudzenie. I przyznam iż reanimacja zgonów nie jest mą mocną stroną. Jako że, gdy raz usiłowałem to wykonać na przypadkowo leżącej kobiecie, skutki okazały się dramatyczne. To znaczy że ta kobieta okazała się już martwa wcześniej. Bardzo to przeżyłem. Próbować zagadać z prawdziwym trupem. To było dla mnie straszne przeżycie, gdy potem jechałem na praktyki, jadłem kanapki tymi ustami samymi, co próbowałem ożywić tę trupią babę. Lecz do rzeczy. Z Andżelką fatalne gówno. Stopą próbuję ją szturchnąć, próbuję jakoś ją rozcucić. Lecz nic, trup, zgon, totalny bezwład. Ze względu na tę amfę, co znalazłem w bebechach ptasich mleczek, mnie to nie zniechęca. Łeb jej pod kran, pod prysznic. Jest to łeb blady, anemiczny, załatwiony na maksa, wyzuty ze krwi. Makijaż waterproof niezniszczalny niczym tatuaż. Twarz dość bez wyrazu, czy to by miała być złość, czy też radość, ich śladu nie ma na twarzy Andżelki. Kręci mnie to. Taka by nawet mogła być, nic nie gadająca, nie napierdalająca od rzeczy jak nakręcana. W takim milczącym stanie byłbym nawet gotów obdarzyć ją jakimś uczuciem. Byle tylko mieć gwarancję zaświadczającą na piśmie z pieczęcią, iż ona otworzy swą gębę w każdym celu prócz mowy artykułowanej. Wtedy owszem, kupuję ją.

Dżordż coś chce. Fika. Mówię do niego: kitraj się palancie, nie widzisz, że tu jest akcja reanimacja? Na razie to możesz sobie pomarzyć o niej, tak się dramatycznie zerzygała. Chów się teraz, a gdy tylko ją obudzimy tę naszą zerzyganą kamieniami królewnę śnieżkę, to owszem, wspólnie razem z nią postaramy się o jakieś dla ciebie ciekawsze rozrywki niż siedzenie po ciemku w samotności.

Wtedy wszystko naraz wiem, jak działać. Szybko, sprawnie niczym ZHR na manewrach. Z ptasich mleczek wywlekam jeden rzucik, choć potem przeprawa z mym brackim będzie dość ostra na pięści i noże kuchenne. Lecz nie, nie popuszczę, skoro mnie już kosztowała ta rzygaczka tyle zachodu. Biorę ten cudzy, czarniawy łeb w ręce, uchylam jej usta i na chama wcieram w mięso, co ma miejsce pośród jej zębów, dobry, kosztowny towar, którego może nawet warta nie jest. Tak to robię, gdyż mój pan dżordż upomina się o swą działkę, która mu się niechybnie za wszystkie przeprowadzone dziś nad nim zniewagi i eksperymenty intelektualne należy. Amfa, ten magiczny zasiłek dla bezrobotnych. I zaraz, nim odczekam parę chwil, gdy płuczę prysznicem całą glazurę terakotę z jej kamiennego pawia, ona ożywa niczym ruska lalka chodząca na nowych bateriach R6. Zatacza czarnymi powiekami, spod których ujawniają się gałki oczne. Których jakoby od około kilku godzin nie miała. Spogląda na mnie dość niemrawo. Po czym mówi tak tonem odkrywcy Ameryki, promieni słonecznych i kuchenki gazowej naraz: Silny, to ty? Dość bełkotliwie. Lecz ja wiem, iż dżordż jest na właściwej drodze do konsumpcji tej przypadkiem bądź co bądź znajomości. Biorę ją pod pachy i wlekę na tapczan. Ona po drodze, szurając po wykładzinie swymi kulawymi nogami, co gdyby miała przykładowo ucięte w połowie ręce, by mogła pracować za manekina na wystawie sklepu z bławatami. Wtedy też bym ją wlekł, gdyż już nie mam chęci się znowu ceregielować, czy może kobieta jest martwa, czy może jednak żywa, czy też po prostu małomówna. Lub niezdecydowana na żadną z tych opcję. Chuj mnie to. Ma płeć żeńską to ma płeć żeńską i żadne wielkie tu zastanawianie się raptem nie jest niezbędne: Andżela do mnie tak: no co ty odpierdalasz, weź ode mnie te ręce, sama sobie pójdę.

Czyli pozytywka gra, wszystko w porzo, elegancki powrót ze świata umarłych do świata żywych i gadających, powrót, co by nie, w wielkim zatrważającym stylu, fanfary, ciocia amfa postawi na nogi umarłego. Już mnie gówno obchodzi te głazy, co z siebie wytoczyła do armatury w łazience, o co z nimi chodzi, nie będę o tym gadał z tą półgłową desperatką. Gdyż jej narcystyczna kariera pseudointelektualistyczna nie jest w tej w chwili mym priorytetem.

Nie będę ściemniał za dużo i przejdę od razu do rzeczy kluczowej, o którą głównie przecież chodziło od samego początku, o znajomość damsko-męską. Gdyż taka wyraźnie zaszła. Zanim jednakoż do tego udokumentowanego wyraźnie faktu doszło, był spory, jak wiadomo, przestój. Taki ot przestój, że Andżelce po mojej pierwszej pomocy fachowo jej udzielonej odżyła krzywa dupa. A raczej twarz z narządem mowy. Nie sposób mi przytoczyć wszystkich słów, co miały miejsce, gdyż ona zaraz po odzyskaniu żywotności stała się bardzo rozmowna na każde tematy. Bujna gestykulacja niczym niezmierny las rozrastający się na mych oczach z jej rąk, nóg, części twarzy. Dużo różnych słów, dużo z jej strony rozmowy. Do kogo, bo chyba nie do mnie? Przeróżne tematy. Bardzo oralna była, tak rozmawiając bezustannie, tak sobie do siebie zagadując o wszystko, o psy, o ogólnie zwierzęta. Potem wjechała na szatana. Iż już nuży ją ten styl, mroczny, śmiertelny, iż wolałaby być całkowicie bardziej przeciętna niż jest. Że by pragnęła czasem być niczym różne jej z klasy koleżanki, głupie zupełnie zwykłe dziewczyny, co do szkoły i ze szkoły, i zero zabawy, zero myśli życiowych o ponurym wymierze, który świat umie przybrać, zero myśli o śmierci, samobójstwo to dla nich nie do pomyślenia, gdyż są na wskroś ograniczone, nieotwarte na nowe trendy. A dla niej samobój to pikuś, jeden ruch nożem, jedno kilo tabletek i ona nie żyje, a w gazetach jej zdjęcia na tle morza, z makijażem, w kolczugach i draperiach, w gazetach nekrologi, przeprosiny, tłumaczenia, iż tak młoda utalentowana bardzo artystka nas tu zostawiła samych sobie. Tak mówiła, rzecz jasna nie omijając tematów spożywczych, iż od urodzenia nie trawi mięsa i jajek, gdyż są to produkty zbrodni.

Był to przestój dla mnie, jako że oglądałem wtedy telewizor, w którym absolutnie zero ciekawostek. Jedno porno na tysiąc kanałów, niemieckie i raczej science medieval fiction. Rzecz miejsce miała w zamku, facet w zbroi, a glemrokowa niemiecka gównojadka dawała mu w żadne odkrywcze sposoby. Raczej klasyka, surowa wątroba i podroby, natomiast w miejsce fonii, która dla zachowania całości być powinna, Andżela podkładała mono swe dialogi. Gówno. Andżela co jakiś czas wtrącała, że czemu się tak głupio cieszę. Wkurwiałem się o to. Bo jak już oglądać film to oglądać, a nie, że ja na pogaduszki mam zmarnować połowę akcji i nie wiedzieć, o co chodzi teraz, dlaczego się tak rżną a nie inaczej na przykład.

Tak to było. Mówiłem jej, iż dlatego się cieszę, iż ją tu widzę przy mnie i że ona przy mnie jest, co mi sprawia wielką radość, przyjemność. Po czym szybko starałem się wyłapać, co się wydarzyło przez te chwile mej nieuwagi i o ile się posunęła akcja. Lecz mimo tych kilkakrotnych zamachów na ciągłość zdarzeń, zawsze wyłapywałem, co się dzieje. Gdyż mam po temu doświadczenie i najczęściej można z odrobiną intuicji wywnioskować, co akurat się dzieje.

Tak to było. W jednym słowie wykład na temat do spraw odznaki turystycznej i karty rabatowej na wszystkie schroniska w rejonie podkarpackim. Jeszcze taka chwila, a Andżeli bym dał w łapę rozpięty parasol i wypchnął bez mała przez okno, niech frunie do siebie na chatę.

Lecz tak też się nie stało. Przewracam się akuratnie teraz w zafrancowanym tapczanie, przeważnie pamiętam jednakowoż, by wyminąć to miejsce, co Andżela zrobiła tam zalakowaną pieczęć ze swego dziewictwa, niech je piekło zabierze. Przewracam i rozmyślam, co stało się później.

Później stało się tyle mądrego, iż Andżela przestała drobić po całym mym chajzu, łypiąc czarnym swym okiem na meblościankę, i bym pokazał jej swe jakieś zdjęcie, co byłem mały i na golasa. Jeszcze czego. Ja nigdy nie byłem mały – powiedziałem jej. Na poważnie. Już urodziłem się dość duży i z zarostem, a potem tylko już rosłem, nawet nie musiałem nic jeść. Bajerujesz – powiedziała ona i się bachnęła na tapczan. Dżordż od razu, lecz ani słowa o tym nie będę już mówił. Jesteś jakaś zmęczona? – spytałem jej. Ona na to, że nie, lecz lubi ogólnie leżeć, leżeć i marzyć. No i mniejsza z tym, o czym tam ona planowała sobie marzyć, o ogrodach czy o czarnej odznace dla najczarniej przebranego mieszkańca powiatu, lecz położyłem się tuż obok przy niej. Już mniejsza z tym, o czym dalej się ta rozmarzyła. Wyjęła sobie z torebki portfel z dokumentami. Ja zaczęłem. Lecz o tym nic, to są osobiste me sprawy. Takiej nie należy przede wszystkim płoszyć, gdyż to trzydzieści kilo wariatki jest w każdej chwili gotowe, by wywlec ze swego portfela małe gibkie skrzydełka i odlecieć przez wywietrznik na skargę do Policyjnej Izby Dziecka. No dosłownie. Z takimi pojebanymi to nie ma żartów. Więc ja ją spokojnie, bez żadnej superbrutalności. Ona wyciąga zdjęcie dość przygnębiającego faceta. Robert Sztorm – mówi i patrzy w sposób rozmarzony. Dobra, myślę, niech się na czym innym skupi swę uwagę. I bliżej do niej cały manipuluję, lecz to takie osobiste. Ona na to zaczyna wywlekać swe różne kolekcje śmieciów, swe listy do koleżanki z Anglii, co nigdy jej nie odpisała. Gdyż to może nie był ten adres lub nie ten język. Gdyż, mówi Andżela, jest różnica między angielskim a slangiem. Slang to taki język, co się też używa. I przykładowo tamta właśnie Angielka mówiła slangiem, a listu po angielsku nie rozumiała. Myślała, że to nie do niej, bo adres Andżela też napisała po angielsku. Lub też myślała, że to list-łańcuszek i zaraz wyrzuciła wraz z obierkami od ziemniaków i zużytą chusteczką. Tak mogło właśnie być – szepczę jej w ucho, by ją trochę zainteresować innymi ważniejszymi sprawami. Ona nic. Jakbym z niej kieckę zdjął, to by się skapnęła dopiero, gdyby była już przeleciana zdrowo, a może i nawet to nie. Tę drogą postanawiam iść. Z superostrożnością. Ona cały czas bokiem, robi układanki ze swych karteluszków, ze swych pierdółek. To jest liść z drzewa. To jest kamień węgielny. To jest kip, którego dotknął swymi ustami Pan Bóg. To jest jej Pierwsza Komunia, co ją wypluła po przyjęciu i zasuszyła, co nosi teraz na szczęście. To jest jej pierwszy włos. To jest jej pierwszy ząb. To jest jej pierwszy paznokieć, a to jest jej pierwszy chłopak Robert Sztorm z profilu ze strzelbą myśliwską na polowaniu w bractwie kurkowym. No to ja dalej. Rajtki. Ona nic, spikerka telewizyjna z *Teleekspresu*, gadający łeb a od pasa w dół może w nią wejść całe po kolei Wojsko Polskie i jej oko nie drgnie. To właśnie Andżela. Doszczętnie zajęta mówieniem. Niech mówi. Co tu będę dużo się rozwlekał. Przy majtkach nawet współpracowała przy ściąganiu. Uniosła dupkę patrząc w kartkę z wakacji, co dostała z Helu od koleżanki ze Szczecina. Że się świetnie bawi, dużo na świeżym powietrzu, ładna pogoda, słońce, gitara, ognisko i dużo dobrego humoru, i PS, piosenka jest dobra na wszystko. No więc jakoś to poszło. Bałem się, jak ona zareaguje i w kluczowej chwili nie wyleci z wrzaskiem. Ciasno, lecz ciepło, raz dwa trzy, moja twarz w jej włosach mokrych, co jej wymyłem łeb pod kranem z wspomnianej wyżej rzygawicy, groźnej choroby, i dżordż śpiewa spokojnie swę piosenko-rymowankę. Ona jako tako, zdaje się, że ze mną nawet współpracuje, choć boję się, iżby mi nie wykręciła jakiegoś nowego numeru z betonem czy innym. Opowiada o tym, jak kiedyś lubiła zbierać znaczki, a teraz wydaje jej się to infantylne, co jej Robert powiedział, a o co często się powstawały pomiędzy nimi kłótnie oraz niesnaski.

I co ja tu będę dużo o tym mówił. Co ja będę mówił, potem me dzieciaki, me i Magdy lub nie będzie ta, to będzie inna, wezmą i będą podsłuchiwać, i dowiedzą się, z jakich się powstały istnie biologicznych konfiguracji. Iż ja ich ojciec ich nie znalazłem razem z matką w rowie przy szosie, jadąc na wycieczkę krajoznawczą, tylko iż je zamontowałem w matki trzewiach za pomocą swej ruchliwej przyssawki. I co im powiem. Iż nie jesteśmy ludźmi, tylko zwykłymi jamochłonami, co łączą się po dwa i wykonują zbereźne ruchy. Iż w tych istnych morzach biologicznie aktywnych płynów pływają ogoniaste robaki, które potem nagle dostają zębów, paznokci, ubrania, teczki, okulary. I choć jest miła zabawa, ja nagle z gruntu zaczynam podejrzewać, iż z Andżelą coś jest nie bardzo tak. Iż napatyczam się na jakiś jej od wewnątrz opór, jakąś z jej strony fizjologiczną barierę. To się jeszcze okaże.

Bo jak się nagle nie rozlegnie brzdęk, pstryk, eksplozja, bo jak nagle nie zrobi się luz, jak gdybym przebił się na wylot do jakiejś podwodnej krainy, bo jak Andżela nie we wrzask, w raptem odskok, wszystkie jej śmieci, co pieczołowicie nimi zasłoniła pół tapczana, wylatują w powietrze. Drze się, trzymiąc się za dupkę, przestępując z nogi na nogę. Ja pierdolę, mówię i rechoczę, bo choć już po wszystkim i przyjemność nie do końca, to od razu wykumałem, co się dzieje. Że oto poszła sprężynka u naszej Andżelki i będzie z niej teraz fajna chętna koleżanka jak się patrzy. Że oto zaraz spomiędzy jej syjońskich nóżek wypadnie symboliczna skorupka, którą ona podniesie i oprawi w złotą ramkę, co będzie u niej wisiała nad tapczanem. A co ją skseruje i mi w takowej ramce podaruje, bym sobie postawił na swym prezesowskim biurku w mym biurze do spraw ogólnodostępnej anarchii. I w czasie spotkań biznesowych pokazywał Zdzisławowi Sztormowi, czego jego syn nie dokonał, a co ja, Silny, Andrzej Robakoski, dokonałem.

Lecz tak się nie stało. Andżelka nade mną stoi dość śmieszna w podkasanej kiecce jak skromna księżniczka księstwa hymen i starając się nawlec na powrót rajstopy, mówi do mnie: jestem dziewicą. Co natychmiast jako ilustrację obrazkową wydziela na tapczan pokaźny kłąb krwi i sztukę surowego mięsa. Ja mówię na to: dajże spokój, kobieto, i zapalam sobie od niej z torebki papierosa LM czerwonego ruskiego, co muszę sobie odbić na niej swe niespełnienie i przedwczesny uwiąd mej przyjemności. Choć sam jestem cały wyfrancowany we krwi, co będę musiał zaraz z siebie zmyć i sprać, ponieważ jestem w stanie uwierzyć, iż właśnie z mej płci mnie jakąś makabryczną metodą okradziono i teraz jestem rodzaj nijaki.

Jakże ona wygląda, ta Andżela. Istna rozpacz, trzydzieści dwa kila parującej rozpaczy i ciosu z zaskoczenia, aż mnie coś ukłuwa, iż to dżordż jest sprawcą tego całego ambarasu. Aż mi żal, gdyż już okazywało się nieraz, iż nagle ogarnia mnie miękie serce i rozklejam się w tym względzie zupełnie. Czasem wobec mego psa Suni, dość otyłej sarenki. Lecz zawsze zaznaczam memu brackiemu, iżby nie przesadzał z żółtkami dla niej, gdyż od tego ma zgagę i nadwagę. Więc teraz tak mówię, cho no tu, Andżelka, przeż to twój wielki dzień, dzień świętej Andżeli. Tu sobie popraw majteczki, a jakby co, to do wesela się zagoi.

Lecz ona dalej tak oszołomiona, tak zakręcona, jakbym co najmniej zdegradował jej narząd mowy. Nie chce gadać o pocztówkach, nie chce gadać o ptakach głuptakach, jakby jej się skleiło zęby do zębów. Jednocześnie rozmyślam w panice, co jeszcze ona mi tu może wywinąć. Bo już powolnie zaczyna się u mnie znowu dość ponury zjazd, toteż nie będę miał ni sił, ni zapału sprzątać to, co ona może jeszcze popuścić na wykładzinę czy gdzie. Znowuż kamienie, czy też teraz jakiś nowy przełom w jej chorobie wewnętrznej, węgiel, koks, dynamit, klinkier, wapno, styropian.

No już się nie obrażaj, tak jej mówię i zapinam sobie buksy, co już i tak są zbrukane jak gdybym miał w nich swego czasu dyplom z rzeźnictwa ciężkiego i minę lądową. Co wstaję z tapczana, biorę Andżelę w ręce, co zdaje mi się, jakoby była nie uczennicą ekonomika, lecz nauczania początkowego, tańczącą na balu karnawałowym w przebraniu za spaleniznę. Taki mam halun. Daję jej teraz góra pięć lat, o co mi zaraz serce pęknie i rozleje po ciele. Wtedy wsadzam ją na tapczan i mówię: teraz chwilę czekaj. Przywlekam jeden kulejący stoliczek, co by była równo serwetka, na ruskim patencie, koronkowa nieplamiąca się. Stawiam ptasie mleczko, stawiam wazonik ze sztucznym gerberem, obok papierosy, full elegancja, podróż promem Titanic, ugoda, symboliczne podanie rąk kobiecie przez mężczyznę. Ona jeszcze trochę naburmuszona, stopą rozgarnia cały ten jej burdelik z pamiątkami po wszystkich urodzinach, pocałunkach w rękę w usta. Już prawie świta, Sunia wydziera się na ogrodzie jak mordowana, chce żreć. Sunia, ta kurwia nadwaga. Andżelka na dosyć ciężkim zejściu po przeżyciach tego wieczoru, patrzy nieprzytomnie wewnątrz popielniczki, jakby wróżyła swę przyszłość artystyczną z kipów. No to ja szybko do rzeczy, by miała jakieś radosne wspomnienie, zanim całkiem mi tu padnie.

To do interesów, piękna pani, mówię do niej, memłając palcami w ptasich mleczkach, by sobie nasypać jakąś małą przyjemną ściechę na pocieszenie. Ona na to robi głową przytaknięcie pośrednie pomiędzy tak a nie. Mówię tak: dziś Dzień Bez Ruska. Więc nic z tego, wszyscy na rynku. Lecz od jutra nakręcamy twę karierę, moja pani zdolna. Od pojutrza dzwonię tu i tam, prezes, premier, znajomy fotoreporter. Że niby, że afera. Popełnione samobójstwo. Rzecz jasna nieprawdziwe, lecz nie o to chodzi, by było prawdziwe. Chodzi o publikę. Tak to urządzimy. Mój plan dnia napięty, ale kilka spotkań, kilka wymuszeń słyszysz, Andżelka? Potem się okazuje, że samobójstwo odratowane. Wielki talent ocalony przez złych lekarzy. Wystawa twych ubrań, konferencja z prasą, na temat, jakiej słuchasz muzyki, jakie są twe hobby w czasie wolnym od sztuki. I wtedy raptem z dnia na dzień nie jesteś żadna anonimowa, tłumy chcą cię zobaczyć i chcą mieć twą osobowość, Robert Sztorm wymięka. Lecz Robert Sztorm może sobie ciebie najwyżej próbować polizać przez tłumy ochroniarzy. A co cennego miałaś, to i tak przepadło dziś. W „Filipince" twe zdjęcie na samo centrum okładki.

Tylko nie „Filipinka" – mówi Andżela mętnie, niewyraźnie i odbija jej się niewiadomoczym, może kamieniem, a może papą, a może watą szklaną. Jest to jej pierwszy udokumentowany syndrom życia od około półgodziny. Myślę sobie, co by mi tu znowu nie dostała zgonu. Więc co robię. Sobie ścieżkę, „Zdzisław Sztorm" i do szeregu, salut. Wtedy mówię jej w ten sposób, by ją trochę odwieść od samobójstwa: a teraz, Andżelka, bądź do rzeczy. Śmierć jest nieważna, śmierci nie ma, chyba nie wierzysz we śmierć, przecież to jest zabobon. Zakaźne choroby – zabobon, przestępczości samochodowe – zabobon, groby – zabobon, nieszczęście – zabobon. Są to wszystko niecne wynalazki Rusków, co je rozgłaszają, by nas straszyć egzystencjalnie. Robert Sztorm to marionetkowa postać podpłacona także przez Ruskich. Chuligaństwo i dewastacja jest to legenda ludowa, ani Arka, ani Legia, ani Polonia, ani Warsowia. To są fikcyjne drużyny na usługach Nowosilcowa. Staś i Nel także również perfidnie spreparowani przez księcia ruskiego Sienkiewicza na potrzeby filmu *W pustyni i w puszczy*, istne mity greckie. Ja, Silny, ci to przyrzekam. Sami Ruscy może nie istnieją nawet, to się jeszcze zobaczy. Idź do balkonu, za oknem nowy lepszy świat, specjalny świat na nasze potrzeby, zero przewodów frakcyjnych, zero strzykawek, zero pożarów, zero mięsa. Sama Wegetariańska Orkiestra Świątecznej Pomocy zachęca do zbiórki na

nowe kamienie do żołądka dla Andżeliki lat siedemnaście. Ej, Andżela...
Andżela, przesuń no dupę... wstań... wstań na chwilę!

Wtedy podbiegam do tapczana i ot co. Grubszy sztapel, kurwa i chuj.
Temu ona tak siedziała cicho, bez słowa ta małomówna kominiarzowa.
Gdyż w całości sama z siebie wypłynęła i ściekła w tapczan mej matki
„Bartek", całkiem świeżo kupioną zeszłego roku wersalkę pod postacią
krwi, choć może mego też się tam coś znalazło, bez winy nie jestem. No
to się wściekam. Wkurwiam się. Zaraz wyrwę kabel z tego całego świata, zaraz zerwę przewody frakcyjne, zaraz pociągnę za rączkę, hamulec
bezpieczeństwa. Chcę ją zabić tu i teraz, choćbym miał całę wersalkę
amerykankę zagnoić tą kurwią krwią, wywrócić, nożem pochlastać i wy-
bebeszyć z piór, z tej pianki, z pościeli, z sprężyn, wszystko na wierzch
wywlec, podeptać, zniszczyć, zabić, zniszczyć. Kurwa chuj i ja pierdolę.
No tego już zbyt wiele moja droga, twa kariera cała runęła, nim zdążyłem
ruszyć palcem i uruchomić moje znajomości, ty już spadasz, ma gwiaz-
do, stąd tu i teraz. Tu twe buty piękne, kozaki prawdziwe z Kaukazu,
tu twa kurtka, tu twój obnośny handel pamiątkami, tu twe wewnętrzne
kamienie. I pani już podziękujemy za udział w naszym programie. Oto
są drzwi Gerda automatycznie zamykające, lewa, prawa, do widzenia,
autobus linii nr 3 po panią wkrótce przyjedzie zabrać.

Wszystkie kobiety to jedne i te same suki. Same nie wyjdą, czekają
przyczajone. Aż się rozjuszę i wybuchnę, i muszę je wypychać, odganiać
od nich jak lep na muchy. Podejrzewam, iż możliwe że jest to jedna
i ta sama suka przebierająca się w różne ciuchy, ona na mnie napada
bezustannie, naciąga mnie na przyjemności, a potem robi syf w całym
mieszkaniu. Codziennie, codziennie nowa i jeszcze gorsza. Podejrzewam
że mieszka gdzieś tu na osiedlu. Wie, że mam słabe nerwy. Przychodzi
i mnie wkurwia. I ja ją zabijam. A ona odrasta z psiego nasienia i już
następnego wieczora siedzi zwarta i gotowa. Ruski pomiot. Być może te
Ruski, że tak się właśnie eufemicznie wabią kobiety. A my mężczyźni je
stąd wygnoimy, z tego miasta, co one sprowadzają nieszczęścia, zarazy,
susze, zły urodzaj, rozpustę. Niszczą tapicerki swą krwią która leci z nich
jak przez ręce, brukając cały świat niespieralnymi plamami. Wierna

rzeka Menstruacja. Groźna choroba Andżelika. Surowa kara za brak błony dziewiczej. Jak się dowie jej matka, to jej wprawi z powrotem.

★ ★ ★

Złe sny. Magda rodzi kamienne dziecko, na oko pięcioletnią dziewczynkę z oboma oczami dotkniętymi tikiem nerwowym. Dziecko – kamienny potwór, do którego Lewy ani nikt się nie przyznaje, Magda chce sprzedać je do cyrku, stoi przede mną kołysze wózkiem, mówi: albo ja, albo tamta, Silny, inaczej sprzedaję Paulę do cyrku, wybieraj, albo ja, albo ona. Że w skrzynce pocztówka od Andżeli, cześć Andrzej, nie wiedziałam, czy do ciebie napisać. Jestem w piekle, jeszcze dziś po powrocie do domu popełniłam samobójstwo. Nic szczególnego. Mamy tu magnetofon, świetlicę. Chociaż druhowie są sympatyczni, muzykalni. Jak coś będę wiedzieć, to napiszę więcej. Muszę teraz iść, bo mamy apel. Potem kolacja, podchody, gry terenowe. W poniedziałek przyjeżdża na kontrolę szatan. Będzie sprawdzanie namiotów i gawęda. Buziaki, zawsze będę dobrze cię wspominać, jeśli możesz przysłać mi jakieś ciepłe rzeczy (noce są chłodne). Andżelka, PS: Pozdrowienia!

Że dzwoni telefon, że wielki telefon dzwoni prosto wewnątrz mnie, że nie wiem, gdzie ta słuchawka, choć słyszę zewsząd głosy w tej sprawie, to po ciebie, Andrzejku, to po ciebie jacyś panowie, jacyś panowie po ciebie, Andrzejku, panowie z komisji, sprawdzą, czy twe organy nadają się do uczciwej sprzedaży na zachód, Andrzejku, o co te nerwy, panowie są jak najbardziej na tak, chcą je kupić, nie ma o co bać, termin operacji ustalony...

Budzę się. Ślepy, głuchy, niemy, niczym duży kret wywleczony spod ziemi, zagrzebany w zakrwawionym tapczanie. Pół żywy jakby, wsadzony w pudełeczko po zapałkach i zasunięte wieczko. Potężny dilej. Zewsząd dzwony. Dzwony stereo. Reszta mono. Zdaje się, iż wszystko, czego nie było nigdy, jest teraz w mej głowie. wszystko, czego nigdy nie było. Cały ten brak. Całe milczenie, jako trzeci rozmówca. Cała wata świata. Cały erzac, cały styropian napchany w mę głowę. Przez noc przytyłem. Jestem tak ciężki, iż sam siebie nie mogę postawić na nogi. Stężony roztwór. Jak gdybym zaplątał się w zasłonę, jak gdybym zaplątał się w katanę i nie mógł stamtąd wyjść, wsadził łeb w rękaw i nie mógł wywlec na powrót.

Jakby ta Andżela we mnie, nie w tapczan, się wybebeszyła, co teraz leżę obrzmiały, podwójny, podwójne serce po obu stronach, podwójna wątroba, sześć nerek i kilka pustaków.

I kiedy wstaję tak w południe, myślę chwilę, czemu moja starsza nie wróciła jeszcze z firmy Zeptera. Choć może dzwoniła, lecz ja nic o tym nie wiem. Zastanawiam się, czemu ja nie odbierałem telefonu. Nie mogę przypomnieć. Zastanawiam się, co to są w ogóle za porządki i czy przypadkiem nie jest tak, że naraz sam w tym mieście żyję, bo cały gatunek wymarł. A kiedy tak stoję, przede mną widok na całe mieszkanie utrzymany w stylistyce batalistycznej, krajobraz po bitwie. Zastanawiam się, czy przypadkiem wojna już się nie stała tu pod moją nieobecność, kiedy spałem, decydująca bitwa, samo centrum dowodzenia. gdy spałem Ruski weszli na mieszkanie, wdarli się. wszystko powywracali kolbami, pozestrzelali z obrazów pejzaże z wodospadami, słoneczniki, a szczególnie zniszczyli zegar skórzany. Matkę Boską z Lichenia z błękitnego plastiku strącili z lodówki, łebek odleciał, święta woda nabrudziła na posadzkę. Zadeptali kafelki w łazience. Wszystkie kobiety, co się dało, zgwałcili tu na wersalce, urządzili tu sobie sztab generalny, komitet do spraw przeleceń. Konie wprowadzili, ptasie mleczko wyjedli, papierosy spalili, tapicerkę zasyfili i do widzenia, do zobaczenia w przyszłym życiu na Białorusi. Mojego brackiego i mą starszą wzięli na niewolników. Mnie pewnie zabili, bo tak właśnie mam wrażenie, że to właśnie zrobili ze mną, zabili mnie jakimiś ciężkimi przedmiotami, zatłukli, co jeszcze słyszę wewnątrz głowy dalekie echa tych ciosów, wystrzałów. Lecz dlaczego mnie, skoro moja matka robiła z nimi niezłe interesy, siding, panele, Zepter. Dlaczego mnie zatłukli akurat, dlaczego w samę głowę, co teraz czuję właśnie, że pełna jest uczucia żelastwa, pokręteł wirujących dookoła własnej osi, złomowiska, blach wygiętych. Gdzie oni byli, jak Magda miała poglądy przeciwko nim i jawnie prowadziła ideologię antyruską?

Lecz coś się zmieniło i to stwierdzam, kiedy ściągam żaluzje pionowe. Świat wylazł z foremki. Słońce większe. Tłustsze, upasione jak pasożyt nas toczący. Napierdala po oczach. Bez litości. Prosto we mnie wycelowane, prosto we mnie świeci, jak co najmniej lampa gestapowska, gadaj, Silny, będziesz robił grzechy nam tu dalej, bo jak nie, to pokręcimy gałką i umrzesz na to światło mordercze, syczące, języczkami białymi cię wylizujące. Sznureczek z żaluzją skrzypi. Kurtyna w bok. I oto przedstawienie. Oto przedstawienie, którego się za życia zobaczyć nie spodziewałem. Bo takich przedstawień nie ma, takie rzeczy miejsca nie mają nigdzie na świecie. Nie mogę uwierzyć w co widzę. Przez okno chcę się z szoku tego wychylić, bo oczy mi się nie chcą otworzyć i widzę tyle, co przez szparę, a reszta ciemno. To walę czołem w szybę PCV Azbest, co jeszcze echo jakieś, jakiś refluks się robi, echo straszne, co nagle robi się jeszcze jaśniej. A co jeszcze powiem, to to, że oczami moimi, co już mówiłem, że przez noc jakąś skórą bonusową zarosły i widzę ogólnie niewiele, ale to co widzę, to widzę. I to nie żaden halun na bańce, żaden fleszbek ściemniony, gdyż to jest reality show, co ja teraz widzę, real tv.

Otóż raptem nie ma już kolorów na tym świecie. Nie ma. Brak. Kolory przez noc zostały ukradzione. Lub cokolwiek. Może wyprane. Może wyprali ten krajobraz, pejzaż za oknem w pralce automatycznej w nie bardzo tym, co trzeba, proszku. Co moja starsza też kiedyś mi numer taki wywinęła z dżinsami. Co jednego dnia miałem dżiny zwykłe niebieskie, a już następnego normalnie białe, białe bigstary z białą metką bez napisu. Wkurwiłem się, bo w towarzystwie, w pubie byłbym skończony, co, Silny, na komunię świętą przyszłeś, lecz się spóźniłeś, komunii świętej już nie ma, skończyła się, wysprzedana, do domu, możesz wrócić na przyszły rok.

Nieważne, jak to było ze spodniami. Co było, to było. Ale jedne jest pewne. Cokolwiek zrobili, czy kwaśny deszcz to był, czy inna katastrofa ekologiczna cysterny z wybielaczem, czy wypadek Lewego, gdy jechał swym golfem pełnym amfy, góra domów. Normalnie biały mur wapnem czy innym świństwem przejechany. Sąsiadów dom, co się dochrapali sporego hajcu na przekrętach lewych samochodów od Ruskich sprowadzanych, nagle do połowy też biały od góry. Do połowy. Wszystko do połowy białe. Najczęściej połowa domów. A to co na dole, ulica, to do kurwy jasnej jest czerwone. Wszystko. Biało-czerwone. Z góry na dół. Na górze polska amfa, na dole polska menstruacja. Na górze polski importowany z polskiego nieba śnieg, na dole polskie stowarzyszenie polskich rzeźników i wędliniarzy.

A gdzie nie spojrzę jakaś służba pomarańczowa zatacza się z wiadrami farby, z wałkami, na wietrze taśmy biało-czerwone ostrzegawcze łopoczą, co by wrony nie siadały i nie zasrywały. Radiowozy, jakieś samochody, jakieś instalacje, rusztowania. Chorze, no chorze wprost to wygląda, miasto mogą sputniki zrobić zdjęcie z kosmosu, paranoja.

A kiedy ja to widzę, to trach za ten sznureczek i żaluzje pionowe zasłaniam natychmiast, co nawet w szale ten sznureczek zrywam. Lecz oglądać tego nie będę oglądał. Na to mnie nie namówią, bym patrzył na to porno z udziałem biało-czerwonych zwierząt i biało-czerwonych dzieci, którym kręcą zwyrodniałe służby miejskie za nasze podatki. Moje podatki niby nie. Ale mej matki, choć jej dawno nie widziałem. I że ja dużo z amfą praktykowałem, że nawet teraz z powieką mam taki problem, że raz się ona cofa i widzę wszystko, a raz spada i widzę tyle, co swę skórę od środka. Jest czarna i tyle widzę. Ale to mi nikt nie powie, że to miasto przemalowane na barwy naszej piłki nożnej, że to jest film taki na zjeździe, że to jest mój wyprodukowany przez fermentującą u mnie wewnątrz amfę halun. Tego mi nikt nie mówi. Gdyż, gdy tylko zapuściłem żaluzje, tu wszystko wewnątrz jest na powrót w porządku. Z ulgą dyszę i jeszcze lecę zamknąć na podwójny zamek Gerda drzwi. By się te skurwysyny tu nie wbiły do mnie, bo jak zasyfią tym swym wapnem mi dom, zniszczą meblościankę, wykładzinę, może nawet żaluzje. To koniec. Izabela nigdy się nie otrząśnie. Kasetony na suficie dopiero co sprowadzone przez Terespol. A tu piękny czerwony pod kolor jej szminki, co by mogła wieczorem leżeć z lusterkiem i patrzeć, czy pasuje. Nie wejdą tu i dupa, chyba że po mnie przejdą, wdepczą mnie w wykładzinę i zamalują również na biało. Na chwilę czuję się szczęśliwym człowiekiem i nawet myślę, co by Suni nie dać coś do żarcia. Bo coś przestała skamlić. Ale potem z kolei domyślam się, że będę musiał wyjść na zewnątrz i znów od nowa ta fatamorgana, jak biało-czerwona zaraza sunąca przez miasto, ta ospa. Więc siadam. Lepiej nie chodzić, bo można się umylać o wykładzinę. Patrzę. To muszę przyznać, że wtenczas za dużo nie myślę, nie uważam. Wręcz przyznam, że nie uważam nic, bo teraz akurat siedzę. Siedzę. W mej głowie osobna jakaś impreza się kręci. Dzwonią telefony, grają radia Warszawa i Moskwa jednocześnie, świecą światła, kolejka elektryczna jedzie do Chin, wjeżdża przez jedno ucho a wyjeżdża drugim, tratując wszystko, co napotka po drodze. Wszystkie me myśli, me uczucia.

I wtedy jakby w jednej chwili dochodzi do mnie całe me życie rozesłane dookoła, ten pejzaż powojenny z krwią na tapicerce, z krwią na mych spodniach składającą się w jakąś mapę choroby dosłownie, w jakąś grę planszową, wszystkie ścieżki krwi zaschłej wiodą jednoznacznie do piekła skrytego w mym rozporku. Te plamy na wykładzinie białe po Magdzie, jak spluwała pastą do zębów i czerwone po Andżeli, co przede mną uciekała, to nafajdała. Jakiś deszcz papierków po cukierkach napadał, deszcz kamyczków, zębów mlecznych, jakby Andżela zanim poszła do piekła, wytrząsła na cały pokój swą torebkę.

Masz, Silny, masz, i nie mów, że nie zostawiłam ci po sobie żadnych pamiątek, tu mój ząb zepsuty, tu mój włos połamany, tu moje rzęsy odklejone, tu moje nogi zgięte jeszcze, tu moje ręce, tu moje kamienie, schowaj sobie gdzieś głęboko, zasusz, włóż do książek, do celofanu, do wazonów, do ramek. A jak po wykładzinie depczesz, to po mnie depczesz. Gdyż tak w ogóle, to ja już nie żyję, w piekle siedzę, nudzi mi się potwornie, szatan mówi, że ciebie prawdopodobnie też tu może ściągną. Póki co, kupił mi teraz czarne chomiki, parka, samczyk chce pieprzyć cały czas suczkę, to ciągle muszę uważać, by go szybko z niej zdejmować. Nawet nie chce mi się ich podlewać, tak bardzo się nudzę, że ziewam coraz częściej.

Jak ja to sobie myślę, to z miejsca te rzeczy, te pocztówki, te wszystkie gumy-kulki toczące się jak gra jakaś zręcznościowa, one lecą w mym kierunku, a ja je muszę łapać. Zbieram, choć jak sobie wyobrażam, że chodzę akuratnie po Andżeli mięsie, to robi mi się słabo i zataczam się na meble. Papierki niedopałki wyciśnięte w kształt jej ust czarnych, wszystko to do siatki. Nieprzeziernej. I do szafy. Pod ciuchy, pod namiot czteroosobowy, deską do prasowania przywalam, co by nikt i nigdy tego nie tknął z mej rodziny i nie zaraził się trupim jadem.

Wtem raptem dzwonek do drzwi. Szok. Panika. Czyby nie wziąć w garść swe adidasy i nie skitrać się w meblościankę, że niby mnie nie ma. A ten syf na wersalce i wszędzie, ten sznureczek przy żaluzji pionowej doszczętnie zerwany, ptasie mleczka wyjedzone, ta krew ciągnąca się od wersalki przez wykładzinę, przez przedpokój do drzwi, przez schódki, przez chodnik, przez furtkę, przez asfalt do przystanku, przez autobus cały linii 3 do kierowcy i potem z powrotem na siedzenie, i do wyjścia, to nie jest krew, lecz farba czerwona, której użyto do wymalowania dolnej części miasta z okazji Dnia Bez Ruska, a co widocznie ciekła z kieszeni jakiemuś robotnikowi. Tak powiem. Policja i straż miejska razem, dziewczyna nie żyje, wykrwawiła się w drodze, całe miasto ubrudziła wzdłuż i wszerz, akurat w przeddzień miejskiego święta Dnia Bez Ruska, złą renomę zrobiła całemu miastu, że nie żyjemy tu jak ludzie, tylko jak zwierzęta rzeźne. A pan za to odpowiada, proszę dokumenty, nazwisko matki, zainteresowania, hobby.

Tak sobie wyobrażam i dreszcz mnie łapie. Lecz dzwonek nie ustaje, więc co mam robić. Choć nawet jestem w tych spodniach brudnych z plamą, to jest to dzwonek wręcz alarmowy, wręcz mogący człowieka zabić, jeśli drzwi nie otworzy. Co idę przez przedpokój na wpół niedowidzący, ze zdziczałą powieką niczym stroboskop mrugającą, powieką jak osobne zwierzę toczące me oko. Skazany na śmierć, skazany na śmierć przez jasność, odłamki słońca zatknięte w powieki.

Wtedy otwieram. Otwieram. Otwieram te zamki, co zamknęłem wcześniej. Wkurwiony trochę. Gdyż z tym dzwonkiem to jest przesada, istny gwałt przez uszy i sypiący się tynk z sufitu na mę twarz, istny elektrowstrząs połączony kablem iskrzącym z moją głową. I nie wiem, jak trzeba mieć nachujane w głowie, by wciskać dzwonek od cudzego domu w tak chamski sposób.

Otwieram i nie spojrzywszy w ogóle mówię: co, kurwa?

Andżela w drzwiach. Andżela w drzwiach. Żyjąca. Na nogach się trzymająca o własnych siłach. Stoi. Gapi się w naprzemiennie we mnie i w centrum mych spodni. Jakby dobrze nie wiedziała, że to jej dzieło i gdyby była koleżanką, to by to uprała, gdyby była fair. Ale ona nie.

Stoi. W tle ulica przemalowana na biało-czerwono. Andżeli twarz, jakby ją wywapnowali przeciw robakom na wiosnę, a oczy, usta, te wszystkie bajery dorysowali czarną akwarelką.

Niczym zwiędła i zgniła roślina doniczkowa. Wygląda, jak gdyby przed minutką wylazła z rzeki, w której utopiła się przed miesiącem. A w międzyczasie osrały ją ważki. Patrzę na nią. Nie jest ładna. Jak zakonnica tą porą roku w parkach, podtrzymuje z trudem na więdnącej raz po raz szyi twarz mężczyzny. W podkutym jakimiś sygnetami kościstym łapsku trzyma równie zwiędłą, co ona sama, flagę biało-czerwoną. Papierową.

Kupiłam od Ruskich – mówi anemicznie, jak gdyby występowała właśnie z wierszem w akademii o Lesie Piaśnickim. I macha słabo. Niczym by mówiła: to nie ja tu przylazłam. To ktoś się pode mnie podszywa.

Gapię się na nią jak w gnat. Gdyż jest żywa, cała, nie poszła do piekła, nie urządziła mnie tak, nie jest taką świnią, by mi tu sprowadzić na chatę suki i psychologów sądowych. I szatana wkurwionego: Silny, zabiłeś ją, skurwysynie, mą córeczkę małą, a była taka szczupła, lubiła wycieczki, lubiła podróże.

Teraz widzę, iż na pewno nie jest ładna. Wręcz jakby przyszły do mnie zwęglone resztki kurczaka. Od Ruskich, powtarzam za nią, trzymając drzwi kurczowo w ręce, co by nie zachciało jej się wchodzić przypadkiem. Trupia wiara. I nie wiem, czy mam taki po prostu film, że ona przyszła tu odebrać swoje dziewictwo czarne, co wczoraj zostawiła. Że po nie wraca, ale już nieżywa, już krew spuszczona. Przez noc umarła, a teraz raptem wróciła. A ja nie wiem o czym z nią gadać.

Andżela, ty masz wąsy – zagajam, gapiąc się w nią, by nawiązać rozmowę.

Wąsy? – ona pyta tępo, podnosząc swą zgnitą rękę do górnej wargi. Lecz ta ręka również więdnie i opada zgodnie z kierunkiem grawitacji. Wąsy? – powtarza beznamiętnie.

No dosłownie wąsy – mówię dziarsko, gdyż czuję, że ten temat ją kręci. Jest to temat neutralny i wesoły, zabawny. Mówię jej: jak czasem spojrzysz, to ja patrzę na ciebie i myślę sobie: facet.

Ona jakby na to nie reaguje. Nie śmieje się. Jakby nie rozumiała po polsku, co to są wąsy. To ją widocznie nie kręci, ten temat. By nie było ciszy nieprzyjemnej, niczym mokre pranie rozwieszone między nami, sprzedające nam raz po raz na twarz nogawki i rękawy.

I co słychać? – zagajam więc uśmiechając się krzepiąco do niej, wyciągam rękę, co na niej też zauważam trochę krwi zakrzepłej i klepię ją mocno, przyjacielsko po ramieniu, by wiedziała, że jest między nami przyjaźń, że zawsze możemy zostać kumplami, że jak ją spotkam na ulicy, to zawsze będziemy na cześć między sobą.

Ona na ten gest z mej strony zatacza się dość silnie, podnosi rękę z chorągiewką, macha apatycznie dość i mówi: od Ruskich kupiłam. Unosząc tą oklapniętą chorągiewkę. Od Ruskich kupiłam, bo tańsze. Harcerze też sprzedają. Ale drożej. Wiadomo. I z sztucznych tworzyw. Się nie biodegradujących.

Jak to mówi, to nie wiem, ile to może trwać. Z jej strony zero uśmiechu, sama powaga. Obliczam cicho w myśli. Może stoimy już tu godzinę. A może pół. A może sekundę. A może ja już nie żyję. Może przetrzymują mnie właśnie w jakimś papierowym ustępie dla czubków, w jakimś wyciętym z gazety dla kobiet biało-czerwonym odwyku. Niby wszystko pięknie, a jak tylko się poruszę, to klej do papieru pójdzie i rozsypię się tu razem z całym stelażem, pod którym płonie ogień piekielny. Bo to jest specjalne piekło, gdzie się siedzi za amfę. Robią ci chore filmy. A Andżela, to nie Andżela. To jakaś tekturka jebnięta. Rusza ustami, a głosu nie słychać. Czarna ryba-młot. Czarna ryba-potwór. Czarny żuraw z origami. I teraz składam podanie o panadol. O szeroko pojęty paracetamol. O zwiększenie wydobycia. Bo od wbitego we mnie tego wzroku wiercącego jakiegoś, bańka zaczyna mnie tak boleć, jakby w jedną chwilę miała się od reszty odlepić, sturlać po schodkach, potoczyć ulicą do studzienki i uzyskać całkowitą niepodległość.

Pies ci zdechł – mówi mętnie Andżela machając flagą. Ja mówię: że niby co?! Ona na to, że Sunia tam leży przy garażu i nie żyje z głodu. Jak ja się wtedy nie zerwę i już mniejsza o to, co za bagno mam na spodniach w barwach narodowych, już mniejsza o to. Gdyż jestem przerażony. Zszokowany. Biorę to ptasie mleczko, biorę z lodówki to, co tam jest, parówkę, mrożonkę, wszystko i lecę. Sunia leży na plecach na trawniku. Co pewnie trzeba będzie go niedługo ostrzyc znowu.

Niezbyt jest ożywiona. Sunia, Sunia, mówię i zbiera mi się na płacz. Szczególnie, że widzę gówienko, co z niej wyszło samo, jak wielki czarny robak, co ją zabił i teraz ucieka w ziemię przed karą. Sunia. No weź. Nie bądź świnia, żeby mnie tak urządzić. Wstawaj. Przyniosłem ci tu. Nie lubisz fasolki, ale chyba, tak od święta, to byś się nie zatruła, jakbyś zjadła kurwa raz taką fasolę, to by ci korona z tego łba płaskiego nie spadła, nie chciałaś żreć, to teraz nie żyjesz, zobaczysz, jak się pani twoja wkurwi dopiero, jak wróci, a tu zamiast psa trup, dom cały we krwi, zobaczysz, że nas zwolni stąd wszystkich, zamknie ten interes... no kurwa obudź się!!

Jak tak wrzeszczę i już nawet robię zamach, by to kopnąć, to przychodzi Andżela. Kładzie mi rękę na ramieniu. Jest poważna, w ręce ma flagę. Mówi do mnie: uspokój się, Silny. Twój ból nic nie pomoże. Wiem, że jesteś w szoku. Tylko spokojnie. Wiem, że bardzo Sunię kochałeś. Lecz teraz ona nie żyje. Nic się na to nie da poradzić. Śmierć idzie z nami ramię w ramię, chucha nam trupem w twarz. Zostawia po sobie ból i cierpienie. Lecz rany się goją.

I kiedy ja tak stoję, zdumiony, całkowicie zaskoczony tym, co się dzieje, iż wszystko nagle wali się i ostatecznie nawet pies zdycha niczym pieczątka na paczce z rozpadem. To Andżela bierze spod garażu łopatę do odśnieżania w zimie i tak jak stoi zaczyna kopać w trawniku grób.

Ja siadam na krawężniku, bo już nie mam na to wszystko siły. Już dosyć, już dziękuję, koniec zabawy, wszyscy idą do siebie do domu, w przedpokoju są już uszykowane ich buciki, to co zostało z ciasta można brać dla rodzeństwa. To koniec. Dziś zgasła ostatnia ma żarówka. Dziś już nie żyję, dziś patrzę, jak ziemia sypie się na wieko trumny ze mną i sam również rzucam sobie grudkę.

Wtedy nagle do Andżeli mówię tak: Ruski Sunię zatruli. Andżela na to: może i tak. Ja na to się wkurwiam, gdyż coraz bardziej to do mnie dochodzi.

Za jednego polskiego psa: dwóch Ruskich – mówię – albo trzech. Za Sunię, za jedną śmierć niewinnego, niepolitycznego psa polskiego, trzech Rusków do piachu. Rozstrzelać.

Po czym biorę patyk i pokazuję, gdzie będą stali Ruscy i jak będę strzelał.

Agresja zawsze wraca do ciebie. Człowiek człowiekowi wilkiem – mówi Andżela. Nawet trochę ukopała tymi swoimi żyłami bez obudowy. I nim się spostrzegę, ona już jest przy mnie i mówi tak: jak ty masz na imię właściwie, Silny?

Myślę chwilę. Czy ona jest doszczętnie nienormalna? No Andrzej przecież – mówię. Andrzej Robakowski. A ja Andżelika. Andżelika na drugie Anna – mówi Andżela. Ja też mam na drugie – ja mówię – ale nie powiem. I odbija mi się głodem, bo od dawna nic nie jadłem. No powiedz jak – nalega Andżela, kopiąc dalej. Ja siedzę na krawężniku i mówię, że nie powiem. Ona na to, dlaczego. Ja mówię, że dlatego. Ale moja matka jest Izabela.

Wtedy do furtki przychodzą dwaj robole z farbą. Kop, kop – mówię do Andżeli, wstaję i idę do nich.

Dzień dobry, szefie – oni mówią do mnie i dobrze mówią, chociaż zdziwieni patrzą w kierunku mych spodni ze śladami niewątpliwego pochodzenia organicznego. Świnia? – tak zagajają o tę krew. Na dzień dzisiejszy, ile taka niesprawiona od chłopa stoi? – zagajają, wskazując na tę krew zaschłą.

Dosyć tyle – mówię, bo mi się nie chce za dużo rozprawiać, czy sprawiona, czy niesprawiona, czy od chłopa, czy z samu, czy z chlewu, czy skąd. Bo gówno ich to obchodzi, to są spodnie moje, a oni mają swoje, to niech swoich pilnują, by sobie nie pobrudzić. Oni to widzą, że nie jestem w nastroju na pogaduszki o pogodzie i o modzie, kosmetyce. To co, malujemy? – mówi jeden do drugiego.

Że co niby malujemy? – ja się zaraz trzeźwo pytam. Oni patrzą po sobie i mówią, że dom malujemy na biało czerwono, bo takie zarządzenie burmistrza jest na cały powiat. A co jak nie? – mówię, na co oni trochę gasną, patrzą po sobie. Nie niby znaczy się nie – mówią do mnie – to już pana sprawa, czy tak czy nie. Ja powiem szczerze, jak jest. Może być na tak, to wtedy my tu z kolegą wchodzimy, cyk, elegancko, pełna kooperacja Rady Miasta z mieszkańcami rasy polskiej, wszystko jest między nami w porządku, jakieś manko masz pan w bankomacie, to to manko ni z tego ni z owego znika, jakieś zaległe czynsze i tak dalej, Oczywiście drobne, gdyż Radę Miasta nie stać na jakieś grubsze malwerchy. Żona panu rodzi, to jeśli równocześnie na przykład rodzi jakaś żona jakiegoś, załóżmy, proruskiego antypolaka, co się wyłamał z akcji, to wtedy pana żona ma pierwszeństwo i prymat w rodzeniu, i jeszcze różę biało-czerwoną do łóżka. A tamta kona na korytarzu. Choć nie wiadomo nawet, bo żaden taksówkarz jej nie weźmie, a samochód ma ni z tego ni z owego popsuty. Jakiś pasek klinowy, jakieś niby gówienko, zatkana ni z tego ni z owego rura wydechowa styropianem, ale samochód nie działa. Nie działa i koniec. Bo właśnie jeśli jesteś pan na nie, to jedno ja panu powiem szczerze, to już nie jest tak, że taka decyzja nie wpływa. Bo ona wpływa. Niby nic, ale raptem wszystko. Tu się coś panu zepsuje, tu panu nagle siding odleci, tu panu żona umrze nagle, choć nawet kataru nigdy nie miała. Tu coś zginie, jakieś niby dokumenty raptem z pana nazwiskiem, z pana imieniem pojawią się w nie tej, co trzeba przegródce, tylko we właśnie odwrotnej, niż trzeba, że będzie tak, że nagle po prostu znikniesz pan z tego świata razem ze swoją rodziną, że nagle znikniecie z tego miasta, a wasz dom zostanie wyniesiony w część po części na obrzeże, zalany benzyną, rozpuszczalnikiem i podpalony z samej zasady. Że albo się jest Polakiem, albo się nie jest Polakiem. Albo jest się polski, albo jest się ruski. A mówiąc dosadniej albo jest się człowiek, albo jest się chuj. I koniec, tak panu powiem.

Wtedy ja patrzę chwilę na niego w oczy, co by upewnić się, że to, co mówi, to powaga. Powaga. Wie, co mówi. Więc wtedy obracam się na dom. Siding niedawno położony, elegancki, biały, zachodni wygląd, choć od Ruskich kupiony. Patrzę chwilę. Potem patrzę na Andżelę, co akuratnie odkłada łopatę i zwala Sunię do dziury. Myślę sobie: za płytki ten grób, to się w ten sposób nie da, bo wnet zacznie śmierdzieć, jak się zrobi bardziej ciepło czy bardziej gorąco.

Pies mi zdechł – mówię pokazując na załączonym obrazku Andżelę, co grzebie Sunię. – Ruski otruli – dodaję, by było wiadomo, że pierdolonym proruskim antypolakiem nie jestem i wiem, jak oni trzodzą na mieście, ci gnoje, psy Polakom podtruwają swymi ruskimi konserwami.

Otruli? – mówią robole, jak gdyby już nie mieli złudzeń żadnych co do zwyrodnialstwa zbrodni, którą dokonują Ruski na mieszkańcach tego miasta.

No otruli zwyczajnie po chamsku, może nawet zagłodzili na śmierć – mówię. Oni na to wskazują na Andżelę wałkiem: córka pewnie cierpi przez nich bardzo? Przez wzgląd na córkę powinien pan się zdeklarować ostatecznie, co do ustroju, który pan wyznaje. Jedno słowo, tak albo nie, Ruscy fałszerze kompaktów, Ruscy robiący podkop pod naszą gospodarką, Ruscy zabijający psy nasze i wasze, nasze dzieci płaczące przez Ruskich. Tak albo nie, Polska dla Rusków, czy Polska dla Polaków. Decyduj się pan, bo my tu gadu gadu, a te ścierwa się zbroją.

Patrzę na Andżelę, co jak przedwcześnie poczerniała, pokryta osadem dziewczynka lat 5 gapi się w mym kierunku wyczekując, aż wrócę i zrobimy nabożeństwo za duszę Suni. Suni męczennicy w obronie czystości rasy polskiej. Zamordowanej przez Rusków ze szczególnym okrucieństwem za polskie pochodzenie.

Wtedy patrzę jednak na siding, nowy, kupę hajcu warty, niezużyty całkiem siding. Wtedy wszystko mi się krystalizuje w jedną chwilę, wszystko staje się jasne. Sidingu nie poddam, ruski jest czy nie ruski, ale co to, to nie. Andżela, cho no tu – wołam. Andżela przybiega truchcikiem. Oni chcą siding pomalować na biało i czerwono, mówię do niej ściszonym głosem na boku. Ona patrzy bezrozumnie raz w me jedno oko, raz w lewe, jakby nie wiedziała, co to białe, nie wiedziała, co to czerwone, tylko wiedziała co najwyżej, co to czarne i jakbym był powiedział: chcą na czarno pomalować, to by zaraz wiedziała o co chodzi. Jak: pomalować? – ona pyta i jest przy tym tępa jak sztuciec plastikowy. No po polsku – tłumaczę jej jak głupiemu – po polsku pomalować niby że za Sunię, że ją Ruscy otruli.

Ocipiałeś? – Andżela na to nagle jakby rozumie, o co biega. – Siding to byś mógł dać wymalować, jakby ci matkę przelecieli albo jakby do miasta sprowadzili lewe wesołe miasteczka. Albo jakby ciebie samego zabili i zgwałcili twe zwłoki. A tak to powiedz im, że za Sunię najwyżej płot.

I ona ma prawdę, nie jest aż ta głupia ta dziewczyna, do interesów się nadaje, jak będę miał ten swój interes, czy piasek, czy miasteczka, czy arafatki, to już nieważne, to ją wezmę na dział „kalkulatory".

Sidingu nie ruszcie – mówię do chłopaków bez cienia wahania, bez drgnienia w głosie. – Co najwyżej to możecie płot wymalować.

Oni patrzą po sobie jeden na drugiego, myślą, gdzieżby mnie tu zaklasyfikować, do za, czy do przeciw.

Płota też bym nie dał tknąć – mówię szybko – ale to za psa mego, za ból mej córki Andżeli, którą tak pokrzywdzili Ruscy, że jej najlepszego przyjaciela zaciukali na śmierć. Za to ich nienawidzę, za to płot mego domu będzie symbolizował wypowiedź wojny przez polskich do Rusków.

I wtedy dziwię się nawet, jak bardzo cwany jestem, jak przebiegły, istne coś z niczego, bo zaraz oni wyjmują tabele z listą mieszkańców, gapią się w te tabele o tytułach: propolski, proruski i mówią tak:

Co przyznajemy? To drugi na to, nieco wyższy: no jak dla mnie to ewidentnie propolski. Wtedy ten pierwszy, niższy: no propolski to owszem, lecz jaka punktacja. Patrzą chwilę po sobie. Wtedy wyższy mówi: nic, no trzeba ankietę-psychotest. Odgarniają sobie z kombinezonów kurtki i z kieszeni wyjmują ankietę-psychotest. Nie jest to duże, ale zawsze biurokracja, trzy pytania i bądź tu mądry. Patrzę na nich podejrzliwie, ale biorę ankietę-psychotest i odsuwamy się z Andżelą kilka kroków.

Pytanie pierwsze, czytam głośno. Robole na to: w wypełnianiu formularza należy pod karą administracyjną mówić prawdę. Okej, mówimy z Andżelą i wtedy czytam: pytanie pierwsze. Wyobraź sobie, że wybucha wojna polsko-ruska. Koleżanka łamane na kolega mówi ci w sekrecie, że popiera Ruskich. Co robisz? A. Bezzwłocznie zgłaszam to gospodarzowi domu i policji. B. Ociągam się, mam wyrzuty moralne, ale ostatecznie przemilczam tę kwestię. C. Popieram go. Uważam, że obywatele ruscy dalej powinni uprawiać handel fałszowanymi papierosami i kompaktami.

I zatruwać polskie zwierzęta. – dopowiada jeden z roboli jakby mimochodem.

Odpowiedź A – mówi Andżela. Odpowiedź A – potwierdzam bezzwłocznie. No to ci robole zakreślają A i mówią: dobrze. Andżela skacze z radości i uciechy, że trafiliśmy. Wtedy czytam dalej: pytanie drugie. Na ulicy widzisz człowieka, który wiesza na jednym z domów flagę czerwoną. Co robisz? Odpowiedź A: niezwłocznie zrywam tę wrogą chorągiew.

A – mówi Andżela. Dobrze – odpowiadają robole. A ten wyższy dodaje: no to może od razu przejdziemy do kluczowego pytania, bo po co się bawić tu w jakieś ceregiele, skoro państwo znacie prawidłowe odpowiedzi. Niższy mówi: okej, racja.

Trzecie ostatnie pytanie. W ostatnich dniach zasolenie w rzece Niemen wzrosło o 15%. Podkreślam: o 15%. Środowisko naturalne tychże okolic zostało zdegradowane, a wody Niemna przybrały odcień ultramaryna. Czy za taki stan odpowiedzialni są Ruscy? A. Tak. B. Nie wiem. C. Z pewnością.

Ce! – mówi Andżela natychmiast, robole patrzą po sobie i wyższy dodaje: dziewięć na dziesięć punktów, bardzo dobrze w rubryce „postawa zbrojna wobec wroga rasowego". No to płot malujemy, co mamy robić, na pogaduszki tu nie wpadliśmy. Wtedy wpisują, co tam trzeba i biorą się za płot.

My z Andżelą idziemy dokończyć ten burdel cały z psem. Ja stoję jak gdyby z boku, myśląc o Suni, że jaka była, taka była, ale szkoda, że umarła. Natomiast Andżela swym glanokozakiem zagarnia ziemię i patrzę, że Sunia niknie jak obraz telewizyjny w zakłóceniach, jak porasta ziemią ogrodową. Czastalavista – mówię do Suni ostatni raz. Fajna laska z ciebie była, tylko trochę gruba.

Andżela patrzy na mnie badawczo, czy przypadkiem nie mówię do niej i zasypuje dalej. Dobra – mówi. Teraz odprawimy nabożeństwo, małe czary mary, żeby Sunia nie trafiła tam gdzie my trafimy, Silny, a my trafimy w sam środek piekła, na samo dno piekła, przywaleni gruzem, przywaleni pustką. Jeszcze będziesz tego świadkiem, jak ginę pod głazem, pod zniszczeniami, ruinami. Ja będę patrzyć, jak ty giniesz i na tym się skończy. By Sunia tego nie zaznała, co my w życiu, tyle cierpienia.

Poczym Andżela depcze po ziemi, wyrywa kilka korzeni z trawą i wsadza w ziemię na grobie.

Bóg przewraca się w grobie, jak na to patrzy – mówię i przeżegnuję się. No już nie bądź taki znowu ważny – mówi Andżela i chwyta mą rękę, i dostaję dreszczy przez cały rdzeń kręgowy, bo zdaje mi się, że oto zła śmierć, śmierć z wścieklizną, złapała mnie za rękę i prowadzi na drugą stronę rzeki.

Zwariowałaś? Puszczaj, mówię, umykając na schody. Andżela patrzy trochę zdziwiona i mówi: wczoraj byłeś bardziej dla mnie uprzejmy, czuły. Ale jak tak, to tak, a jak nie, to nie. Wcale nie musimy łapać się za żadne głupie ręce. Każdy z nas jest osobnym, niezależnym i wolnym człowiekiem. Cokolwiek o tym myślisz, ja również jestem niezależna, jestem własnym, osobnym, indywidualnym człowiekiem. Chcę, by było jasne między nami. Nie zrezygnuję nigdy ze swoich przyjaciół, ze swoich hobby, zainteresowań. Chcę, byś to wiedział.

I teraz tak. Ledwie co zdążymy wejść do domu, włożyć laczki, kapcie, a jak nie zadzwoni dzwonek, raz, drugi trzeci, jak ktoś nie zacznie walić w drzwi pięściami. Straż miejska. Tudzież Izabela. Koniec żartów – myślę sobie i by nie było siary, że szukają mojego brackiego, żeby nie było siary, że jako rodzina jesteśmy wszyscy kryminalni, mówię Andżeli, by ogarnęła trochę w pokoju, a ja w tym czasie otworzę. Zdanżam na czas, bo Natasza nie zdołała jeszcze wykopać na wylot dziury w kształcie jej buta w drzwiach autozamykających Gerda. Choć była niedaleko od dokonania tego.

Patrzę na nią. Natasza to Natasza. Zapoznałem ją w dyskotece. Choć nie mam pojęcia, co ona tutaj, w Dzień Bez Ruska akurat robi w tym miejscu, w tym czasie, w mym mieszkaniu. Swego czasu rzuciła pokalem w Magdę, to tak się poznaliśmy wtedy właśnie, kiedy Magda przyszła do mnie na skargę, że jakaś dziewczyna się z nią zaczyna, i jeżeli miałaby prawdziwego chłopaka, to on by powiedział tej szmacie, by się odpieprzyła wreszcie. Myśmy już wtedy byli ze sobą trochę, ja z Magdą, trochę się znaliśmy bliżej, no to musiałem iść, gadać. Natasza mi powiedziała, że nienawidzi Magdę za samą jej twarz i że jak idzie przez salę taneczną, to Magda pod ścianę i salut. Potem jeszcze się znaliśmy dość bliżej. A teraz stoi w drzwiach, w me spodnie się gapi, jakbym zaraz miał tu uszykowany wskaźnik, co go wezmę, pokażę na swe podbrzusze i powiem mapę pogody. Dziś będzie pogoda zdecydowanie czerwona w porywach do czarnej, z przejaśnieniami. Dziś będzie ruska pogoda. Nad miastem zbierają się chmury czerwone. Dzień Bez Ruska może ze względu na warunki pogodowe zostać odwołany.

Nie mam pojęcia żadnego, o co ona tutaj przyszła, co chce ode mnie. Włosy z białym pasemkiem z przodu. Przebiegły wzrok. Niewielki garb.

Masz doła? – ona się mnie pyta odnośnie tych spodni, uśmiechając się obleśnie, niby coś wiem, ale nie powiem. Chociaż fajna to jest dupa. Że niby co. Że niby coś nie tak z moją płcią, ostateczne zaburzenie płci, pa, dżordż, mam cię dość, przez ciebie upierdoliłem sobie spodnie, i co, i koniec, usiłowanie zabójstwa z ostrym narzędziem, gorzej, samobójstwo prawie, zestaw od lat trzech „małe samobójstwo", nożyk do ziemniaków i trumienka mała na dżordża nie biodegradująca, na łańcuszku. A dla tych, co zadzwonią jako pierwsi, niespodzianka, pokrowiec.

Niee, to takiej koleżanki jednej – mówię Nataszy odnośnie tych spodni, chociaż mam nadzieję, że Andżela nie słyszy, tylko sprząta.

Fu, to jakaś świnia nie koleżanka, że cię tak uświniła, co? mówi Natasza, ślini palec i próbuje zetrzeć tam, gdzie trzeba.

Taka jedna. Taka jedna zboczona odpowiadam. Natasza na to, że czy ta dziewczyna ma tak na imię i nazwisko, zboczona, bo ona właśnie o imię i nazwisko się pyta, a nie o gatunek.

I ściera mnie tym palcem, bezczelnie patrząc mi centralnie w oczy. To ja na to stękam. Ona wtedy popycha mnie, krzyczy, że jestem świnia, taka jak ze wszystkich, że ona do mnie po przyjacielsku, a ja do niej wyjeżdżam ze wzwodami, i czy ja albo mój bracki mamy jakieś ziele, jakieś do nosa coś, bo po to przychodzi.

Ścisz sobie swój wokal, co? – mówię. Pół tonu ciszej. Jedna moja kuzynka tu siedzi, besztam Nataszę. Serialnie? – syczy Natasza, wchodzi i idzie na palcach adidasów do pokoju, gdzie zagląda. To żadna kuzynka, syczy w moją stronę – to jakaś sadomaso gotykkurwa. Zamknij się, dobra okej? – syczę do Nataszy i patrzymy we dwoje przez szparę między zawiasami. Andżela na kolanach anemicznie dość zbiera papierki i niedopałki z podłogi. Kurwa, ona w ogóle żyje, czy ty ją z grobu wykopałeś, czy może to jest trup na baterię R6? – syczy Natasza, popycha drzwi i wchodzi. Halo, szefowa. Imię twoje chcę wiedzieć. Ja jestem Natasza, podaje Andżeli rękę i mówi: Nata. Nata Blokus.

Andżelika – mówi Andżela – ale spokojnie możesz mówić Andżela, po prostu Andżela. Sama Andżela, tak? – mówi Natasza i podciąga sobie spodnie. Po prostu Andżela – mówi Andżela.

Fajne masz te bransolety, gwoździe. Po ile kupiłaś? – mówi Natasza. To różnie. Zależy które – odpowiada Andżela, podnosząc się z kolan. Bo to różnie wychodzi, ale przeważnie kupowałam teraz latem w Zakopcu albo na wycieczkach wysokogórskich. Fajne – mówi Natasza. Zajebiste.

Ja jestem na zjeździe ostrym. Dotychczas nie wiem, czy o tym wspominałem, ale pęka mi bańka i może zaraz już nie będę żył. Andżela podciągnęła żaluzje. I tego nie ma co kryć, i patrząc na Nataszę, patrząc na Andżelę, zastanawiam się nad takim podejrzeniem, iż to jest białe, jasne jak kurwa piekło, specjalne piekło za dilowanie, za amfę, ze słońcem niezachodzącym, z jarzeniówką pięć tysięcy wat prosto w oczy, z jakąś imprezą z dwoma dziwnymi jakimiś panienkami, z których jedna prawdopodobnie nie żyje, a druga łazi po całym mieszkaniu, podnosi z odrazą różne rzeczy i rzuca na powrót na wykładzinę. Niczym jednoosobowa komisja do spraw zaszłej tu zbrodni wojennej. Niczym żołnierz wietnamski przez trzcinę cukrową. Pod kołdrę zagląda na tapczan. O, ja widzę, że jakaś tu grubsza rzeźnia się działa, Silny, kogoś ty tak urządził, zwyrolu, psa swego chyba – mówi.

Andżela wtedy już nie może więcej zblednąć, więc gwałtownie szarzeje. W dodatku raptem odbija jej się niebezpiecznie, co ona łapie się za twarz, jak gdyby chciała wyprodukować kolejną falę kamieni proszącą się na świat. Muszę ją uratować, gdyż bądź co bądź okazała dziś mi i Suni dużo życzliwości i sprytu.

Pies mi zdechł – tłumaczę Nataszy, wskazując na tapczan. – Ruski otruli. W męczarniach konał, to wszystko wypaskudził krwią. Podali mu nabój samowybuchający wewnątrz ofiary. Minę lądową w jedzeniu – mówię, siadam obok Andżeli na tapczan i obejmuję ją pocieszycielsko ramieniem. Wiele syfu nam narobił, dopiero co go pochowaliśmy.

Natasza patrzy na mnie dość nierozumiejącym wzrokiem, po czym wstaje nagle.

Silny, nie pierdol od rzeczy, bo mnie twoja hodowla psów gówno interesuje, czy jak ci pies zdycha, to czy się przewraca na lewo, czy na prawo. Lepiej gadaj, gdzie masz towar, bo o pogodzie i o hobby możemy sobie owszem pogadać, ale nie, kiedy mi jest tak amfa potrzebna, że zaraz się zejszczam.

Wtedy, jak nie odpowiadam, idzie do kuchni. Szafki zaczyna otwierać, trzaska drzwiczkami, garami tłucze, gdzie masz, Silny, towar, gdzie wy trzymacie ten towar, bo od ciebie to ja się, palancie, niczego nie mogę dowiedzieć, jesteś tak przećpany, że już roi ci się wszystko na bańce, już ty nawet nie wiesz, gdzie kuchnia, a gdzie łazienka, a co dopiero, gdzie fetę żeś schował, to przeż aż dwa dni temu było, jak żeś go kitrał, to teraz nawet nie wiesz, jak się wtedy nazywałeś, Robakoski czy juz wtedy inaczej.

Andżela zostaje w pokoju, a ja jako gospodarz domu drepczę za Nataszą bezradny wobec jej gniewu. Jak tylko ona mnie widzi, to mówi: spierdalaj stąd, sama sobie poszukam, z tobą, Silny, się nie da gadać, te flaki idź sobie zdrapać ze spodni, bo wyglądasz najmniej jakbyś sobie patroszył. Wyjść stąd, mówię, bo patrzeć na ciebie nie mogę.

No to ja wychodzę na przedpokój, chodzę chwilę, rozglądam się. Mam taki halun, że jestem wielki niczym kłąb waty i że kulam się tak po mieszkaniu raz w tę, raz we w tę, że jakiś gwałtowny wiatr między pokojami mnie unosi. Jest to taki mój jakby sen, gdyż zdaje mi się nagle, że z sufitu leci śnieg na mnie lub grad, papierki białe, wielka biała firana na mnie spada. Wiatr wieje po pokojach, znosi mnie do tyłu. Wiatr wieje z góry i znosi mnie w głąb podłogi do piwnicy, do wewnątrz Ziemi, gdzie białe robaki migające pełzną po wnętrzu mych powiek. Wchodzę do kuchni i sen rozwiewa się. Huk i harmider, szklanki stłuczone na podłodze, mój kubek z krasnalkiem również, talerze z szafek wywleczone i porozkładane po panelach. Natasza przy stole, to co stało, zepchnęła na podłogę, łeb podtrzymuje sobie na ręce. Barszcz w proszku nawaliła na blat i kartą telefoniczną, stuk stuk stuk, robi z niego ściechy. Przez długopis „Zdzisław Sztorm" wciąga barszcz do nosa, po czym kicha strasznie i pluje różową śliną do zlewu.

Kurwa, Silny, ty dziś marnie skończysz – bełkocze. Twoja gotyklaska również.

Spluwa w kupkę barszczu i bełta w tym palcem. Wstaje. Idzie do pokoju. Ja za nią. Kiedy idzie, to wiatr się robi i rozwiewa Andżeli włosy, psuje fryzurę. Natasza otwiera barek. Wszystkie flaszki po kolei. To, co jej nie smakuje, to płucze usta i spluwa na dywan. Jest w tym dobra. Umie tak splunąć wszędzie gdzie chce. Wtem na mnie spluwa w samą twarz. Tak raptem mocno, że zataczam się parę kroków w tył. Było to martini.

Wiesz za co? – mówi Natasza, nabiera łyka i spluwa mi z nienawiścią na rozporek. Wiesz, kurwa, za co? Za to, że jestem wkurwiona dziś, za to, że na całym mieście nie ma prochu, bo na Dzień Bez Ruska wszystko musi być na mieście git i kokardka na ratuszu, fajerwerek w dupę burmistrzowi, zdrowe społeczeństwo z grillem na balkonie, po jednym kwiacie doniczkowym na okno. I za to też kurwa, że ty mi zamiast po przyjacielsku pomóc w szukaniu towaru w twym własnym domu, bo na pewno tu jest i ja tego nie popuszczę, zresztą wiem to od Magdy, przechadzasz się jak tirówka bułgarska. Spierdalaj mi z oczu, fajkę mi daj lepiej, bo zaraz cię zajebię. Dwie fajki. Dawaj zresztą, ile masz.

Wtedy odwraca się do Andżeli: na ciebie tylko tak lajcikowo splunę, bo widzę, że jesteś bardzo delikatna i mogłoby cię znieść.

Andżela patrzy na nią zupełnie ogłupiała ze zdziwienia. Nie musiałabyś wcale na mnie pluć – mówi do Nataszy, odgarniając włosy. Gdybyś tylko powstrzymała swoje negatywne emocje.

Natasza patrzy na nią, nie wiadomo, co myśli. Silny – mówi – po ile ty ją kupiłeś? Bo ona chyba była przeceniona jakaś w promocji. Poczym spluwa Andżeli bardzo, jak ostrzegała, delikatnie w oko rzadką, białą śliną.

Andżela wtedy wstaje gwałtownie i trzymając się za usta leci do ubikacji. Natasza ni stąd ni zowąd kładzie się na tapczan i zakrywa się kołdrą:

Silny – mruczy. – Silny dosyć tego pitolenia się. Sprzedajmy ten magnetowid Ruskom, będzie kaski trochę, no bądź kolegą. Od razu weźniemy taksę, pojedziemy do Wargasa i kupimy. Mama nic się nie dowie. Ty połowę towaru, ja połowę towaru, a twojej lasce damy też coś polizać. No nie lamp się na mnie już, wyglądam dziś jak gówno w lesie, a ty nic lepiej, chodź, chodź tu mnie przytul, powiedz mi lepiej z imienia i z nazwiska tę flądrę, którą wczoraj puknęłeś, bo wiem, że puknęłeś, a to z psem to ściema równa, ładna chociaż była, ładne miała włosy, blond czy czarne? To ta, co rzyga teraz?

Ja mówię wtedy jej szeptem na ucho, by się odpierdoliła.

Ona mi głośnym szeptem odpowiada. No to nie mogłeś sobie jakiejś przyzwoitej wziąć, bez okresu? Masz zakola, Silny, już od razu widzę, że będziesz łysiał niedługo, świnio.

To mówiąc przykłada czule swe usta do mych ust, i kiedy ja myślę, że raptem wszystko między nami jest na najlepszej drodze i że fajna to jest dziewczyna, że mógłbym dla niej porzucić Andżelę, ona spluwa z całej siły mi do buzi, całę ślinę, co w sobie miała, może nawet więcej, całę swę zawartość, wszystkie płyny ustrojowe, co tam miała, gdyż jest tego tyle, że gwałtownie się krztuszę.

Z ubikacji dochodzą odgłosy rzygania.

Gdzie z tym ozorem, gdzie? – Natasza mówi, a ci by było miło, jakbym ci język wsadziła do czystej buzi? Jesteś nienormalny? Pies. Świnia.

Gadaj, gdzie masz rzuty skitrane? – mówi, siada na mnie i zaciska mi ręce na gardle. Bo zaraz się skończy, zaraz wezmę telefon i po suki zadzwonię, że jak ty nie wiesz, to żeby oni przyjechali i dobrze poszukali. Kurde, jak ty wyglądasz, żebyś ty się widział. Ja się tu czuję jak na twoim pogrzebie. Silny nie żyje, Andżela! A fajny to był kumpel, wesoły chłopak. W ziemi go nie grzebią, bo ma za dużo grzechów, za dużo amfy kitrał u siebie i nie chciał się dzielić. Grzebią go w tapczanie, żeby go matka mogła często odwiedzać, jak będzie sobie tapczan rozkładać. Fajny to był chłopak, wszyscy cię żałujemy, Silny, koleżanki i koledzy z podstawówki, wychowawczyni, Andżela również, choć sama ma się źle. Ta pizda Natasza, co cię udusiła dostanie za swoje, ale miała rację, że byłeś cham, że jej nie chciałeś dać wtedy spida.

Dusi coraz mocniej. Dusi coraz to mocniej. Na poważnie mnie zaraz zabije, że nie będę już zaraz żył. Całe me życie staje mi przed oczami takie, jakie było. Przedszkole, gdzie dowiedziałem się, że wszystkim nam chodzi o pokój na świecie, o białe gołębie z bristolu 3000 złotych za blok, a potem raptem za 3500 złotych, mus tak zwanego leżakowania, siku w majtki, epidemia próchnicy, klub wiewiórki, brutalna fluoryzację uzębienia. Potem przypominam sobie podstawówkę, złą wychowawczynią, złe nauczycielki w kozakach kurwiszonach, szatnie, obuwie zamienne i izbę pamięci, pokój, pokój, gołębie pokoju z bristolu frunące na nitce bawełnopodobnej przez hol, pierwsze kontakty homo w szatni wuef. Potem chłodniczak, Arleta dziewczyna mego kolegi, którą jako pierwszą swą kobietę miałem na wycieczce klasowej do Malborka, z czym zresztą miałem dość problemy, gdyż ona była dla mnie za szybka. Potem jeszcze inne były w dużych ilościach, choć żadnej nie kochałem. Prócz może Magdy, lecz między nami się skończyło.

Ptasie mleczko, idiotko – jęczę spod Nataszy uścisku strasznego. Ona mi w twarz prosto z dużej wysokości sączy ślinę: jakie ptasie mleczko, kurwa, ptasie mleczko to zaraz zwrócisz z powrotem, jak nie powiesz – mówi i uciska mi treść żołądkową kolanem.

No w ptasim mleczku masz towar – ryczę i ona mnie puszcza, zeskakuje z tapczana, nawet adidasów ta złodziejka nie zdjęła, i wszystkie dobre jeszcze zupełnie ptasie mleczka wypieprza na wykładzinę, co ja je muszę zbierać. A za nimi wylatuje jeden woreczek maleńki, ostatni, z towarem. Wychodzi jej z tego ścieżka gruba jak robal, co ja nawet nie mam już siły się podnieść z tapczana, ciemno robi mi się przed oczami, patrzę na swe paznokcie. Ona już sobie Zdzisława Sztorma przyniosła z kuchni, ale teraz myśli chwilę i robi trzy kreski. Zasady mam, mówi. Jedna kreska grubsza, całkiem sforna, druga tak bardzo cienka, że barszcz w proszku by mi lepiej zrobił, a trzeciej chyba wcale nie ma.

A co ja, kurwa, od macochy? – wrzeszczę. Obmacuję swe obrażenia po śmierci klinicznej przez uduszenie, do której mnie doprowadzono. Natasza od razu obraca się tyłem i swę ścieżkę pizd do nosa, jeszcze z mojej kawałek, i z Andżeli kawałek, i zanim zdążę się zerwać, ona do mnie tak: a co? Mało ci? Mało ci? Jak ci mało, to sobie po kablach daj.

Jednakoż zaraz łagodnieje zupełnie i nosem siorbiąc nieco mówi tak: no chodź chodź tu, ciocia ci pomoże. Hop. Zwleka mnie z tapczana, co jestem bardzo osłabiony, choć może to od tej pewnej systematyczności, z jaką praktykuję amfę. Noooo – mówi Natasza – chodź chodź, nie bój się, małe doinwestowanie nosogardzieli i jesteś jak nowy, Silny, świeżo kupiony, jeszcze w pudełku, jeszcze z metką. Tak. Teraz pociągnij noskiem. Oo. Teraz będzie dobrze. Choć na starość impotencja.

Jak mi już trochę pomoże uporać się z kreską, rozgląda się i mówi tak:

Co to jest za nieporządek, Silny, tu trzeba odkurzyć, mam wielką ochotę odkurzyć tu to całe bagno, wiesz, raz i na zawsze. Ale jak wezmę odkurzacz, to tak ci odkurzę, że wykładzinę wciągnę, podłogę wciągnę, piwnice wciągnę, wszystko. Cały dom pójdzie się jebać, cały ruski siding obleci z hukiem. Więc lepiej mi nie dawaj. Albo daj mi niepodłączony. Już ja tu przejadę. A ty, nie, Silny, bez takich, ty musisz ze sobą porządek zrobić, taki duży chłopak, a portki uświnione, wyglądasz jak kasjer w sklepie mięsnym, jak na ciebie patrzę, to mi się źle robi.

No to zwlekam te portki, jako że już lepiej się czuję nieco, bardziej klarowny obraz, bardziej ścięta galareta. Masz za chude nogi – ona mówi, po czym podnosi z ziemi długopis, patrzy na niego i mówi tak: Zdzisław Sztorm, Wytwórnia Piasku, znasz go?

Ja mówię, że nie znam, chociaż ta Andżela, co właśnie rzyga tak fatalnie w ubikacji, to podobno go zna. A Natasza na to, czy wiem, co to za koleś. Ja mówię, że taki producent piasku. Ona pyta, czy on ma gotówkę. Ja mówię, że może ma, a może nie ma. Ona na to, że jedziemy do niego zaraz, że powołamy się na moją z nim znajomość, albo tej Andżeli najlepiej z nim znajomość, ona zrobi czary mary i wychujamy go na jakąś fajną kaskę, a Dzień Bez Ruska wtedy należy do nas, budki z grillem, wszystko wykupimy, co będzie.

I raz dwa ona wszystko ma gotowe, cały plan, ja jestem tu tylko najemnikiem od robienia niższych czynności, nie wymagających umysłu, ja zmywam garki, ja przymykam drzwi od kibla, gdzie Andżela rzyga. Natasza przegląda, co jest w szafach, tę bluzkę, Silny, trzeba wyrzucić, ja nie wiem, co twoja matka ma na ten temat do powiedzenia, ale ja bym w tym do piwnicy nie wyszła. Po czym na wykładzinie znajduje pocztówkę Andżeli od koleżanki ze Szczecina, co Andżela w pośpiechu umykając wczoraj przed moją kurwicą, porzuciła gdzieś koło tapczana i głośno, z trudem czyta. O kurde – mówi – co to za pizda to napisała, świetnie się bawię, przebywam dużo na świeżym powietrzu, ładna pogoda słońce. Ognisko. Ja pierdolę. Silny, ty ją znasz? To jest pewnie jakaś bogata pizda, co do sanatorium pojechała leczyć odciski, nie wiesz, czy by się dało z tego wykręcić jakiś hajc? Rozumiesz? Ale nic na serio brutalnego z krwią. Najlepiej list z pogróżkami. Profesjonalnym szablonem do pogróżek zrobionym. Twój bracki powinien mieć gdzieś u siebie taki szablon. Jeden list o tym, że niedługo zginie. Drugi o tym, że niedługo jej dzieci zginą. A trzeci, że już nie żyje, że już jest w grobie. Chyba, że da pieniądze. Ale

kurde wiesz, z czym jest grubszy sztapel? Że ona ze Szczecina jest. To to by dłużej potrwało w czasie, a nam jest ta kaska potrzebna dzisiaj, na Dzień Bez Ruska. Inaczej jesteśmy tu nikim, zero pozycji. To ten Sztorm nam zostaje tylko do wychujania, nie ma przebacz, on wygrał to koło fortuny, już się nie wywinie. A wtedy, Silny, ty i ja, zaprowadzimy w tym mieście taki porządek, że się ani Ruski, ani nasi nie spostrzegą, jak zostaną bez kasy. Zrobimy tu nowy ustrój, jeszcze dzisiaj. Wszystko, co kto ma, telefony komórkowe, portfele, klucze od domów, piloty do samochodów, na środek rynku.

Wtedy ona mnie denerwuje. Obie mnie denerwują. Ciągną mojego spida, robią zamieszki. Jedna rzyga, druga mnie zagaduje, i ja się pytam, co to jest, dwuosobowy związek psychicznej eksterminacji Andrzeja Robakoskiego? Są siebie warte, powinny się nawzajem ożenić i byłby koniec pierdolenia od rzeczy, dwoje żeńsko-żeńskich dzieci wojny, jakaś firma zajmująca się spidem i panadolem, rzyganie kamieniami, Natasza by się zajęła wymuszeniami, Andżela by szyła jak dzień długi czarne makatki. A mój numer na telefon komórkowy niech zapomną.

Weź, Natasza, zamknij pizdę teraz, bo coś chcę ci zaproponować korzystnie, wiesz? – mówię trochę wkurwiony. Uważaj teraz. Jak chcesz, to sprzedam ci Andżelę. Powaga. Na niewolnika. Jest miła. Jest towarzyska. Umie mówić wiersze. Będzie ci z nią dobrze. Będzie ci dupkę podcierać, będzie za ciebie gryźć jedzenie, jak będziesz miała chęć, to wyrzyga ci, czego sobie zażyczysz. Kamień. Spid w woreczku. Kwas. Palenie. Co tylko będziesz chciała, co tylko powiesz. Pozna cię ze Zdzisławem Sztormem. Będzie za ciebie przybijać twą pieczątkę. Będzie twoją sekretarką.

Natasza już nie marzy, patrzy na mnie, jak na głupiego. Nie, dupa, mówi. Chyba całkiem ci odpierdoliło już. Dupa i koniec, nie idę na to. Mnie na taką lewą transakcję nie weźmiesz. Co jak co. Handel żywym trupem handlem żywym trupem. Ale że niby jak ja się z nią urządzę? Z kasą jest krucho, a to jest i karma, i szczepienia, i wychodzenia na spacer, myślisz, że mnie na to skusisz? Sprowadziłeś ją tu sobie z niewiadomokąd, z piekła chyba, to teraz się w to baw, a mnie na żadne takie szemrane interesy nie naciągniesz. Choć powiem ci tak. Z tego by się dało wysępić jakiś hajc, ale bym musiała zagadać z Wargasem. On by może coś pomyślał, lecz to by był grubszy sztapel ze sprowadzaniem jej na Zachód i tak dalej.

Jak chcesz, mówię do Nataszy i idę do ubikacji, bo jednak przyzwyczaiłem się dość do Andżeli, do tego, że ona żyje i jest żywa, a sytuacja tak, że ona by, załóżmy, umarła, jest dla mnie nie do pomyślenia. Więc idę do ubikacji. Andżela żyje. W tradycyjnej pozie wisi przez kibel i zwraca, co tam miała wewnątrz. Po wczoraj musiało tego niewiele zostać. Jest to pozornie organiczne, białe, tylko jeden pojedynczy żwirek pływa w sedesie i poznaję w nim żwirek ze ścieżki przed domem. Reszta – nie wiem co. Wapno do wapnowania, kreda szkolna, farba podpita w chwilach nieuwagi robotnikom.

Już wszystko wporzo? – mówię do niej, szturchając ją nogą. Ona żyje. Patrzy na mnie wzrokiem opalanej nad kuchenką kury. Ja dalej do niej: wiesz co, Andżela? Ty tak masz zawsze? Wiesz, z tym rzyganiem. Bo nie wiem czy wiesz. Ale kiedyś to się może źle skończyć. Ty tu sobie niby wszystko w porządku, spokojnie rzygasz, ale w pewnym momencie okazuje się, że wyrzygałaś swój żołądek. Albo przykładowo wywinęłaś się na podszewkę. Ciebie to kręci?

Andżela obciera sobie usta i patrzy na mnie w ten sposób, że zastanawiam się, czy nie było jeszcze ostrzej i nie zwróciła rdzenia kręgowego wraz z mózgiem. Po czym ostatecznie zamyka oczy. Biorę ją pod pachy. Mogłaby wrócić Izabela i chcąc się załatwić, potknęłaby się o Andżelę, to by od razu był płacz i zgrzytanie zębami o bałagan w domu. Wołam Nataszę. Natasza bierze ją za nogi. Do twojego brackiego do pokoju ją weźmiemy na izbę wytrzeźwień, decyduje. No to niesiemy. Kładziemy na leżankę. Natasza podnosi Andżeli rękę. Ręka opada. Natasza siada jej z całej pety na brzuch. To zaraz jakiś bulgot, ja krzyczę: no uważaj kurwa!, ale na szczęście to tylko biała bańka wylatuje Andżeli z ust i zaraz pęka.

Ja nie wiem, skąd ty ją, Silny, wziąłeś, ale jedno jestem pewna. To jest wadliwy egzemplarz – mówi Natasza. Nawet na Zachód jej nie wezmą, chyba że na części zamienne. I to całe flaki wytną jako uszkodzone, że zysk z tego będzie żaden.

Ja wtedy trochę dostaję nerwów.

Ona zgłupiała do reszty? – krzyczę, bo to już mnie doprowadza do ostateczności, do zupełnej utraty równowagi umysłowej. Zgłupiała całkiem do reszty? Czy ona chce mi koniecznie problemy zrobić? Suki na chatę sprowadzić? Przecież jak czasem, to ten dom skrzypi, taki jest pełen amfy. Przecież on jest wytynkowany amfą. A ta idiotka sobie tu seanse samobójcze urządza, myśli sobie, że tu i teraz można bezpiecznie wyłączyć komputer, proszę uprzejmie, przytułek dla samobójców, dom pobytu dziennego dla denatów, państwo z niedrogą eutanazją sobie znalazła, ona sobie raz wreszcie powinna pomyśleć poważnie i uzmysłowić, jaka jest umowa, że w tym domu może być, owszem, ale tylko żywa najwyżej, a jak chce sobie samobój strzelać, to gdzie indziej. Za furtką, ale ani milimetra bliżej.

Natasza w tym czasie, gdy ja mam to załamanie, tą histerię, ze znudzoną miną przeprowadza na Andżeli eksperymenty naukowe. Zagląda jej do ust, trochę się krzywiąc, maca jej po zębach, co sobie potem rękę wyciera o spodnie. Grzebie jej w kieszeniach spodni, grzebie jej w torebce i wywleka jakieś papiery, szpargały, jakieś kartki.

Weź się uspokój, bo jak dobrze pójdzie, to jeszcze zrobimy na niej jakąś kaskę mówi do mnie. Jedno papierzysko to ksero dyplomu z obozu wędrownego w Bieszczadach za zajęcie drugiego miejsca w biegu na orientację. To Natasza od razu drze, podarte wtyka Andżeli do kieszeni i mówi: jak się ta wymokła księżniczka zbudzi ze swego wiecznego snu, to pomyśli, że ostro się wkurwiła i sama sobie podarła. Wtedy jeszcze wysmarkane dwie chusteczki, co wyciera nimi Andżeli usta z pyłu i tego białego jadu, i również wtyka do kieszeni i na koniec jakiś większy halun, listy jakieś. Myślę tak sobie, co za idiotka z tej Andżeli, żeby najpierw nosić niewysłane listy w torebce, a potem dostawać zgona przy Nataszy, zero instynktu samozachowczego, naprawdę.

Lecz co się już stało, to się już nie odstanie, Natasza rozdziera zębami koperty i leci do dużego, co ja lecę za nią, siadam na tapczanie i zaglądam jej przez ramię. Natasza czyta głośno i z trudem pierwszy list. Tam jest napisane tak. Szanowni państwo, droga dyrekcjo. Głośno i stanowczo wnoszę protest i sprzeciw przeciwko powstawaniu w Polsce ogrodów zoologicznych oraz cyrków. Głośno postuluję uwolnienie z nich zwierząt i ich ekstradycję ojczystym krajom. Głośno postuluję uwolnienie nieletnich dzieci od obowiązku zwiedzania w ramach wycieczek czy to szkolnych, czy niedzielnych, tych miejsc kaźni, okrucieństwa, niezawinionego cierpienia. Moim mottem jest w życiu: chcesz, by twoje dziecko zobaczyło ból, zaprowadź je do cyrku. Jestem uczennicą trzeciej klasy liceum ekonomicznego. Moim hobby są między innymi zwierzęta. Razem z przyjaciółmi założyłam organizację animacji ekologicznej, której jestem przewodniczącą. Nie grozimy, lecz ostrzegamy. Z poważaniem uczennica klasy trzeciej liceum ekonomicznego numer dwa, Andżelika Kosz, lat siedemnaście.

Ona się nazywa: Kosz? – pyta Natasza, patrząc niedowierzająco. Po czym bierze długopis z podłogi i swoim analfabetycznym pismem pisze tak. Pe es. Zróbcie nam wszystkim laskę. Napisałabym może i więcej, lecz teraz idę do piekła. czastalawista, zabijemy was.

Po czym śmieje się szatańsko i kawałkiem gumy wyjętym z buzi na powrót zakleja kopertę. Potem są dwie następne. Ten sam list odbity przez kalkę, w tym jeden do Jolanty Kwaśniewskiej, a drugi do ogrodu zoologicznego w Ostrowcu Świętokrzyskim. Na pierwszym Natasza dopisuje: pe es. W razie dalszego powstawania obozów koncentracyjnych na potrzeby niemieckich turystów, mój kumpel Silny zabije ciebie, twego męża i dzieci. Do zobaczenia w piekle. A na drugim znowu to o lasce. Wtedy wraca do pokoju mojego brackiego, a ja za nią. Andżela jakby trochę się przebudziła i przez chwilę martwię się, że słyszała przez ścianę moje z Nataszą przeczytanie jej korespondencji. Natomiast Natasza nie widzi w tym zero problemu. Andżela, obróć się na chwilę na bok do ściany, co? – mówi i kiedy Andżela patrzy na nią bezrozumnie i bezrozumnie się obraca, to Natasza wtyka jej na powrót te listy do torebki.

A co, mam tam coś? – przestrasza się Andżela słabym głosem. No mówi Natasza całkiem na poważnie komar ci siedział na dupie i chciał cię ugryźć, ale zabiłam skurwla. Możesz się już nie bać.

Dzięki – uśmiecha się Andżela dość mętnie, jak rzadko zmieniana woda w rybkach akwariowych. Jakiej słuchasz muzyki?

Każdej po trochu – odpowiada Natasza patrząc z góry i boję się przez chwilę, czy nie ześwirowała, nie weźmie kolumnę od wieży i jej nie spuści na twarz.

Ale smutnej czy wesołej? – nalega Andżela, nie wiedząc o zagrożeniu.

Może tak, a może nie – mówi Natasza, boję się, że zbiera ślinę, by omylać Andżelę. Różnej. I wolnej, a czasem i szybkiej.

A z szybkiej jaką lubisz? – docieka Andżela, podpierając się łokciem i wtedy dobiega z niej charkot, kaszlenie i wypluwa w powietrze pokaźną białą chmurę pyłu czy pudru.

Różną, przeważnie najbardziej to lubię teledyski – mówi na to Natasza. Ale nie że śpiewają jakieś kurwieńcze lesby, że jak je ktoś w tej chwili nie przerżnie, to się zesikają. Tylko ja wolę jak mężczyźni śpiewają. Na przykład hip hop, piosenki angielskie o tym, że dzieje się terror, że żyjemy tu w getto, no.

Też to lubię – mówi Andżela. A jakie czytasz książki? Po czym dodaje: albo gazety?

Natasza na to odpowiada: ha, dużo by mówić. Wszystkie po trochu. Program tele. Telegazeta. Trochę takie przygodowe, *Conan Niszczyciel*, *Conan Barbarzyńca, Conan sam w wielkim mieście*, to całą serię przeczytałam kiedyś. Plakaty lubię. Dowcipy. Kawały. Programy.

To fajnie – mówi Andżela. Zupełnie jak ja. A lubisz się odchudzać?

Na to Natasza jakby przegląda na oczy, zastyga na chwilę, po czym nachyla się raptowanie nad Andżelą tak, że Andżela przestaje móc zwyczajnie oddychać i cień fioletowy z oczu Nataszy sypie jej się pod powieki. Nie wiem za bardzo, co robić, by Natasza nie poczuła się urażona, bo ona czuje się w moim domu swobodnie i może chce z Andżelą po prostu bliżej porozmawiać.

Kto ci, kurwa, płaci? – mówi Natasza do ust Andżeli. Gadaj, kurwa. Już. Raz dwa.

Ale że za co? – mówi płaczliwie Andżela ze zdziwieniem, gdyż jest nagle całkowicie zdziwiona, jakby chce całą sytuację wyjaśnić.

Za informacje, kurwa, o mnie – mówi jej Natasza do ust.

Że jakie informacje? – szepcze Andżela.

Nie pytam czy informacje, tylko pytam kto, kurwa, słuchaj pytań. Jak skłamiesz, to nie żyjesz. Kto ci płaci? Moskwa?

Weź ją nie zabij, okej? – mówię do Nataszy spokojnie. A ty, Silny, zwal sobie konia – mówi ona, podnosi się i podchodzi do mnie. Że aż robię unik, gdyż boję się tej dziewczyny szorstkiej i oschłej. Co kurwa, Silny?

Może ty stoisz za tym, że mi twoja dupa robi przesłuchanie, a jak się teraz obrócę, to ona wyciągnie latareczkę i mi zaświeci prosto do oka? My tu gadu gadu, pogoda ładna z przejaśnieniami, kultura i literatura piękna, a ona wtenczas zadzwoni na komórkę do Zdzisława Sztorma i wszystko zaśpiewa ruskiemu wywiadowi, każde me słowo plus jeszcze swoje własne w tym temacie impresje? Co? Kto za tym stoi, gadaj! Lewy? Wargas?

Znasz Zdzisława Sztorma? – rozpogadza się z miejsca Andżela

Jasne. To znaczy niby nie znam. Ale jakbym chciała, to bym znała – mówi Natasza, poczym zwraca się do mnie – nie mówiłeś jej, Silny?

Że co jej nie mówiłem? – pytam, bo gubię wątek.

No że ma dać dupy Sztormowi, a kasa do podziału? mówi Natasza.

Nie, nie mówiłem – odpowiadam zgodnie z tym, jaka jest prawda.

Okej, jak nie mówiłeś, to ja powiem – rozchmurza się Natasza i zapomina o całej sprawie z wywiadem. No to słuchaj, jest taki projekt. Trochę Silnego i trochę mój. Taki projekt, więc lepiej słuchaj i notuj dobrze. Bo inaczej bez tego Miss Dnia Bez Ruska nie zostaniesz i nawet sobie bułki suchej w grillu nie kupisz. Ja zresztą też, co więc jedziemy na jednym wózku. Jest tak. Teraz za tę kaskę, co masz w torebce, bujamy się taksówką do Sztorma. Spokojnie, na pełnym luzie, może starczy, a do połowy drogi na pewno, a potem to już się zagada. Adres jest na długopisie, co masz w torebce. Idziemy tam, bajerujemy go. Że niby, że jesteśmy z organizacji animacji ekologicznej i czy da nam kasę na ochronę zwierząt polskich przed zagładą przez Ruskich. Mamy ze sobą różne pisma, różne pieczątki, teczki. Wtedy on mówi, że nie da, gdyż jest w długach, interes mu nie idzie, recesja, bezrobocie, „Gazeta Wyborcza". Wtedy ja wychodzę, mówię, że muszę wyjść się wysikać czy zrzygać, to już nieważne, możliwości jest dużo, że właśnie dostałam okresu albo coś i jak nie wyjdę natychmiast, to zachujam mu jego śliczny fotelik. I tu jest twoja rola, twój gwóźdź programu. Wszystko pięknie, nachylasz się, wysuwasz język. Mówisz mu wiersz o zwierzętach. Nie musi być jakiś szczególnie romantyczny, może być zwykły, ale ważne, że na pamięć. Wtedy on cię rozbiera i cię bierze, i kasa jest nasza.

Andżela patrzy na Nataszę z nieskrywanym podziwem, zachwytem. Skąd wiesz o organizacji animacji ekologicznej? – pyta rozmarzona zupełnie, wzruszona.

Natasza ani mrugnie okiem, skąd to wie, chociaż oboje to wiemy, skąd ona to wie.

Czytałam w telegazecie czy jakiejś krzyżówce panoramicznej, już nie pamiętam, lecz to nieważne.

Naprawdę? Świat jest tak mały. Nie chcę się chwalić, ale ja jestem prezesem tej organizacji – mówi Andżela zachwycona. Walczymy o emancypację i uwolnienie zwierząt, o ich własny głos w tej sprawie.

No to nie ma problemu – mówi Natasza zadowolona. Tylko, czy wiersz jakiś znasz. Nie musi być o zwierzętach, byle był wiersz po prostu.

Oczywiście – uśmiecha się Andżela i od jej zębów, co są rozsadzone rzadko i dość nieregularnie niczym nagrobki na cmentarzu, roznosi się blask trupiego szczęścia – mogłabym nawet powiedzieć któryś ze swoich utworów.

Tutaj zupełnie, jak gdyby ożywiona wstaje i obciera z ust i sukienki białe naloty i osady, po czym mówi tak: Na przykład taki. Robertowi. To znaczy trzy gwiazdki, ale Robertowi. Rozumiecie. Jak gdyby dla Roberta, bardzo osobiste, chociaż on nigdy tego już nie przeczyta.

I wtedy ona mówi pochyłą czcionką. Dużo słów, co nie wszystkie jestem w stanie ogarnąć, zrozumieć, czy mają sens oraz rym. Ona mówi do nas tak, patrząc raz to na mnie, raz to na Nataszę: oto epitafium dla zmarniałego człowieka, twoje bezwładne ręce milczą w kieszeniach. Jeśli chcesz wiedzieć, nigdy nas nie było. Jeśli chcesz wiedzieć, teraz też nas nie ma. To jest minuta ciszy po nas. I jeśli nawet się kochamy, to tylko oddzielnie. Jesteś tak bardzo egoistyczny, że sam siebie tylko bierzesz.

Świetne – mówi Natasza i z uznaniem kręci głową, i jeszcze mnie szturcha, bym coś pochwalił od siebie – ale mu żeś napisała, to był pedał zwykły przecież, skurwiały impotent. Jakbym miała taki talent, to też bym tak napisała, taki sam identyczny jak twój wiersz. Lolowi. I bym podpisała inaczej. Blokus Natasza. Nienawidzę cię, trzepiący się dewiancie, nie będę z tobą. Ale do rzeczy. Teraz jakiś sztapel o zwierzętach i w drogę.

O zwierzętach? – mówi z frustracją Andżela i chwilę się zastanawia. O zwierzętach nic nie mam, chyba, że o zlepionym kołtunie skrzydeł, jest to smutne i można to podciągnąć pod kategorię ptaki. Odnośnie tych skrzydeł właśnie zlepionych, jest to bardzo smutne.

Patrzymy z Nataszą po sobie niczym komisja do spraw konkursu o zwierzętach. Co myślisz, Silny? – mówi ona. Ja myślę tyle, żeby sobie stąd już poszły, bo chce mi się żreć, a te tu siedzą i rozprawiają o literaturze. Ale tego przecież nie mówię, że to myślę. Ja nic nie myślę – wyznaję, wstając. Na mój gust jest dobrze, szczególnie możesz podkreślić, że to do Roberta. To Sztorma powinno do reszty rozkleić w sprawie tej ekologii, bo to jego syn.

Okej, to idziemy – mówi Natasza i chwyta Andżeli torebkę.

Ale gdzie idziemy? – pyta nagle Andżela z przestrachem, spoglądając na swą torebkę i sukienkę czarną w białe kropki. Natasza wtedy widać, iż wytrzymuje resztkami sił.

Do zoo na protestację antypolityczną, wiesz? Oddajcie zwierzęta z powrotem. Zostawcie nasze żubry. Uwolnijcie dozorców.

Poczym łapie Andżelę pod ramię i ciągnie ją do drzwi. Ja dreptczę za nimi, bo chce mi się sikać. Stop – odwraca się wtem do mnie Natasza – a ty dokąd? Ja stoję i nie wiem, co na to powiedzieć, bo niby że co, sikać już zabronione?

Ty nigdzie, Silny, nie idziesz – mówi do mnie Natasza – ty już dzisiaj swoje pięć minut zaspidowałeś, ty już masz dość. Początkowo miało być inaczej w planie, ale teraz też jest inaczej, jak widzisz. Andżela ze mną, a ty w domu zostaniesz. Opierz się, oczyść z tych jelit, żebyś wyglądał jak przyzwoity człowiek i podczas festynu sobie zarwał jakąś przyzwoitą dupę bez okresu, co ci na spida zarobi. My idziemy, tyle, do widzenia do zobaczenia.

★ ★ ★

Arleta pijana i ujarana dość, obnośny handel śmiechem. Maszyna do niszczenia dokumentów, cokolwiek do Arlety powiesz, za chwilę w rezultacie wylatuje z niej ustami w postaci śmiechu, w postaci strzępów, papierzysk, śmieci, konfetti i sypie się w powietrze. Automat do gier, zamiast oczu dwa małe neony mrugające spod przerośniętych od jarania powiek, dwie małe lampki rowerowe na dynamo. W kurtce z wężowej skóry, w chmurze z brokatu.

Pyta się mnie, czy chcę od niej jedną fajkę. Mówię, że jak ruskie, to ja dziękuję bardzo, umywam od takiego interesu ręce, bo nie chcę się wtopić w jakąś rusofilię. Ona na to mówi, że ruskich nigdy nie paliła, kto jak kto, owszem Lewy, owszem Barman, ale ona jako Arleta nigdy z Ruskami nie miała wiele wspólnego, praktycznie nic, prócz paru razów dawno i nieprawda, jak była pijana i poza tym kilka lat temu, jak jeszcze nie chujali tak polskiego przemysłu płytowego, nie rozkradali polskiego piasku.

Więc jak mi daje carmeny, to choć bez banderoli, to biorę, bo co mi innego zostało, jak nie zapalić.

Wtedy palimy, nic nie mówimy. Dzień Bez Ruska, festyn, szczęk i skurcz w mikrofonach, tańczy zespół Biedronki i bardziej młodzieżowy Fantastic Dance. Dym z grilla doszczętnie pokrył miasto, ofiara z kiełbasy, żeberek i chrzęści zwierzęcych złożona bogom w imię zwycięstwa z zaborcami. Swąd pełznie ulicami wokół amfiteatru miejskiego i brudzi na tę część budynków, co miała niby być biała. Co więc teraz jesteśmy państwem flagi szaro-czerwonej, brudny orzeł na czerwonym tle w okopconej koronie. Andżeli by się nie spodobało, choć nie wiem, gdzie ona teraz jest, pewnie zdejmuje majtki. Definitywny wzrost zawartości czadu w powietrzu naturalnym, kiełbasa matka jej zwyczajna poddana całopaleniu, wszędzie śmierć, wszędzie zbrodnia, poćwiartowane zwierzęta, gdyby mogły, to by krzyczały, ale już nie mogą, już im usta skonfiskowano i zapakowano w inną paczkę. Krtań cielęca, ucho, oko, zmielone, zapakowane w paczki po dwadzieścia deka, następnej zimy wyrosną czarne przebiśniegi, następnej zimy w całym mieście pogasną światła i wszystko po ciemku. Popkultura sadzi na scenie swe fałszywe rośliny, sztuczne gerbery, sztuczne palmy, atrapy kwiatów doniczkowych bezpośrednio w nieurodzajnej blasze, w wacie szklanej. Lecą fajerwerki, lecą papierki od cukierków, lecą ulotki, pękają bańki mydlane, przewracają się pokale na stołach.

I niebo jest jak w dzień ostatecznej apokalipsy, ciemne, obwisłe, że gdyby chciało mi się wyciągnąć rękę do góry, to bym to wszystko rozwalił, szwy by poszły i cała konstrukcja by zjebała się na miasto, łącznie ze wszystkimi filiami. Z czyścem i całym zapleczem produkcyjnym. Taką mam myśl. A parasole opatrzone informacją „Coca-Cola" są niczym biało-czerwone rośliny liściaste wołające o pomstę do nieba, wywinięte na lewą stronę. I plastikowe sztućce plastikowe talerze frunące przez amfiteatr miejski w tym samym kierunku, co dym, niczym osobny wiatr.

Wtem Arleta mówi do mnie tak. Że jak jej postawię dużą kolę i frytki, to mi coś powie, co wie na pewno na sto procent. Ja zastanawiam się, czy się opłaca robić z taką degeneratką interes. Mówię jej, że co najwyżej mała kola i to na samo, że tyle mogę jej postawić. Ona mówi na to, że to jest informacja za kilo spida i kurczaka z rożna, ale ona mi spuszcza, bo jestem jej dobrym kolegą, przyjacielem, dawnym chłopakiem jej przyjaciółki, dawniejszym również jej samej chłopakiem, co wiadomo całą sytuację zmienia i ona mi to powie po znajomości za kolę i frytki. To ja mówię, żeby ona mi powiedziała, a wtedy ja wycenię, ile ta informacja była rzeczywiście warta. No to ona mówi, że okej, ale żebym się nie zdziwił i nabrał dużo świeżego powietrza, co bym się nie podusił. Otóż dzisiejsze wybory najsympatyczniejszej dziewczyny Dnia Bez Ruska o osiemnastej wygra Magda.

Ja spokój. Niewzruszenie całkowite. Że niby co z tego, że Magda. Kto to jest w ogóle ta Magda? Może ją kiedyś znałem, a może nie znałem jej wcale. Może miałem z nią kiedyś jakieś punkty zbieżne, a teraz już nie mam, bo wszystko skreślone, z tą suką, jebniętą miss, co ją nieraz widziałem w takich sytuacjach, w samych rajstopach, w połamanych paznokciach, jak wylizuje me kieszenie ze śladów po woreczkach spida, jak podciąga majtki, jak ogląda telewizję, rzygając sobie w suknię, bo program z typu reality show tak ją wciągnął, że nie może się oderwać i iść po miskę. Że gdyby mieli teraz to pokazać na projektorze, to to by był superbrutalny film tylko dla szczególnie dorosłych o szególnie mocnych nerwach, bo co słabszym mogłyby doszczętnie popękać do krwi i kości.

I co z tego? – pytam niby, że obojętnie, żeby nie pokazać żadnego wrażenia po sobie i jak najmniej jej postawić z czystej złośliwości. Bo to

jest Arleta i jak jej kupię kolę, to potem zjawi się zaraz Magda i powie: daj popić. A to się jej przecież tak stać nie może, gdyż to jest kola ode mnie. Gdyż to jest zatruta fałszywa, czarna kola za pieniądze moje i mej matki, i jak Magda przyjdzie i powie: daj łyka, to to ją otruje, to jej zaszkodzi, tą kolą szemraną śmierdzącą moimi pieniędzmi ona się zakrztusi, zachłyśnie i zaplami sobie suknię swę piękną i nikt jej na żadną miss nie weźmie. I na Zachód robić kariery sekretarki, robić kariery aktorki nie pojedzie, gdyż takich kaszlących nikt przez granicę nie przepuszcza, bo roznoszą zarazki, choróbska, które w Unii Europejskiej nie mają prawa bytu.

Arleta nie traci jednak nadziei, że uda jej się na coś więcej mnie naciągnąć. To jeszcze nic – mówi. Teraz słuchaj dalej, bo to cała historia, jakiej jeszcze na mieście nie było. Ona te wybory wygra, bo dała jednemu organizatorowi. Ale opłacało się. Teraz podobno ma dostać rower górski i diadem, i wiesz, różne bombonierki, talon na kupno butów.

Wtedy mi się jest już trudno powstrzymać, choć bardzo usiłuję się bardziej nie wkurwić. Ale już mimo starań, usiłowań, zaczynam rozglądać się i odgarniam może nieco zbyt silnie jakiegoś faceta, co mi zasłania, pierdolniętego ojca dwóm dzieciom, co im kupuje jakąś kiełbasę czy inne gówno w papierku. I on się owszem przewraca w błoto, ale zaraz wstaje podniesiony przez dzieci, otrzepuje spodnie od garnituru i mówi do mnie: przepraszam pana bardzo. Dzieci oboje upośledzone, w tym jedno w okularach, a drugie płci żeńskiej też nienormalne, ocierają mu z błota spodnie, wszyscy się w imię solidarności rodowej trzęsą. Ja na to mu mówię, nieźle już rozsierdzony: uważaj sobie, kurwa, jak chodzisz, a następną razą używaj antykoncepcji.

To odnośnie tych dzieci, z których co jedno, to gorszego gatunku. Bo niby po co taki palant produkuje to badziewie na masową skalę, po co zatruwa takimi bublami społeczeństwo, że ja mam pracować na opiekę medyczną dla takich dwóch ślepych naboi.

Wtedy on mówi, że tak właśnie będzie, jak mówię, a do dzieci zaznacza, że muszą już iść, bo tu jest za drogo. Wtedy Arleta jak się nie zerwie i od razu za nim leci i woła, że ja mówię, że on ma jej kupić dużą kolę. On sumiennie zawraca, dzieci uczepione u spodni, okulary w newralgicznym punkcie pęknięte, i już chce kupować, jak ja mówię: stop. Nic jej nie kupuj. Ona nie jest tego warta, ona się może napić z rzeki.

Wtedy on trzęsie się cały, że zastanawiam się, czy z tego szoku nie poszedł mu w środku przełyk albo jakiś inny sznurek, przewód. Patrzy raz na Arletę raz na mnie, i pośpiesznie opuszcza ten cały interes w przyspieszonym tempie. Arleta się śmieje, mówi: dobrze żeś go zrobił, pełno tu ostatnio jakiegoś grekokatolickiego elementu, co się szwenda wszędzie i oddycha naszym wspólnym powietrzem.

Niby, że mnie to gówno obchodzi, co Arleta w tym temacie uważa. Niby, że mnie to gówno obchodzi, co Magda wyczynia. Niby że nie jestem wkurwiony. A jednak noga mi cała chodzi tak, iż na stoliku chlupocze bronks w pokalach. Patrzę wtedy w motłoch, lumpenproletariat, co się przetacza falą przed wejściem, ściskając w brudnych łapskach biało-czerwoną watę cukrową i biało-czerwone parówki. I to mnie jeszcze bardziej rozkurwia, bo najpierw jest brak higieny, czy biało-czerwony, czy czerwony, czy inny, a potem salmonella i robaki w powyższych czy innych kolorach. A potem rzyganie, biało-czerwona fala rzygów płynąca przez miasto, fala rzygów widzialna wyraźnie z kosmosu, co by Ruskowie wiedzieli, gdzie jest nasze państwo, a gdzie ich, i jaka to w Polsce potrafi być wspólna akcja solidarność wobec drapieżnych zaborców. Magdy nie ma, pewnie siedzi gdzieś za kulisem albo w przyczepie i w tempie błyskawicznym daje dupki dźwiękowcowi, co by podkręcił głośność, jak ona będzie miała coś wygłosić, na przykład, co lubi jeść, jaką najbardziej lubi pogodę.

A jednak ciężko jest mi się powstrzymać, bo rower górski niech sobie zatrzyma i na zdrowie, i jeszcze piłkę jej plażową i daszek na słoneczne dni, wszystkiego najlepszego, ale oficjalnie dawać to ona nikomu pod moją nieobecność nie będzie, jakby nie było. I wtedy mimowolnie mam w oczach tego niby organizatora. Inżyniera magistra prezesa. Jaki jest chamski wobec niej, jaki jest brutalny, w jednej ręce aktówka, w drugiej kalkulator i tak ją bierze, obliczając przychód i rozchód Towarzystwa Przyjaciół Dzieci Polskich, obliczając kurs dolara, obliczając alimenty swej od dwudziestu lat żonie Zofii, obliczając na palcach wiek swych dzieci. Magda się pyta, czy jest dość dla niego ładna, on w tym czasie podpisuje odbiór listów poleconych z prokuratury rejonowej. Mówi jej, że jest owszem bardzo ładna, jest tak bardzo ładna, że żeby się teraz nie obracała do niego, bo mylą mu się rachunki, mylą mu się obliczenia, myli mu się pasjans, mylą mu się klocki w *Tetris*, niech się zamknie i bardziej skupi na dawaniu.

A posłuchaj najlepsze – mówi Arleta, jak już widzi, że jako takie wrażenie na mnie zrobiła i jestem okurwiały ze złości i nienawiści. Posłuchaj najlepszego, bo teraz się robi dopiero gorąco – mówi – bo ten niby organizator, ten prezes ją chce zabrać z miasta i zawieźć do Reichu. Mnie może nawet też, jak dobrze wszystko pójdzie i nie będzie kłopotu z papierami. Bo mam zawiasy za wpółudział niby w pobiciu, ale to się podobno wszystko da załatwić, tak on mówi. Taka to jest informacja. Magda wyjeżdża. Odlatuje do ciepłych krajów. Wraz zresztą ze mną. Już się, Silny, nie zobaczymy, więc raz byś mógł być fair na sam koniec: kola i frytki teraz. Mogą być same frytki, bo chce mi się żreć.

Jeszcze chwilę stoję. Stoję i te słowa, co ona wypowiedziała rozbrzmiewają w mej głowie jak audycja radiowa bezpośrednio z miejsca wypadku, prosto z miejsca zbrodni, a z głośników dobiegają jeszcze ostatnie westchnienia trupów, ostatnie jęki świeżo zmarłych, szelest rosnących im paznokci. Magdę. Zabiera. Do Reichu. Prezes. Klamki naciśnięte wszystkie jednocześnie, misiek na Polskę w paszporcie przybity, szlabany spadają na głowę przechodniom, Andżela umiera w pół stosunku z Sztormem, wypluwając ustami małe, czarne, zwęglone niemowlę, Natasza spluwa na podłogę i jej ślina zatrzymuje się w powietrzu w pół drogi. Arleta schyla się i wybierając spomiędzy desek frytkę, paznokieć zahacza jej się o listwę. Barmanka chciała powiedzieć: dziękuję proszę, a zdanża powiedzieć tylko: dzięk. Gdyż wszystko nagle się dla mnie urywa, cały festyn zatrzymany w pół kroku, na hasło wszystkie dzieci rozwierają rękę i biało-czerwone balony unoszą się do nieba, co zapewne widać z kosmosu, a skali zjawiska nie da się przecenić. Wszystko raptem, jak gdyby zatrzymuje się, cały festyn kostnieje, cały festyn spryskany lakierem do włosów, koniec. Coś się przewracało, ktoś się śmiał, na scenie coraz to nowy zespół wykonywał jeszcze inne niż poprzedni piosenki. A teraz koniec, kropka na końcu zdania wielokrotnie złożonego, flagi biało-czerwone zostają zwieszone do połowy, w adidasach Arlety rozwiązują się sznurówki. Koniec tej bajki, strop amfiteatru pęka i zwala się na wykonawców

Ej, Silny, chyba mnie nie wychujasz teraz, co Silny? – mówi Arleta. Ja milczę. Nic nie mówię. Patrzę. Patrzę. Nic nie mówiąc

Ale Silny, ja mam pakmana, jak mi nie postawisz czegoś do żarcia, to ja umrę śmiercią głodową – stęka Arleta i widząc kawałek kiełbasy utknięty między szczeble stolika, wydłubuje go znowuż paznokciem i zjada, ale po chwili wypluwa z powrotem na stół i mówi: to było co innego, ale nie wiem, kurwa, co.

No to umrzyj jak najszybciej – odpowiadam jej dość z agresją, wysuwając się bardziej do przodu. Umrzyj sobie od razu – mówię. Bo i tak nic nie dostanie, a tylko straci resztki pozycji pionowej i będą musieli jej robić specjalną trumnę na jej zwłoki z przodozgięciem i dodatkowy pojemnik na wyciągniętą w błagalnej pozie rękę.

Jak mi nie kupisz, idę po Lola – obraża się Arleta

Ale mnie już nie obchodzi, co ona ma więcej do powiedzenia, co ona sądzi, a czego nie i kogo sprowadzi na mnie w imię egzekwacji swojego mienia, bo teraz, jak dla mnie, może ona tu zadzwonić po samego nawet Wargasa i choćby powiedzieć, że obiecałem jej kupić frytki, a teraz się migam, i Wargas może na to odpowiedzieć do mnie: jak obiecałeś, to bądź kolegą i kurwa teraz kup, a ja mu wtedy powiem: nie kupię, właśnie, że nie kupię, ani jej, ani tobie. Właśnie, że możecie oboje sobie nawzajem postawić laskę, bo mnie teraz gówno obchodzi, czy robię teraz dobre uczynki, czy nie, jaki to jest paragraf i na które piętro pojadę po śmierci w górę czy w dół. Mnie to teraz chuj obchodzi. Bo ja się nie będę nawet zastanawiał, czy Bóg jest, czy Boga nie ma, bo nawet jeśli był, to dawno poszedł spać, skoro zesłał na Magdę tego ściemnionego prezesa. Bez skrzydeł, ale z aktówką. Nie może świętego, ale przy gotówce. I to jest jedna chwila, jak rozgarniam jedną ręką ten motłoch, co się kłębi bałwochwalczo wokół swej królowej kiełbasy i frytek. Parę jakichś osób może upada, lecz ja już tego nie widzę, jak będzie dym, to wszystko pójdzie teraz na Arletę ze strony tych ludzi, bo ona teraz stoi i patrzy za mną, mówiąc: Silny? Silny, ja ci mówię. Nie bądź chamem i kup mi, co trzeba, to nie zadzwonię po kolegów. Silny?

I już się robi dość gorąco, gdyż kilka osób potraciło od mojego ciosu swe kupione świeżo jedzenie, co pieni się teraz w błocie, parując. I teraz Arletko, choć patrzysz na nie łakomie, nie będzie, nie będzie jedzenia, teraz zaraz oni wezmą i cię zabiją, i nie dość, że zero koli i frytek, nie dość, że nic ci nie dadzą, to jeszcze w ramach rekompensaty wywleką ci ze środka resztki tego, co tam zjadłaś, tę frytkę wygrzebaną zmiędzy szczebli. Bo ja ci mówię do widzenia, choć się już pewnie teraz nie zobaczymy więcej, przynajmniej z twojej strony.

I idę spokojnie. W kierunku tam, gdzie myślę ją znaleźć. Rozglądam się. Biało-czerwone lody kręcone. Polskie lalki w strojach narodowych mazurskich i innych. Dziesięć zeta – dziesięć strzałów z wiatrówki do wyciętego z bristolu Ruska. Gdyby były strzały do Magdy, to bym zapłacił. Pizd – i odpada jej but. Pizd – i odpada jej noga. Pizd – i odpada jej dupka. I tyle mi starczy, niech tak zostanie, Magda bez dupki nie może nikomu dawać, i tak niech zostanie, więcej się nad nią bym nie znęcał, nawet może bym ją taką właśnie przygarnął, przyjął do siebie.

Idę. Całkowicie spokojnie. Krok za krokiem. Pierw muszę popychać motłoch, a później już on sam wie, gdzie jego miejsce i w popłochu kuli się pod bandami przede mną, ustępuje z drogi. Piski tratowanych, sukienki darte o płot, przewracające się bandy, kiełbasa lecąca w błoto. Twarze zupełnie zaskoczone gapiące się we mnie. Ja idę. Spokojnie. Bo wiem, co mam robić i nikt mi teraz nie przyjdzie i nie powie, Silny, Silny, uspokój się, wszystko będzie dobrze. Nikt mi nie zatknie papierosa w usta i powie: zapal, zapal, Silny, to ci przejdzie, nie przejmuj się Magdą, ona taka jest. Sam wyjmuję papierosa, podpalam, chociaż jest wiatr. A jak wyjmuję zapałki, to odsuwają się jeszcze dalej, wstrzymują oddech, bo się boją, że im to wszystko podpalę. Że im podpalę te kobiety w ciąży, ich wydęte przez wiatr błoniaste spódnice, te garnitury wymięte, wózki pełne dzieci niczym jakiegoś produktu ubocznego, ich watę cukrową na patykach. Lecz ja tego nie robię, bo mi się nie chce. Sam wiem, co mam robić.

I kiedy tak idę i już wyczajam, gdzie są kulisy, garderoby, napotykam Kacpra. Kacpra. Co jest zupełnie nie na miejscu. Gdyż od kilku dni go nie widziałem. W dodatku jest z jakąś dziewczyną, co jej wcześniej nie widziałem.

Kacper ma oczy wydęte na wierzch od amfy, wypolerowane i błyszczące się, jak gałki od meblościanki, wykonując nadprogramową ilość ruchów. Mówię, czy nie przedstawi mi swej koleżanki, bo gdzieś ją już chyba widziałem. Ona wtedy mówi: Ala i podaje rękę ze złotym pierścionkiem, co od razu zauważam. Studiuje ekonomię – mówi Kacper i kładzie jej rękę na tyłku, co dziwię się, że się nie spuścił z satysfakcji. Ona łagodnie, lecz stanowczo zdejmuje jego rękę i mówi: ale jednocześnie kończę kurs dla sekretarek z językiem niemieckim. Po tym kursie będę mogła pracować wszędzie, w kancelariach, w sekretariatach.

Wtedy nie mam czasu nawet przyjrzeć jej się dokładniej, bo Kacper mówi do mnie, że gdzie niby idę. Ja mówię, niby obojętnie, że tak sobie idę, po Magdę. Wtedy widzę, że on się trochę nagle denerwuje, patrzy na wszystkie strony, wyjmuje papierosa. Na co ona, ta Ala, kładzie mu rękę na paczce i patrzy mu w oczy jakby przybyła tu z odległego Monaru ratować moralnie ofiary nikotyny. Wtedy on, widać, że zupełnie wkurwiony, ale gestem psa chowa tą paczkę do kieszeni i mówi:

Chodź, Silny, gdzieś z nami, napijemy się czegoś, to pogadamy o tym i owym, powiem ci, jak jest z Magdą.

Ta panienka wtedy od razu staje na baczność jak popieszczona prądem i mówi: co to, to nie, Kacper, w takim wypadku ja wracam do domu. I jest jakby występowała w akademii szkolnej odnośnie zgubnego wpływu alkoholu i papierosów na kondycję i uprawianie sportu.

Wtedy Kacper jak gdyby mięknie, rozkleja się, ale robi dobrą minę, że niby wszystko w porządku i że on też niby występuje w tej akademii.

Ja mówię wypijemy, to nie mówię: najebiemy się, to znaczy upijemy się, tylko mówię jedno piwo w szklance zero koma dwa.

A ta dziewczyna na to zastanawia się, co teraz miała powiedzieć, co teraz było w scenariuszu i wreszcie przypomina sobie i mówi: ale Kacper, wiesz przecież, że tak się zawsze mówi, że to jest oszukiwanie samego siebie, moralna zasłona dymna. Wiesz, jaka jest między nami umowa i jeśli traktujesz mnie poważnie, to powinieneś ją respektować.

Kacper patrzy na mnie przepraszająco i mówi z udręką:

Silny chodź na kolę – poczym gdy dziewczyna odwraca głowę za jakimś lęcącym ptakiem czy balonem, on czyni do mnie dramatyczne gesty rąk i oczu, istny teatrzyk, z którego przesłania wynika, że dziewczyna jest niedawalska i ogólnie oporna. Ale kiedy już zwracamy się w stronę sprzedaży napojów, to ona pozwala mu się chwycić za mały palec u ręki i Kacper pokazuje mi oczami, że może jeszcze będą z niej normalni ludzie, z tej Ali, że może coś się z niej uda wydusić, jakieś przyjemności.

No to idziemy. Jest to pozornie wbrew memu planowi, wbrew moim ówczesnym zamiarom, ale myślę, że jak trochę się napiję, to cały ten mój plan nabierze jakby wyrazistszych linii, które wszystkie zmierzają do garderoby, za kulisy. Okej. Kacper kupuje dla siebie małą kolę, dla tej niby Ali małą wodę mineralną, a dla mnie bro. Okej. Siedzimy. On cały chodzi, jakby wciągnął choćby jedną kropeczkę spida więcej, to by wybuchł na kawałeczki. Szyje nogą. Spogląda raz na Alę, raz to na mnie. Ala mówi, że musi teraz wyjść do toalety i patrzy wymownie na Kacpra, co by pod jej nieobecność nie wypił całej koli przypadkiem, nie wdał w bójkę. Patrzymy, jak idzie w kierunku kibla. Jest z nią tak: przede wszystkim golf. Włosy szare, myszate, spięte na czubku spinką z napisem „Zakopane 1999". Na szyi złoty łańcuszek z krzyżem wyciągnięty na golf, co już wcześniej zauważyłem. Potem tak: spodnie od garnituru lub garsonki, zwężane na dół plus sandały ortopedyczne. Jest to dziewczyna typu kura. Posprzątnie, ugotuje, nawróci na katolicyzm. Lecz nie dla Kacpra, tego mi nikt nie wmówi. Ona jeszcze zanim otworzy drzwiczki od toi-toia spogląda z niepokojem, a Kacper do niej macha porozumiewawczo ręką. A jak ona tylko zamyka drzwiczki, to on zaraz zaczyna klepać się po kieszeniach z nadmierną zapalczywością, wywleka woreczek i sypie na oko sobie do szklanki, co rozsypuje połowę, bo mu ręce chodzą. Poczym pije łapczywie do dna, resztki ściera ręką i wylizuje z palców. Poczym zaczyna udawać, że niby, że nic, nic się nie stało, łokcie na stół, ręce na kołdrę, wiatr wiał, ale przestał wiać, deszcz padał, ale przestał padać, luz, spokój, nic się nie zmieniło, końca świata nie było.

Jest beznadziejna – mówi do mnie nagle po chwili milczenia. Jestem z nią dwa dni, a ona już mówi, bym szedł z nią do domu na obiad do jej rodziców. O żadnym dawaniu dupy na razie nie ma mowy, to już wyczaiłem. Choć miałem jeszcze nadzieję, że to się zmieni wkrótce, bo jak nie, to po chuj, pojedziemy na wakacje do domu starca.

Po czym patrzy lękliwie w kierunku kibla, co ona dość długo nie wychodzi.

Zaległa pewnie – szepce Kacper histerycznie i zastanawiam się, czy może już zwariował – wpadła do toi-toia. Wyjdzie zaraz z nowym imidżem. Nowy kolor włosów i nowy kolor twarzy. He!

Poczym, rozglądając się, kitra się głębiej po stół i odpala sobie ode mnie fajkę. Czekaj, mówi, patrząc wokół lękliwie. Póki ta prorodzinna cipa nie wróci, muszę sobie pomówić: kurwa.

Wtedy mówi parę razy: kurwa i ja pierdolę, chujoza i gówno.

Zaraz jednak otwiera się toi-toi i wychodzi Ala, co jak widać nie zaległa, żyje i ma się dobrze, poprawia sobie gumkę od majtek i rozgląda się dumnie, szczęśliwa niezmiernie, dogłębnie wypróżniona królewna. To Kacper od razu wpycha mi fajkę do ręki, weź to, weź to, kurwa, ode mnie zabierz co prędzej. Że naraz muszę palić dwie fajki naraz, żeby nie było marnacji.

Ona przysiada się. I z miejsca tak: przepraszam, ale musiałam na chwilę skorzystać z toalety. Ale już jestem. Wiecie, skoro już tak tu siedzimy, to może ja wam opowiem taką historię. To znaczy to nie jest właściwie historia, to jest film, który niedawno zdarzyło mi się widzieć w kinie Silverscreen. Tak naprawdę, to pojechałam tam z moimi rodzicami i moją siostrą, a także kuzynką, która akurat wtedy nas odwiedziła. Przywiozła nam dużo przetworów mięsnych, ale niestety, mama musiała je wyrzucić, ponieważ teraz jest wiele przypadków salmonelli, gronkowca.

Kacper szyje nogą i rozgląda się wszędzie dookoła, czasem wtrąca, nie patrząc na nią: dobre!

No ale nie przerywaj – mówi wtedy ona, lekko urażona – nigdy nie pozwalasz mi skończyć, chociaż znamy się już od kilku dni. Ale posłuchajcie dalej. No i pojechaliśmy do tego kina. Już nie wspominając o tym, że zapodziałam gdzieś bilet! Moja siostra mówi do mnie: wiesz Ala, ależ ty jesteś zapominalska. Do licha, wkurzyłam się wtedy, bo rzeczywiście zdarza mi się być roztrzepaną. Taki mam już charakter i nikt nie potrafi mnie tego oduczyć. Powiedziałam sobie wtedy: kurczę pieczone, ten bilet musi gdzieś być. I wyobraźcie sobie, wiecie gdzie był? Miałam go centralnie w torebce, na samym wierzchu. Jest takie przysłowie: najciemniej pod latarnią. Oczywiście bez żadnych skojarzeń. To wtedy weszliśmy do sali. Ja już nieraz bywałam na wielu filmach w Multikinie, ale na przykład ta moja kuzynka Aneta, ona pochodzi z dość niewielkiej wsi i to była dla niej totalna egzotyka. Mówię wam, było mi aż wstyd, wszyscy się patrzyli na nią. Ale nieważne, to taka dygresja. I wtedy rozpoczął się film. Nieważne jaki tytuł, pewnie oglądaliście. Była kobieta i mężczyzna, zresztą pewnie to widzieliście. Różne takie perypetie, najpierw ona go odrzuciła, potem on do niej wrócił, wiecie. Wszystko działo się w Ameryce. Uważam, że z całego filmu najlepsze było, jak miał miejsce wypadek samochodowy. To znaczy autobusu z samochodem. Oni akurat jechali tym autobusem, ale jeszcze się nie znali. I wpadli na siebie, było to szalenie zabawne i nawet moja mama się śmiała, uważała, że to było bardzo zabawne. Najgorsza moim zdaniem scena, to, gdy bohater i bohaterka idą ze sobą do łóżka. Rozumiecie. Kochają się ze sobą. Czułam się bardzo skrępowana, ponieważ siedziałam tuż obok mojego taty i dotykałam go ramieniem. Zdawałoby się, że on także czuł się skrępowany. Ciągle wydaje mu się, że jestem jego małą córeczką, że nie wiem nic o źle tego świata, o prawdziwym bagnie. I wiecie jak się skończyło?

Silny, wiesz, że Magda wyjeżdża? – mówi Kacper dość poważnie, patrząc na mnie.

Przepraszam, ale nie jestem w temacie – odpowiada mu Ala – mówicie o Magdzie? Mam jedną kumpelę Magdę, jest ze mną na roku, jest świetna z socjologii makrostruktur. Chociaż jest beznadziejną kujonką. Nazywa się Magda Stencel. Jej rodzice oboje są po prawie.

Nie, mówimy akurat o innej Magdzie – mówi jej Kacper powoli i wyraźnie, jakby znał jakiś inny obcy język, którym mówi się przez zęby. I boję się, że zaraz krew się poleje, że będzie dym, bo on powoli traci cierpliwość i dobre serce. Choć ona ma twarz na wskroś niewinną, jak gdyby błonę dziewiczą bezpośrednio nadrukowaną na twarzy.

Wiesz, Kacper, mam wrażenie, że źle się odżywiasz – mówi nagle Ala

– jesteś jakiś nerwowy, wiecznie po prostu zdenerwowany. Wyluzuj się trochę, bo jesteś jakiś spięty, zupełnie rozedrgany. Z tej strony cię nie znałam.

Kacper rozgląda się nerwowo wokoło i mówi: idę siku, jak gdyby mówił: kara boska.

Wtedy ona skromnie spuszcza oczy na swoją skórzaną torebkę, wyjmuje chusteczkę higieniczną i ściera z blatu to, co się rozlało z koli i mojego piwa.

Słuchaj – mówi do mnie – Andrzej, bo ty się chyba nazywasz Andrzej, tak? Ja Ala. Chciałabym, żebyś mi jedną rzecz powiedział jak przyjaciel. Szczerze. Nawet najgorszą prawdę. Bo moim zdaniem najgorsza prawda jest lepsza niż najpiękniejsze kłamstwo. Czy Kacper ćpa?

Nie – odpowiadam. Patrzę, jak kiełbasa się smaży, jak powiewają flagi, jak przewracają się plastikowe kubki.

Żadnych narkotyków, serio? – mówi Ala nie do końca przekonana – ani ciężkich, ani lekkich? To dobrze, bo ja tego bagna nie uznaję. Wiem, że kilku moich znajomych z uczelni ma z tym coś nieco wspólnego, ale nie zniosłabym, gdyby mój chłopiec nurzał się w takim upadku. Podobno to niszczy umysł, niszczy szare komórki, ludzie są po tym całkowicie chorzy, fizycznie i psychicznie wycieńczeni. Wchodzą w złe środowiska, wysprzedają z domu sprzęty. To jest okropne.

Ja pokazuję głową pośrednio między tak i nie, że się zgadzam z nią.

Ona na to tak: słuchaj, Andrzej, czy ty masz jakiś problem? Wyglądasz na kogoś przygnębionego, zdołowanego. Powiedz szczerze. Być może ci pomogę, jeśli będę umiała. Sama jestem po przejściach, niedawno zerwałam ze swoim chłopakiem. Byliśmy ze sobą dwa lata. Kwiaty, pocałunki, wiesz. Potem nagle koniec. Odeszłam. Chociaż on studiował stosunki międzynarodowe, może go znasz. Powiem ci szczerze, jak było. Bo z natury jestem osobą szczerą, spontaniczną i takich ludzi także cenię. Bez kompleksów, bez fałszywych tabu.

Ja pierdolę, myślę sobie.

I było między tak, ona mówi, że kiedy już mieliśmy półtora roku, taką rocznicę, on przyniósł kwiaty, wino. Ja się wkurzyłam, bo ani on, ani ja przecież nie piję. Wybacz, ale to bardzo osobiste. Chodziło, potem się okazało, o przysłowiowy dowód miłości. Ja mówię, kurczę, nie jestem przecież żadna puszczalska. Spytałam się go, czy moja czułość, moja bliskość mu nie wystarczy, bo jeśli nie, nie mamy o czym ze sobą rozmawiać. Pokłóciliśmy się wtedy dość ostro. Mogę mówić ci: Andrzej? No to do ciężkiej cholery, powiedz mi, Andrzej, czy to było z jego strony poważne, odpowiedzialne? On miał dwadzieścia jeden lat, ja dwadzieścia.

Słyszałeś legendę o nadgryzionym jabłku, które raz napoczęte gnije, robaczeje?

Wtedy coś mi przestaje grać. Mów, mów dalej – zachęcam ją i idę na chwilę do baru. Pytam, czy nie wiedzą, gdzie ten chłopak, co z nami siedział. Oni na to, że siedział z nami, a potem poszedł do toi-toia, a gdy wyszedł czekała na niego jakaś dziewczyna i razem gdzieś wyszli.

Ja mówię, jak wyglądała ta dziewczyna, z którą wyszedł. Oni że blond włosy długie i raczej elegancka suknia z tiulem i dekoltem, i mrugające lewe oko.

Ja wtedy od razu już wiem: Magda.

I kiedy tak wracam do stolika zupełnie od siebie, ona jest w tej samej pozycji niczym lakierem spryskana spikerka w dzienniku telewizyjnym i cały notujący skrzętnie naród poinformuje akurat: bo ja nie jestem dziewczyną łatwą jak inne. I mam nadzieję, że się ze mną w tej kwestii, Andrzej, zgadzasz.

No – odpowiadam dość krótko i ponuro, gdyż po zdarzeniach ostatnich chwil przeszłem na minimal. Gdyż właśnie stwierdziłem, że nie. Właśnie, że nie. Ona może sobie mówić, co chce, może zacząć śpiewać piosenki wszystkie jakie zna włącznie z kolędami, z teledyskiem i tekstem płynącym pod spodem. Może wymienić wszystkie swe grzechy począwszy od pierwszej klasy szkoły podstawówki, podając ilość i stopień zaawansowania oraz biorąc pod uwagę stosunek częstotliwości do przyrostu masy ciała. Bo ona może teraz wszystko. Może powiedzieć przebieg swej operacji wyrostka i stadia eliminacji swych zębów mlecznych na rzecz zębów stałych. Może, proszę bardzo. A ja będę tylko patrzył. Ładna jest średnio, choć ewentualnie może być. Ewentualnie mogę odwrócić głowę i spojrzeć gdzie indziej, w razie co, na meble, widok z okna. Te włosy to hoduje prawdopodobnie począwszy od Pierwszej Komunii Świętej, a zetnie dopiero po ślubie, by krewni dostali cynk o jej szczęśliwym pożyciu małżeńskim. Powiedziawszy szczerze, pewien rodzaj niesmaku mnie bierze na samą myśl, gdyż wiem, że to mi przyjdzie z trudem, z wysiłkiem, niczym miałbym zabierać się za własną matkę lub gorzej: użytkować jakieś niezidentyfikowane ptactwo domowe, niedogotowany drób. Gdyż dziewczyna ta ma aparycję siną i niezdecydowaną, co mnie niesmaczy, co mnie irytuje.

Więc w związku z tym staję się dość opryskliwy i oschły, i odnośnie właśnie swych przemyśleń na temat jej sinawego wyglądu chcę jej zrobić jakąś kąśliwość, uszczypliwość.

Ty mieszkasz w piwnicy? – zagajam, niby że na poważnie. Gdyż tak czy inaczej, czy będę owijał w bawełnę, jesteś ładna i piękna, czy też nie, i tak będę ją miał, i to jest nieuniknione, nie ma bata.

Kacper, owszem, odebrał mi Magdę. I choć jest to absurd, choć jest to czyste chamstwo bez domieszek, bez erzacu i masy tabletkowej, stuprocentowe chamstwo bez cukru i barwnika, choć jest to dla mnie całkowity szok, upadek, gwałt na światopoglądzie, to ja i tak wyjdę na swoje i jeszcze z nadwyżką. I wtedy tak sobie liczę szeptem na palcach. On teraz puka Magdę, to jest dla niego plus jeden. Ale Magda każdemu da, to jest dla niego minus półtora. Ja puknę mu Alę, choć to jest dla mnie minus jeden za jej wygląd. Ale za to, że ona nie dawała jakiemuś palantowi dwa lata plus za to, że w ciągu kilku dni nie udało się jej Kacperowi ani jeden raz puknąć, to za to jest plus trzy dla mnie.

Ona patrzy jakby zaskoczona i mówi: w piwnicy? Skądże przyszło ci to do głowy? Mój tata jest nauczycielem, a moja mama także nauczycielką. Mieszkamy w domku jednorodzinnym nieopodal. Cieszę się, że nie mieszkam na wielkim osiedlu. W ogóle to trochę może infantilne, ale hoduję papużki faliste. Ten inteligentny i towarzyski ptak pochodzi z Australii i żyje tam w dużych stadach, w Polsce papużka falista jest najpopularniejszą papugą pokojową. Jest niewielka, nieuciążliwa w hodowli, a samca z łatwością możesz nauczyć naśladowania różnych dźwięków. Może to się wydać dość monotonne, ale klatkę trzeba sprzątać codziennie.

Ja wtedy, gdy tak słucham tych jej morskich opowieści, już postanawiam przystąpić do zmasowanego ataku, najazdu, nalotu, desantu. To mówię jej, że jest bardzo oczytana, choć, kiedy to wypowiadam, to brzmi to bez mała jak gdybym mówił, iż niech się nie obraża, ale chcę ją zabić.

Dzięki – mówi ona – dzięki Andrzej, ale powiem ci jak koledze, wbrew temu co czujesz, pozostańmy na razie przyjaciółmi. Nie chciałabym zapoznawać nowych chłopców, zanim wszystko się nie ułoży. Ale to nie znaczy, że nie możemy zostać dobrymi kolegami. Notabene mam takie małe pytanie, czy widziałeś gdzieś Kacpra?

Wtedy ja wytaczam kamienie i karabiny przeciwko kasztanom, ciężkozbrojna mściwa armia najeźdźców z rozpędu wdeptuje Ali w same centrum stopy w sandale ortopedycznym.

Widzisz... – tak mówiąc, patrzę raz w nią, raz w swój pokal pusty. I choć jest taka jakaś, że nie należy jej dotykać kijem przez ubranie, bo można się zarazić zarówno tą groźną chorobą toksyczną bluzką typu golf, jak i jakimś niewspółwymiernie gorszym syfem, to wiem, iż muszę, bo taki jest mój do niej stosunek jako płci męskiej w wieku rozrodczym. Więc mówię tak, dość smutny i jakby skrępowany: widzisz, Ala, czy mogę tak mówić: Ala? Ciężko mi to mówić, lecz muszę być szczery wobec takiej dziewczyny jak ty. Kacper jest poszukiwanym przestępcą gwałcicielem kobiet. *Wampir z Zagłębia II*, film erotyczny USA, koniec kropka. Totalna aberracja, nienaturalne odchylenie dżordża w kierunku kobiet bezbronnych i czystych jak ty. Tyle do gadania, gdyż to nie jest sprawa na pogaduszki przy piwie i słone paluszki. To nie są już przelewki, to nie jest już nagana dyrektora i kara administracyjna dziesięć złoty w ratach.

Widzę całoliniowe zszokowanie i raptowny uwiąd jej twarzy w kierunku podłogi. No to daję dalej, triumfalny przejazd armii męskomęskiej po palcach dziewiczych złudzeń. Drzewiec sztandaru wbity w sandał ortopedyczny, międzynarodowy dżordż łopocze dumnie na wietrze i pokazuje fakju.

Wiesz, Ala, przykro mi to mówić. Niby taki Kacper. A dziesięć lat w zawieszeniu, komornik, nieuregulowany stosunek do służby wojskowej, alimenty na terenie całego kraju. Produkcja lewych dzieci pozamałżeńskich na każdym kroku. Gdzie on nie stanie, tam zrobi bezpańskie dziecko na przebitych numerach. Z rozpędu. Widziałaś jak szłaś do toitoia, iż patrzał się wtedy na ciebie tak, iż ja od kiedy tylko cię ujrzałem pierwszy raz, przeczuwałem, że on chce od ciebie tylko jednego, a czego, to i ja i ty wiesz.

I po przedstawieniu na tematy martyrologiczne, wiersz o ofiarach powstania wyrecytowany, można usiąść, spokojnie zapalić. Całkowicie z siebie zadowolony wyjmuję sobie fajkę. Ala całkowicie porażona patrzy na mnie jakby co najmniej przeczytała na gazetce ściennej w klatce schodowej, gdy wchodziła do domu, że jutro własnoręcznie umrze i od decyzji nie ma odwołań. Nagle śmieje się dużymi literami i mówi coś w stylu, że jestem prawdziwie niesmaczny.

Ty się możesz śmiać, lecz ja mówię poważnie – stwierdzam dość ponuro. Są na to dowody, jest wiele dowodów, wiele ko-biet płacze o niego późną nocą. Przynajmniej dziesięć w tym mieście, sto w Polsce, w tym pięćdziesiąt ruskich. Gdyż on jest zwykłym za przeproszeniem zboczeńcem, nosicielem skutecznie skrywanych dewiacji, niby zostańmy przyjaciółmi, zostańmy przyjaciółmi, a w rzeczywistości chodzi mu tylko o jedno i to samo, wiadomo zresztą o co.
Ty tak żartujesz chyba, Andrzej... jaja sobie ze mnie robisz... – ona mówi, choć lepiej by tego nie mówiła, bo jak to mówi, to robi się blada i wygląda wtedy jeszcze gorzej, niż kiedykolwiek, niczym wyprane gruntownie i wypłukane z rysów twarzy i znaków szczególnych swoje własne zdjęcie legitymacyjne. Ze spinką „Zakopane 1999" niczym zwichrowaną zszywką, co trzyma się ostatkiem sił.

No mówię ci i jestem tego tak na bank pewien, jak swego imienia, nazwiska i nazwiska panieńskiego swej matki – odpowiadam jej smutnie. Wiem to z pierwszej ręki. Dobrze iż poszedł. Zostaliśmy sami, możemy spokojnie porozmawiać. A on swę fabrykę nieślubnych dzieci pozamałżeńskich niech urządzi gdzie indziej, w dziewczynie głupiej i łatwej, nie tak jak ty. Bo on nie jest ciebie warty – dodaję już w ramach fantazji erotycznych, gdyż wiem, że przydusiłem odpowiedni guzik i domino ruszyło.

Dobre sobie! – ona mówi i patrzy przed siebie, pijąc z butelki po wodzie, choć już od dawna to wypiła. Gdybym powiedziała to mojej mamie, to bym do dwudziestego pierwszego roku życia miała zakaz wychodzenia z domu. Ba, może nawet wyglądania przez okno. Ciągle nie mogę uwierzyć, że ten łajdak tak perfidnie chciał mnie skrzywdzić, może nawet wywieźć do Niemiec. Był dla mnie czuły, przyjemny. Owszem, parę razy chciał mnie częstować papierosem. To powinno mi było dać do myślenia, bo kobiety przecież nie palą. Dym tytoniowy zabija nienarodzone niemowlęta, zabija krwinki w krwi, działa destrukcyjnie względem układu oddechowego. Statystyki mówią same za siebie i tobie, Andrzej, także bym radziła niezwłocznie rzucić to świństwo w przysłowiową cholerę. Zgaś, zanim sam zgaśniesz. Wybacz, ale opowiem ci pewną anegdotę, która powinna ci dać sporo do przemyślenia swojej postawy. Mój tata też kiedyś palił i to był z jego strony błąd. Miała taka sytuacja miejsce przez dwadzieścia lat, aż pewnego dnia zachorował. Ni z gruszki, ni z pietruszki. I nic nie pomogło, ani bańki, ani witaminy, trzeba było ostatecznie podać antybiotyk. Od tego czasu powiedział sobie: nie. Dłużej nie będę się truł, mam żonę, mam dwie wspaniałe córki. I rzucił. Od tego czasu codziennie je landrynki. Miętusy. Mama niezadowolona, bo to wychodzi dosyć drogo. Nawet kupując w hurcie.

Wtedy ja rozglądam się chwilę, jest szesnasta. No to zdążymy jeszcze tu wrócić, zanim rozlegną się światła i Magda powie, co myśli na temat swej ulubionej pogody. A wtedy będzie już po wszystkim, po całym zasranej wojnie na pożądanie żony bliźniego swego, na wydolność dżordża i biegłość w zaciskaniu oczu. A wynik tej wojny jest już wszystkim znany. Ja – plus dwie dioptrie, a Kacper – minus pół.

Wtedy ja wyciągam rękę z kieszeni i, niby że, przypadkiem przekładam ją przez stół, przypadkiem niechcąco odgarniając z twarzy Ali włosy. Z miejsca udaję, iż łapię się na tym wręcz podświadomym geście i cofam swę rękę, ukradkiem pod stołem obcierając ją z wszystkich zarazków i pierwotniaków, jakie mogły na mnie z tej dziewczyny przejść i mnie obpełznąć całego, złożyć w mych dżinsach śliskie jajeczka. Z których za kilka dni wylęgną się najpierw okulary w pozłacanej oprawce, potem krzyżyk na łańcuszku, a na koniec wypełznie bluzka typu golf, co będzie już oznaczało śmierć i natychmiastowy mój zgon.

Idziemy do mnie – mówię dość obrażony, gdyż ta historia z krwiopijczymi zarazkami i insektami mnie rozsierdza, a jakby tego było mało, przypomina mi się, co za impreza iście satanistyczna jest u mnie na mieszkaniu z oralem, analem i krwią, i przychodzi mi myśl, czy przypadkiem Izabela nie wróciła i nie zmarła na sam widok swojego tapczana. Lub lepiej może do ciebie – dodaję więc szybko.

★ ★ ★

A czy Ala jest w rzeczywistości dziewicą, tego nigdy własnoręcznie się nie dowiedziałem. Z jakich powodów, o tym później. Nie dowiedziałem się także nigdy, czy ogólnie jest kobietą. Gdyż podejrzewam, że raczej nie jest. Jest czymś pośrednim. Drobiem. Ptactwem domowym. Rośliną doniczkową. Zwierzęciem typowo cieniolubnym. Używającym pudru w kamieniu, a między nogami ma zszyte na okrętkę, by żaden zboczeniec nie mógł zamachnąć się na jej świętość. Gdyż ona prawdopodobnie jest świętą. Gdyż nie popełnia żadnego grzechu. Nie pije alkoholu i nie pali papierosów oraz nie współżyje przed ślubem. Za te właśnie nieprzeciętne zasługi dostanie wkrótce medal i dyplom towarzystwa przyjaciół wstrzemięźliwości za bezwzględne sprzeciwianie się popełnianiu grzechów przez ludzi. Za te właśnie nieprzeciętne swe zasługi pójdzie do osobnego nieba dla niepalących, gdzie dostanie własny fotel w świetlicy. Będzie tam siedzieć jak teraz, noga założona na nogę, i przerzucać strony magazynu dla kobiet pod tytułem „Twój Styl".

Wiesz, Andrzej? – będzie pokrzykiwać w dół, w stronę piekła, gdzie ja będę siedział i palił niedopałki, kipy, co ludzi rzucają, gdyż nic innego mi nie zostanie – szalenie ciekawe jest to czasopismo. Naprawdę na poziomie. Są tu ciekawe artykuły, wywiady, krzyżówki. Powinieneś przeczytać i sam ocenić. Pozornie jest to magazyn dla kobiet, ale moim zdaniem mężczyzna może tam znaleźć wiele dla siebie ciekawych wątków i informacji, uwag. Podrzucę ci parę numerów, a szczególnie mój ulubiony, majowy. Jest w nim wydrukowany bardzo fajny i interesujący pamiętnik. Jego autorka nazywa się Dorota Masłowska i ma szesnaście lat. Mimo różnicy wieku sądzę, iż mogłybyśmy się zapoznać, zaprzyjaźnić. Jest ona osobą ciekawą, oryginalną, ma uzdolnienia artystyczne, tworzy i pisze. W tak młodym wieku to zaskakujące, intrygujące. Jak czasem coś napisze, to aż chce się śmiać albo płakać. Ma też poczucie humoru. Chociaż jednocześnie uważam, że jest osobą dość zagubioną we współczesnym świecie, przeżywa bunt, zaczyna palić papierosy. Myślę, że gdybyśmy poznały się i zakolegowały, to miałaby szansę zmienić się na lepsze, poprawić, a jej życie, jej uczucia stałyby się łatwiejsze. Bo cokolwiek o mnie, Andrzej, myślisz, ja wiem, jak to jest – nie zawsze byłam taka jak teraz. Też kiedyś kłóciłam się z mamą, chciałam być kim innym, ba, myślałam nawet o ścięciu włosów, o całkowitej zmianie swojej osobowości. Ale moja mama przez cały czas pozostawała moją przyjaciółką, była czasem surowa, ale uważam, że wyszło mi to na dobre.

Gdy ona to mówi, to ja siedzę na wersalce i wpatruję się w okno, co ona ma na nim poprzylepiane taśmą klejącą kończynki z zielonej bibuły. Prócz tego ma meblościankę oszkloną, w której trzyma w świetnym stanie zakonserwowane trupy maskotek typu pieski i miśki.

Na dwóch listwach przyczepiony do ściany jest plakat filmowy z filmu *Buntownik z wyboru*. Ma również dużo pamiątek, kubek porcelanowy nietłukący z napisem „Strzelec". A gdy ona widzi, iż się tam patrzę, to z miejsca tłumaczy mi jak głupiemu: dostałam na osiemnastkę. Chociaż nie wierzę w horoskopy, uważam że to zabobon, głupia zabawa dla prostych, niezobowiązujących wewnętrznie ludzi. Oraz ten łańcuszek również dostałam. Od chrzestnej.

Prócz tego ma dwie papugi, co obie do złudzenia mi ją przypominają i ponieważ nudno mi dosyć, mówię z uszczypliwością:

Nazywają się oba Ala? – i aż chce mi się śmiać z własnej aluzji, dowcipu.

Skądże! – mówi ona, podchodzi do klatki i daje tym dwóm zagłodzonym ścierwom po jednym lub dwa ziarka na łepka. Zwierzętom nie daje się ludzkich imion, nie wiesz, że zwierzęta nie mają duszy?

Akurat w tym temacie nie mam nic wiele do mówienia.

Twoi starsi są na chacie? – pytam jej, bo już chcę co trzeba z nią załatwić, chcę już się z jej łykowatą dupką rozprawić, chcę już mieć to za sobą, chcę mieć swoje należne sobie punkty zdobyte i wyjść stąd nareszcie, póki nie śpię jeszcze i nie przegapię wyborów miss.

Nie, moi rodzice pojechali na odpust, a potem w gościnę do wujostwa – mówi ona i od razu podlewa podręczną konewką kwiaty, kaktusy różne, które rosną na jej oknie. Po czym nagle, jakby się przestrasza: a czemu pytasz?

A nic. Odpowiadam przebiegle: nic nic. Tak pytam, bo nie chcę robić kłopotu.

Tak jak każdy – odpowiada ona z troską. – Ale nie martw się, wiesz, oni są bardzo w porządku, wbrew pozorom. Pozwalają mi na wszystko. Są kochani, po prostu cudowni, są moimi przyjaciółmi. Myślę, że powinieneś ich poznać. Na pewno by ci pomogli, coś doradzili na twoje problemy i zmartwienia. Są niby dojrzali, poważni, ale czasem mam wrażenie, że to para zakochanych nastolatków. Razem za rękę jeżdżą na rower, razem na aerobik, razem na spacer.

Ja wtedy, jak ona to mówi, wyobrażam sobie, jak to musi wyglądać. To znaczy jej stara. Po pierwsze śpi w okularach, by dobrze widzieć, co jej się śni i nie przeoczyć, jak jej się objawi święty Amol od bólu głowy. Rzecz jasna, nie ma też mowy o żadnym dotykaniu się z mężem powyżej łokci ze względu na nienaruszalność osobistą i godność kobiety. Na męża już w myślach nie wjeżdżam, gdyż mam do niego pewne poważanie. Gdyż musiał włożyć wiele frustracji w zmontowanie tego całego majdanu z dwoma nieudanymi córkami, odpędzany na wszelkie sposoby czasopismem dla samodokształcających się nauczycieli lub innym magazynem kobiecym. Zduszony, wykastrowany, zepchnięty na brzeg tapczana.

I wtedy ja zaczynam przeczuwać porażkę. Gdyż w całej sytuacji ogarnia mnie bezsilność, wewnętrzny opornik mówi mi stop, czerwone światło, ręce precz od garnka. Nie tykaj, bo się poparzysz, nie tykaj, bo się zarazisz. Nie używaj tych samych ręczników, nie siadaj na tej samej desce w kiblu, przed użyciem przeczytaj ulotkę. I gdy ona tak siedzi obok, czyści sobie rąbkiem bluzki typu golf swe okulary, chuchnąwszy pieczołowicie w oba szkła, ja myślę doszczętnie opadły z sił jak się do tego wszystkiego zabrać. Ona siedzi dość blisko i ja powinienem mieć reakcję na to inną, tymczasem ze strony dżordża jest dół, apatia, dżordż nawet nie chce spojrzeć w tamtę stronę, udaje, że śpi, a naprawdę wręcz drży i węszy, gdzie by tu uciec przed przeznaczeniem, w którą nogawkę. Przeznaczenie jego natomiast też również jest skutecznie zduszane kurczowo między dwoma udami, nieczynne i pogaszone światła.

Ona natomiast nagle się rozkręca, nie wiadomo dlaczego akurat w moim temacie, czym jestem zamiast być zadowolonym, zniesmaczony.

Co uważasz o polityce, o tej całej wojnie polsko-ruskiej? – ona mówi z bliska patrząc mi w oczy. Zauważam niezwłocznie, iż ma chorowite żółte zęby. Ja nie chcę tak od razu z nią popadać w konflikty zbrojne na tematy narodowe czy nienarodowe, więc przebiegle pytam, co ona w tym temacie sądzi. Ona mówi tak:

Mój tata, który jest bardzo rozważny, zresztą dzięki czemu za komuny zawsze mieliśmy i różne wędliny, duży wybór różnych gatunków mięsa, środków piorących, mówi, iż nie należy w tej sprawie głośno mieć żadnych wiążących opinii. I ma tutaj rację. Ponieważ teraz wszyscy są nagle ważni, demonstracyjnie wypowiadają swoje zdania, a potem już tacy mądrzy nie będą. I tutaj ma rację. Jak więc ktoś cię zapyta, za kim jesteś, dobrze ci radzę, Andrzej, powstrzymaj się od ostentacyjnego uważania czegokolwiek. Bo na tym się można przejechać. Czy ty traktujesz mnie poważnie? – pyta ona nagle patrząc mi na usta.

A czemu pytasz? – mówię nieco przerażony, gdyż chcę, by już zeszła ze mnie, by już wyjść, bez punktów, ale zdrowy na umyśle, tuż za drzwiami otrzepać się z resztek jej piór, włosów, dać Izabeli do wyczyszczenia dżinsy z trocin mokrą gąbką.

Ona na to tak: dlaczego pytam i dlaczego pytam. Przecież wiadomo, że nie dlatego, by się tobie jakoś przypochlebić. Po prostu myślałam, że pojedziemy za kilka dni do mojej siostry do szpitala rejonowego. Ona właśnie urodziła, są już w końcu z Markiem prawie rok po ślubie i weselu, na którym było bardzo przyjemnie, bardzo przyjemna atmosfera. Leży na oddziale, bo Patryczek złapał prawdopodobnie żółtaczkę. Nie wiadomo, do jasnej i ciasnej, skąd. Mama podejrzewa, że to wina lekarzy, którzy są niekompetentni, nie mają dobrej woli względem pacjenta. Czasami nawet przez to ludzie umierają, zabici przez lekarzy, którzy właśnie powinni im, tym pacjentom, najbardziej pomagać, przecież to jakiś absurd, paradoks. Poza tym na powszechną skalę tak zwane łapówkarstwo, lekarze nie mają za grosz lojalności, za grosz motywacji do wykonywania swojego zawodu. Można przeczytać o tym w bieżącej prasie, w tygodnikach, usłyszeć w programach telewizyjnych, po prostu wszędzie.

Ja milczę i postępuję tak, by jak najmniejszą powierzchnią się z nią stykać. Czuję się całoliniowo przegrany, minus dziesięć punktów i dyskretny rzucik z jej śliny na mojej twarzy, gdy do mnie mówiła. Sandał ortopedyczny odbity na mojej twarzy. Ciężkozbrojna armia cofa się w panice do najgłębszego wnętrza spodni. Całkowity odwrót, całkowity popłoch.

Tak więc już wtedy robię się mało rozmowny, gdyż lędźwie dostały już cynk, że nie jest to ten adres, co trzeba i żadnego przedłużania gatunku nie będzie. Dżordż również chce już iść z tej imprezy, bo wie, iż nie będzie ani konkursów, ani gier sprawnościowych. Więc biorę i przesuwam się nieco dalej w kierunku zasłon, co by ona sobie za wiele przypadkiem nie wyobrażała, że chcę z nią zostać przyjaciółmi. Co staram się, by nie była o tę moją emigrację obrażona, a co ona chyba jednak jest. No to od razu staram się całą sytuację jakoś zatu-szować, by się nie czuła specjalnie urażona i by nie było, że nie mamy tematów na rozmowę i do siebie ostentacyjnie milczymy. Więc pytam się, czy słyszała jej siostra o takiej chorobie zatrucie ciążowe. Ona mówi, że owszem tak, że jest to dokuczliwa dolegliwość kobiet w stanie ciężarnym.

Wtedy ja wstaję z wersalki. Idę kawałek w stronę okna. Potem idę kawałek w stronę drzwi. Gdyż jestem na skraju wytrzymałości i ostrzegam, iż jeśli za chwilę nie dostanę albo jakiegoś bro, lub też choć kropeczkę spida, lub choćby kostkę Rubikę do pokręcenia, to me nerwy zaczną najpierw puszczać oczka, potem pójdą się jebać i nie odpowiadam za to, co się stanie jeszcze potem. Gdyby ona mi choć włączyła komputer pasjansa pająka lub choćby kalkulator mi dała do ręki, co bym mógł obliczyć te tysiące i setki punktów, o które przez jej niedorzeczność, przez ogólnie zjebany charakter jej osoby, jestem do tyłu. Bo jest to liczba prawdopodobnie nieskończona, której, co jak co, ale w pamięci się policzyć nie da. Chwilę myślę o tym, co by teraz było, gdyby Bóg miał choć za grosz przyzwoitości, uczciwości. Bo gdyby tak było, a nie inaczej, gdyby choć odrobinę dobrej woli, choć odrobinę logiki włożył do tego scenariusza, to teraz ja bym miał Magdę, gdyż ona od samego początku została kupiona w prezencie dla mnie. Ale nie. Nawet w pozornie uczciwym Królestwie Bożym korupcja, konfederacja, kopanie leżących, tuszowanie przed policją bagażnika od golfa pełnego spida. Nawet tam prywata, jawne wspieranie dilerstwa i prostitucji, eksportu dziewcząt polskich na Zachód. Sam Bóg pozuje na takiego niby wielkiego lewaka, wszystkim po równo, ani więcej, ani mniej, tyle samo. A jak mnie nie walnie po łapie, oddawaj, Andrzej, Magdę, pobaw się teraz czym innym, teraz damy Magdę Kacperkowi. A potem jeszcze Lewemu, niech się pobawi czymś normalnym, za dużo czasu spędza przecież ten chłopak przed komputerem, przecież to mu szkodzi na postawę, skoliozę. A ty Andrzejek nie martw się, oddadzą ci ją, prawda chłopaki? Słowo Boga trzy palce na sercu. Ty się teraz pobaw Alą, ona jest trochę nie tego, że tak powiem, nieczynna i popsuta, ale to nie znaczy, że nie da się nią pobawić, chcieć znaczy móc.

Fakju, tak to ja się nie bawię – mówię pod nosem i patrzę do góry. Lecz to nie jest nawet żadne niebo, to jest sufit obłażący z tynku, i to nie jest lalka nawet chętna do zabawy, tylko zmarła przedwcześnie prezenterka telewizyjna, co w dodatku ubrała okulary w złotej oprawce i przegląda czasopisma, ślini sobie palec.

By chociaż ona mi ten kalkulator dała, co już podkreślałem. Bym choć przez chwilę miał jakąś rozrywkę, dodawanie, odejmowanie, pierw wszystkie cyfry od lewej do prawej, wtedy od prawej do lewej, a na końcu mnożenie. Wszystko bym obliczył. Odnośnie Magdy. Jej wzrost. Jej wiek. Długość jej włosów. Długość jej domniemanego życia. Kąt nachylenia Kacpra względem niej. Ilość spida we krwi. Procent jej satysfakcji. Zapewne niski. Zapewne ujemny. Szybkość, z jaką przybliża się armia ruska do miasta. Ilość sprzedanej kiełbasy. Wszystko bym policzył, gdyby mi ona dała kalkulator.

Ale ona nie. Ona siedzi, gapi się trochę we mnie, a drugą ręką poprawia sobie coś w zębach. I nawet jej nie przejdzie przez głowę, iż zaraz już nie. Iż oto waży się los jej kończyn przyklejonych na okno, oraz szyb w jej meblościance, iż to zaraz wszystko podpalę włącznie z jej włosami, które zresztą obetnę, oraz sam własnymi nogami podepczę na miazgę. W końcu mówię tak. Gdyż to już nie są przelewki: sratatata, co o mnie sądzisz, Andrzej, czy jestem ładna, czy jestem brzydka, czy ona jest taka jak ja. Gdyż ja jestem z natury dobry, ale chodzący przytułek Caritas też nie jestem, by wysłuchiwać antykoncepcyjnych pogadanek z poradników domowych i nawet nic z tego nie mieć, żadnej przyjemności, tylko melodramat i melorecytację, i długie rozmowy o sztuce, poezji i obronie życia poczętego przy zachodzie słońca.

A ty jesteś raczej oszczędny? – mówi wtedy ona, jakby na pohybel moim myślom, jakby kopiąc leżącego, a masz, masz za swoje, nie chciałeś rozmawiać o pogodzie, nie chciałeś rozmawiać o zatruciu ciążowym, to będziemy rozmawiać o oszczędności, tak Andrzej, żarty się skończyły, kamera start, dzień dobry państwu witamy bardzo, moje imię Alicja Burczyk i teraz właśnie dla państwa wymienię wszystkie produkty po promocyjnych cenach, jakie możemy kupić, by prowadzić nasze gospodarstwo domowe oszczędniej i funkcjonalniej. Gdyż nie jest tak, byśmy kupując jak leci wszystkie produkty, wrzucając je do koszyka bez ładu i składu, mogli prowadzić dom skromnie i bezpiecznie. Zakupy to kwestia, którą należy dokładnie przemyśleć, zaplanować, obliczyć wszystkie za i przeciw. Spójrzmy, to mięso pozornie wygląda dobrze, ale proszę tylko spojrzeć na cenę, jest horrendalnie wysoka, szczególnie że obok leży zupełnie podobne mięso, zaledwie kilka dni wcześniej wyprodukowane, ale jeszcze zupełnie dobre, i kosztuje połowę mniej. Zadanie pierwsze brzmi, które mięso wybierzesz, Andrzej, bo chyba nie okażesz się na tyle rozrzutny, by wybrać to droższe, a w rezultacie zapewne mniej smaczne. Nie musisz odpowiadać, ważne, że się zgadzasz. Teraz prowadzimy nasz wózek na następne pole na naszej planszy. Przed nami półka z tekstyliami. Twoje zadanie, Andrzej, to wybrać najodpowiedniejsze skarpety. Owszem, te są dość trwałe, ale w ich cenie możesz mieć trzy pary mniej trwałych, choć równie dobrych. Doskonale, ten ruch głową zaliczam jako przytaknięcie i tym samym odpowiedź prawidłową. Więc ruszamy dalej, kolejne pole przedstawia półkę z alkoholami. Zadanie brzmi: nie kupuj alkoholu, a tym bardziej papierosów. Jeśli kupisz, automatycznie tracisz nagrodę. Jeśli nie kupisz – przejdziesz do dalszych etapów, które są równie wspaniałe i pełne emocji jak ten. I wiemy, iż ty jako człowiek poważny i rozsądny, przychylasz się do naszego wspólnego wyboru, kiedy to wszyscy na jedno hasło wstajemy i wszyscy razem wołamy głośno: alkohol precz, rozbroić fabryki tytoniu, zakazać sprzedaży alkoholu powyżej pięciu procent zawartości, Andrzej, wiercisz się niespokojnie, na pewno nie możesz doczekać się następnej planszy, która przedstawia stoisko z owocami. Koszyk A, oto drogie owoce sprowadzane z odległego Zachodu, pokryte grubą warstwą trujących pestycydów – zarazków roznoszonych przez Murzynów, którzy ich dotykali. A teraz spójrzmy do koszyka B, oto są owoce ruskie, nieco tańsze od naszych, ale są to sfałszowane podróbki, zapewne puste w środku. Natomiast w koszyku C prawdziwe polskie niedrogie owoce, nawet obite polskie jabłka smakują lepiej niż jabłka zgniłego Zachodu, rzecz jasna, Andrzej jest roztropny i wybiera koszyk C, a to jest wspaniała, prawidłowa odpowiedź, zapewniając nam wszystkim dobrą wspólną zabawę w dalszych etapach teleturnieju!

Czy mogę się iść wysikać? – pytam ponuro dosyć, po czym szybko lecę do kibla. Głośno puszczam wodę i w nadziei, iż nic nie słychać, trzepię wszystkie szafki. Poziom narkotyków jest w tym domu taki. Jeden nervosol. I jedne pudełko panadolu. Co pośpiesznie sobie zapodaję oba te dragi superciężkie, gdyż nagle zacząłem obawiać się. Że oszalałem może albo coś, za dużo spida walniętego przez ostatnie dni, zwarcie w blachach, bałagan w kablach. Tak tak, Andrzej, teraz panadol, nervosol, a potem dworzec, od razu słyszę i rozglądam się, lecz to tylko echo w mej głowie tak grało. Impotencja, zero zainteresowania kobietą, co siedzi obok, wręcz może homoseksualizm, i gdy to tylko pomyślę, od razu patrzę w lustro, czy widać może na mnie jakieś fizyczne znamiona pedalstwa, lecz nic się nie mogę dopatrzyć, żadnego śladu.

Zaraz, by nie zbudzić podejrzeń, jestem z powrotem i siadam na swe miejsce. Zabawa trwa nadal. Witamy po przerwie. Ten etap polega na kupieniu najodpowiedniejszego dla ciebie, Andrzej, obuwia. I tu dajemy ci do wyboru fantastyczne i funkcjonalne buty z CCC, która to firma ma swoje filie na terenie całego kraju. Są to buty na każdą pogodę, gdyż wszystkie są równie praktyczne, równie łatwe w użyciu, po prostu zakładasz i nosisz, do pracy i po domu, do spódnicy i do spodni. Do spodni – odpowiadam szybko, by jak najszybciej mieć za sobą prawidłową odpowiedź i nie zostać publicznie oskarżonym o pedalstwo i inne trans.

Otóż to! jest coraz goręcej, coraz więcej emocji, gdyż okazuje się, Andrzej, że jesteś taki, jak powinieneś być, oszczędny, praktyczny, a teraz kolejny etap naszego wspólnego programu. Pytania są tu kontrowersyjne, może nawet krępujące, czy opowiadasz się za tak, czy za nie, napotykając ni stąd ni z owąd na naszej wspólnej planszy klasyczną rodzinę sześcioosobową, i jak się teraz zachowasz, czy przesuniesz swój egoistyczny, hedonistyczny, samolubny koszyk na bok i ustąpisz miejsca prawdziwym wartościom, czy będziesz pchał go pod prąd, potrącając i przewracając dzieci boże, depcząc im po małych, bezbronnych stópkach, wytrącając im z rączek niedrogie i krzepiąco słodkie lizaki serduszka? Czy przejedziesz po stopach temu mężczyźnie, który tak ciężko pracuje, by utrzymać przy życiu swe płody rolne? Czy ustąpisz miejsca w autobusie kobiecie z dzieckiem na ręku? I nawet jeśli nie odpowiadasz, twoja twarz mówi za ciebie, że jesteś człowiekiem przyzwoitym i w przyszłości chciałbyś mieć wiele dzieci.

A teraz przechodzimy na innej kategorii, do której jesteś może lepiej przygotowany, bo może to właśnie twoje hobby, którym się interesujesz, dajmy na to, choćby to, czy jesteś z natury nieśmiały, skup się teraz dobrze, to pytanie jest proste, na rozgrzewkę, przecież wszyscy, i ja, i publiczność w studio, jesteśmy tu z tobą i trzymamy kciuki, byś wygrał w tym programie, to zadamy ci inne pytanie. Tym razem na temat psychologii, bo się nią bardzo interesuję, jakie są korelacje międzyludzkie, jak możemy siebie samych zmienić, nad sobą pracować, by zwalczyć swoje słabości, uzdrowić swoje życie z lęków i niedoskonałości, i stać się świadomymi swojego poczucia własnej wartości. Bo widzę po tobie, że jesteś spięty, mało swobodny, może dlatego nie potrafisz dać odpowiedzi na tak elementarne doprawdy pytania, może krępujesz się mnie, a tak nie może być, jeśli mamy zostać prawdziwymi przyjaciółmi, bo w takiej sytuacji powinniśmy być wobec siebie swobodni, szczerzy, spontaniczni, nic przed sobą nie ukrywać, największych swoich słabości. Bo teraz mówię to tobie, jak również do wszystkich osób fizycznych oglądających nasz program: przyjaciel to osoba, wobec której zawsze możemy pozostać sobą i nie tłumić w sobie naszych emocji, a czy i ty masz swojego przyjaciela? Napisz nam o tym, na odpowiedzi na kartkach pocztowych czekamy do końca tygodnia, czekają nagrody rzeczowe, prenumerata mojego ulubionego czasopisma. Ale wracając do zabawy: może teraz inne pytanie, zadane w ten sposób, gdyż tamto może było sformułowane dla ciebie zbyt trudno, dlaczego jesteś tak małomówny, czy to z powodu obecności mojej osoby, czy to ja cię krępuję, jeśli chcesz, to wyjdę, a telewidzowie na chwilę zamkną oczy i będziesz mógł swobodnie się przygotować do wypowiedzi na zadane tematy, ustalisz, co na nie sądzisz, możesz zrobić sobie notatki, szkielet wypowiedzi, a porozmawiamy później, w tym czasie zrobimy przerwę w nagraniu, nasza publiczność zebrana w studio wstanie i wszyscy na raz podnosimy ręce do góry, bierzemy głęboki oddech i wkręcamy żaróweczki, a ja natomiast teraz wstanę z fotela, o tak, zdejmę swoje piękne okulary, które były relatywnie drogie, nawet wziąwszy pod uwagę, że było to jeszcze w szkole podstawowej, lecz był to zakup prawie ponadczasowy, odłożę moje ulubione czasopismo, sponsorujące zresztą nasz program i powiem ci Andrzej coś zupełnie szczerze, że to ja jestem nagrodą w tym programie, jeśli odpowiesz prawidłowo na wszystkie pytania, jeśli przyznasz mi rację, jeśli okaże się, że masz takie same zainteresowania, to możesz mnie pocałować, w usta, ale bardzo delikatnie, bo ja mam bardzo wrażliwe usta, które zaraz pękają, schodzą razem ze skórą, odrywam je płatami, odrywam je z całą twarzą i wszystkimi wnętrznościami, ale to nic, nie ma się w sumie czym martwić, bo zaraz odrastam jeszcze lepsza, z jeszcze dłuższymi niż teraz włosami, i krzyż, który mam na szyi, o, widzisz, odrasta jeszcze większy, jak również moje sandały ortopedyczne, stopy i ręce. Ale wracamy do naszego programu, pozdrawiamy wszystkich widzów przed telewizorami i publiczność zebraną w studio.

A tę rundę rozpoczniemy od kluczowego zadania, dzięki któremu nie wszystko jeszcze stracone – możesz nawet znaleźć się jeszcze w finale, rozluźnij się, gdyż jest to pytanie ostatnie i teraz ważą się twoje losy, czy dostaniesz główną nagrodę, czy też nie mamy o czym ze sobą rozmawiać, i wtedy koniec – publiczność zebrana przed telewizorami kieruje kciuki obu rąk w dół i na sygnał, który pojawi się w rogu ekranu, opluwa telewizor, a tego przecież nie chcemy, więc weź głęboki oddech, wypluj gumę, pytanie brzmi: co studiujesz?

Co studiujesz, Andrzej? – mówi Ala z powrotem zakładając swe magiczne pozłacane okulary, czary mary hokus pokus i studiuję ekonomię, lubię dobrą książkę i dobry film, nie słucham żadnego rodzaju muzyki, poznam kulturalnego chłopca bez nałogów w wieku od dwudziestu pięciu do trzydziestu lat celem poważnego, kulturalnego związku.

Ja milczę. Milczę. Ona patrzy na mnie badawczo, czyżbyś nie znał odpowiedzi? Skup się, na pewno znasz, przecież na pewno coś studiujesz, inaczej nie byłoby cię tutaj, przecież wszyscy coś studiujemy i się tego nie krępujemy, wręcz otwarcie to przyznajemy, pomyśl dobrze, na pewno przecież pamiętasz.

Dobrze, to skoro nie możesz sobie przypomnieć, podpowiedź pierwsza, posłuchaj uważnie: a więc jest to kierunek studiów... związany z administracją... z zarządzaniem...

Administracja i zarządzanie! – mówię natychmiast i przyduszam odpowiedni klawisz na wersalce, co by ta odpowiedź nie wzięła dupy w troki z ekranu, zanim zdążę ją wybrać. I patrzę na Alę niepewnie, czy to jest prawidłowa odpowiedź.

Ona patrzy trochę badawczo, czy to na pewno ta odpowiedź, czy na pewno chcesz ją zaznaczyć, czy jesteś pewien, czy na pewno chcesz ją zaznaczyć?

Wtedy ja już na totalnym wydechu powtarzam, że administrację i zarządzanie.

O kurczę pieczone! – mówi ona, gdyż prawdopodobnie odpowiedź okazała się prawidłowa. Ja też to miałam studiować, ten kierunek wybrali dla mnie rodzice już w podstawówce, jednak nie dostałam się z braku wolnych miejsc, zresztą moja mama mówi, że to nie żaden brak wolnych miejsc, tylko że nie dostałam się ze względu na korupcję, kumoterstwo, niekompetencję elit rządzących i złą sytuację w kraju, a poza tym mama mówi, że ekonomia też jest dobra, a nawet lepsza, korzystniejsza, ma większe perspektywy i właściwie nie chcę cię przerażać, nie chcę cię martwić, ale administracja i zarządzanie jest to kierunek całkowicie skazany na upadek, po ukończeniu którego nie dostaniesz pracy w żadnym szanującym się przedsiębiorstwie. To samo zresztą powtarzam zawsze mojej koleżance od serca Beacie, która wtedy się dostała i myśli, że teraz raptem świat leży u jej stóp, cała Polska z Rosją włącznie.

Wracam na festyn – mówię na to, nie znosząc sprzeciwu. Gdyż to już jest koniec tego programu, a czy wygrałem, czy przegrałem, to cokolwiek by się działo, nagrodę główną się zrzekam na rzecz sierot, na rzecz Polskiego Związku Administrantów Polskich, na rzecz mego kumpla najlepszego Kacpra, niech on tę nagrodę ma, jemu się ona pełnoprawnie należy, on może będzie miał na nią chęć. I chuj, że w moim obliczeniu, w mojej punktacji jestem setki milionów punktów do tyłu, co bym musiał teraz wziąć Magdę tysiąc razy pod rząd plus jeszcze po kilka razy Andżelę jako dziewicę, by wyjść jakoś na prostą z tymi punktami i nie stracić twarzy.

Okej – mówi Ala i cieszę się, iż jest w końcu game over, czas antenowy się kończy i program *Gotuj z nami* wraz z nim dobiega końca, nasza pieczeń z łabędzia jest gotowa do spożycia po zdjęciu tekstylnych dekoracji, na razie jeszcze w bluzce typu golf wygląda dość nieapetycznie, ale smakuje wybornie, chociaż jest odrobinę łykowata. Można serwować na bankietach i grillach w rodzinnym gronie oraz oficjalnych przyjęciach formalnych.

Szkoda, że już musisz iść, miło się z tobą rozmawiało, jesteś fajnym kolegą. Poczekaj jeszcze momencik, chciałam pokazać ci zdjęcia z wesela mojej siostry, to było bardzo przyjemne przyjęcie, bardzo smaczne, choć skromne potrawy, bardzo przyjemna, rodzinna atmosfera. Siedź tu i nic nie dotykaj – mówi pieczeń z łabędzia i wygładza golf, poprawia ustawienie złotego krzyża na swych piersiach. I idzie. A ja w tym czasie tej chwili sam na sam ze sobą, oko w oko z kwiatami doniczkowymi i papużkami falistymi w jej pokoju, nie marnuję. Choć po zażyciu wymienionych już powyżej specjalnych środków czuję się, jakby spokojny, wyrachowany. Gdyż jeszcze tego nie wspominałem, ale taki system to ja pierdolę, i z takim systemem ja współpracować nie będę, w żadnych wywiadach publicystycznych, w żadnych *Wybacz mi* o poezji nie będę występować jako uczestnik, tego jednego jestem pewien. I biorę tak. Wpierw ustawiam kwiat doniczkowy na dywan, wyjmuję dżordża i w ostentacji sikam do doniczki, co z nerwów przed wykryciem leję nierówno i nie zawsze idealnie trafiam, tak że część idzie na dywan. Nie wszystko wchodzi, więc jeszcze resztę, co zostało, to stawiam na ziemię klatkę z papużkami i odreagowuję mocz na nich, na ich poidełku. Co one w międzyczasie drą te swoje krzywe pyski i uciekają po drążkach, aż się boję, by łabędziowa tu nie przybiegła zaraz zwiedziona ich odgłosami kaźni. Spokojnie, ścierwa – mówię do nich – odrobina moczu normalnego człowieka lepiej wam zrobi niż hektolitr psychicznie chorej wody od matki przełożonej.

Wtedy one jednak jak nienormalne drą mordę dalej i zaraz zaczną próbować z desperacji odlecieć do ciepłych krajów po pomoc, po posiłki, gdyż ta wariatka tak je wychowała, że w towarzystwie przeciętnego człowieka one się nie umią porządnie zachować, tylko są szczute i napuszczane na przyzwoitych, umysłowo normalnych ludzi, są skłonne wyraźnie zrobić mi co złego. Więc wtedy ja patrzę tak na nie, jakie są głupie zupełnie jak ich sucza matka Ala, pewnie studiowały ekonomię, albo tak: ta po lewo bankowość i rozporządzanie, a ta po prawo finanse i finanse. Wasza matka jest pierdolnięta – mówię im cicho jakby w sekrecie i szeptem spluwam temu jednemu na łeb.

Okej. Wtedy już na luzie całkiem biorę sobie jeszcze do kieszeni parę rzeczy, co leżą na wierzchu, długopis w konwencji podhalańskiej w kształcie ciupagi, złoty pierścionek z kamyszkiem i klej szkolny w sztyfcie, bo to zawsze może się przydać. Są to nagrody pocieszenia w tym programie ufundowane przez prowadzącą, co by nie było, że jestem tak do końca na minus, bo niby jest tak, że punkty odejmują mi się z każdą chwilą same od siebie i przyjmują wartość coraz bardziej malejącą, ale jakby co, to jakieś korzyści z całej tej imprezy odniosłem. Wtedy ustawiam wszystko jak było i szeptem, w całkowitej konspirze otwieram drzwi, co rozlega się od razu z nich pokaźny, przeciągły jęk.

Idziesz gdzieś? – woła Ala z otchłani, z jakiś odległych nieistniejących pokoi, z klubu książki, co na półkach w porządku alfabetycznym stoją albumy, fotografie, literatura, proza, zdjęcie Ali i jej siostry witających proboszcza solą i chlebem w ludowych strojach kaszubskich oraz dyplom ukończenia szkoły podstawowej, z wynikiem z czerwonym paskiem oraz za wzorową pracę skarbnika klasowego.

No i kiedy ja słyszę, iż ona jest gdzieś zapewnie daleko i nie zdoła dobiec tu nim ja wyjdę, to zbiegam po schodach, łapię w rękę adidasy i wybiegam z tego domu, trzaskając furtką. Gdzie dyszę ciężko i się oddalam, gdyż gdy ona stwierdzi mój brak oraz zaszłości zaszłe w jej osobistym ekosystemie w kwestii flory i fauny, będzie źle, może zacząć mnie gonić lub też, co gorsza, chcieć mi pokazać te zdjęcia.

Pierwszy lepszy autobus, co akurat przyjechał, więc siadam do niego, choć muszę stwierdzić, iż czuję się słaby, jakby senny, iż bym teraz mógł tak tym autobusem jechać bez końca, i nikt by mi nie zarzucił braku biletu, gdyż nawet nie mógłby mnie stąd ruszyć, tak jestem ciężki, iż ten cały interes może się w jednej chwili zawalić. Jedziemy wolno również najprawdopodobniej przez mój ciężar, ciężar moich rąk, które są tak ciężkie iż nie mogę ich podnieść, tylko wiszą. Boję się iż zaraz spadną mi na podłogę razem z resztą ciała, i już nikt ich stamtąd nie ruszy, nie podważy. Jedziemy coraz wolniej i miasto również porusza się powoli, jak gdyby falą morską przysuwa się i odwleka, zdalnie sterowane przez znudzonych, pijanych jak świnie radnych. Chmury są nad miastem, jak złowrogie brwi zaciągnięte. Bóg się wkurzył, Bóg robi porządki. Lecz takiej Ali, jak by tu była, nic by nie było straszne, to muszę przyznać. Gdyby nawet się waliło i paliło, ona by pokazała swą legitymację studencką plus by wyciągnęła spod kurtki swój krzyż i panikujący tłum zadeptujący sam siebie nawzajem by rozstąpił się przed nią, o, studentka ekonomii, kulturalna, najwyraźniej katoliczka, co prawda z jakimś chłopakiem nieco sennym, zapewne upośledzonym swym synem, ale w takim wypadku tym bardziej trzeba jej pomóc go podnieść z siedzenia, odkleić go od dermy. Rozsunąć się, przepuścić, może mają ważne sprawy, idą właśnie wypożyczyć najnowszą książkę Bolesława Leśmiana, idą właśnie po przydział na ziemniaki, pożar poczeka, pożar nie ucieknie, odsuńcie się i przepuście.

Tak sobie właśnie myślę, że chujowo zrobiłem, że jej ze sobą nie wziąłem. Bo teraz ona by mnie jakoś poprowadziła lub chociażby poprawiła mi ustawienie rąk w kolejności alfabetycznej, a tak to zapewne w tym stanie dojadę do Uralu i nikt mnie nawet nie obudzi jak będą święta Bożego Narodzenia, matka moja w rozpaczy, gdyż kupiła mi prezent, a tu nagle stwierdza iż Andrzejka niet, nie ma, chociaż jeszcze kilka miesięcy temu dzwoniła na mieszkanie i był. A teraz go raptem nie ma, od wielu miesięcy jedzie niekomfortowym autobusem marki PKS na koniec świata, na stypendium. Myślę, iż ona jedna jeszcze będzie w tej sytuacji o mnie pamiętać, pośle mi szczotkę do zębów, jakieś zapasowe skarpetki, dżem, igłę z nitką i życzenia dużo dobrego humoru. I gdy tak myślę, myślę nad tym, jak me życie jest chujowe, że tyle przegrałem, a jeszcze więcej, diabli wzięli sobie mnie na pamiątkę i gdy tak nie jestem do końca pewien, czy już może umarłem albo może jeszcze nie, gdyż autobus zdecydowanie jedzie, ale jak gdyby przez mgłę, przez dym, co roznosi się wewnątrz niego. I me powieki są automatycznie zamykające, gdzie nie spojrzę, tam zaraz zasuwają się na powrót, lecz zawsze zdołam zauważyć, że wszędzie pełno jest dymu, a pasażerowie są, jak gdyby, pozbawieni granic, rozlewają się po całym autobusie, gdyż dzień jest raczej ciepły. Jak również zauważam, iż ich głosy dochodzą jakby zza waty, zza ściany, z ciepłych krajów, z drugiej strony.

I wtem, gdy tak myślę coraz to wolniej, coraz to większymi literami, coraz to mniej wyraźnym pismem, to nagle słyszę tak. Słyszałeś już?

Takie pytanie słyszę. Jest ono dość wyraźne, powtórzone kilka razy na tle silnika spalinowego, co w nim wieje jakiś szczególny głośny wiatr, wręcz cyklon. Nie – planuję odpowiedzieć, lecz okazuje się to szczególnie trudnym zadaniem na tej klasówce, gdyż nijak ni w tę ni wewtę nie mogę ruszyć ustami, gdyż są one jak gdyby zalane betonem, doszczętnie zaklajstrowane klejem z mąki lub innym gipsem, jedne zęby zalakowane do drugich i oprawione pieczęcią, ściśle tajne, nie otwierać. Natomiast jedno, co jeszcze stwierdzam, to iż nie mam języka w ustach, musiał mi gdzieś na jakimś zakręcie wypaść, potoczyć się pod siedzenia. Natomiast w ramach miejsca po języku w mych ustach występuje jakiś twór mięso-podobny, wąż gumowy, którym za chuja nie umiem sterować.

Słyszałeś? – mówi tak do mnie ktoś ciągle, rozlegając się echo, a na dodatek coś mnie z jednej strony szarpie, jakiś dodatkowy, pomocniczy wiatr w lewe ramię.

I po wielu zmaganiach udaje mi się wcisnąć właściwy przycisk, tak że mówię zgodnie z prawdą coś brzmiącego podobnie jak „nie", lecz, jak gdyby z ustami pełnymi niezidentyfikowanych ziemniaków, kartofli. Z miejsca odczuwam lęk, iż może przeszłem teraz za sprawą swojego gadulstwa, swojej prostolinijności do kolejnego etapu i trzeba było nic nie mówić, to by może zgasili tą kamerę.

I tak jest istotnie. Jak mówię to „nie", to cała karuzela kręci się na nowo, wiatr szarpie mnie za ramię, silnik warczy, i teraz z kolei kolejne pytanie do mnie brzmi „nie słyszałeś?". Nie słyszałeś i nie słyszałeś, jak nie zrozumiałeś pytania, to zadamy ci je jeszcze raz, i jeszcze raz, i tak do końca, aż odpowiesz, aż odpowiesz, i możesz umrzeć, lecz publiczność chce wiedzieć, słyszałeś, nie słyszałeś, publiczność chce znać prawdę.

I pełen ufności w swe umiejętności artykulacji staram się jeszcze raz podkreślić, że nie, lecz wtedy już mi to nie wychodzi tak dobrze, tylko jakoś inaczej, mniej zrozumiale, być może nawet mówię coś pośredniego pomiędzy „tak", bo sam już nie wiem, słyszę tylko szum, a dym jest coraz gęstszy, coraz mniej przejrzysty i widzę to w chwili, zanim ostatecznie zamykają mi się oczy.

★ ★ ★

A potem jest długa przerwa gorzej niż śniadaniowa i gdybym miał to przedstawić graficznie, bym musiał namalować całą kartkę czarną i najwyżej kilka białych trzykropków. Gdyż przebudzam się dopiero, gdy stwierdzam, iż zdecydowanie idę, choć może raczej toczę się niczym kupka kamieni owinięta szmatą i jako tako trzymająca się niby kupy, lecz mogąca się lada chwila rozsypać. Tak czy siak wygląda na to, iż jestem w ruchu. Lub też może być tak, iż to ulica przemieszcza się w stosunku do mnie, przewija się tuż przede mną niczym jebnięta taśma biało-czerwona naszpikowana flagami jak gdyby tort urodzinowy, ciasto zrobione dla mnie przez mamę Izabelę z okazji mego powrotu z nieprzebranej ciemności, gdzie byłem najwyraźniej na jakiejś rekonwalescencji, resocjalizacji. Gdyż tak to sobie mogę tylko wytłumaczyć. Ja przywożę różne turystyczne wspomnienia, pamiątkowe landszafty, na których widać tę właśnie ciemność uchwyconą zarówno w dzień, jak i w nocy, z profilu, i z lotu ptaka, a która zawsze wygląda tak samo i jest kategrycznie czarna. Mam też jakieś zdjęcia zrobione własnym aparatem, ja na tle ciemności, na których mnie nie widać, lecz prawdopodobnie tam byłem. Przywożę też ci Izabelo również trochę ciemności w słoiczku, specjalność regionu, trochę napoczęta, gdyż było złe żywienie, jakby niekaloryczne, mało pożywne.

Wtem rozlega się beknięcie i zauważam wtedy, iż siła, która mnie napędza, jest to Lewy, trzymający mnie przyjacielsko pod ramię i w pasie. My się przemieszczamy, a to ulica stoi w miejscu poza małymi wyjątkami przechodniów – to również stwierdzam. Lecz skąd się tu wziełem, to me wspomnienia są naprawdę dość wolno się krystalizujące, lecz na pewno był to któryś z etapów teleturnieju, czy po śmierci wolałbyś pójść do nieba, czy piekła, ja zapewne wybrałem nieopatrznie nieodpowiedni przycisk i tym samym złą odpowiedź, lecz teraz jestem już z powrotem razem ze wszyskimi w studio, wszystko na swoim miejscu, nienadpalony, od biedy mogący nawet chodzić. Choć chwilę się boję, iż było to pytanie o homoseksualistach i teraz dlatego stąd ta krępująca sytuacja z ramieniem i ręką jego na mojej talii.

Co się tak do mnie kleisz? – oburzam się na to, jednogłośnie stwierdzając, iż dosyć mogę mówić, choć przykładowo nie mam już śliny w ustach, totalna melioryzacja mych ust, osuszanie bagien, przez co odczuwam pewne zgrzyty w zawiasach.

I wtedy zupełnie niechcąco uruchamiam burzę ze strony, co jak co, ale mego kolegi, Lewego. Który wtedy nagle wszystko uświadamia mi w tonie nieco wulgarnym i nieczułym, iż nie wie, czego się naćpałem, lecz musiało być grubo. Iż grubszą się miało jazdę, desperka i samobój, po prostu haloperidol, autobusem się na tamten świat jechało. I mówi jeszcze, iż dobrze, że akurat jechał w tamtę stronę jako mój kolega i przyjaciel, bo by był grubszy ze mną sztapel, bocznica, detoks albo nawet całkowita śmierć, gdyż już w takim byłem stanie, iż trzech przypadkowych pasażerów i jedna pasażerka żeńska musiało mu pomagać wyjąć mnie z tego autobusu na odpowiednim przystanku, straszna siara na całe miasto, a jeszcze upierdoliłem mu komórkę śliną, co ją toczyłem na wszystko, niczym po prostu bym oddychał tą śliną. A jeszcze na końcu podkreśla jako przykład, iż zainwestował na moją rzecz całego rzuta spida w moje dziąsła, bym jakoś szedł po ludzku, a ja mu jeszcze wyjeżdżam z jakimiś gejoskimi ciągotami, gdyż on z własnej woli kota by prędzej wziął pod rękę niż mnie, gdyż w ogóle nie jestem w jego typie. A podobno jeszcze, jak mi zapodawał rzuta, to mu ufajdałem śliną całe rękawy po łokcie od kurtki, co mi on nawet demonstruje mokre plamy, lecz mi to bardziej wygląda, że on zrobił co najmniej jakąś grubszą przepierkę wcześniej, a teraz wkręca mi jakiś chory film.

Ja na to bym chciał coś odpowiedzieć, żeby się odpierdolił, gdyż łyknąć sobie na zszargane nerwy nervosolu z panadolem to nie jest jeszcze żaden grzech, co bym się z niego miał spowiadać na Sądzie Ostatecznym przed wujkiem Lewym, co też bezgrzeszny nie jest w tej kwestii, gdyż sam sobie lubi ostrzej przypierdolić. Lecz nic nie mogę powiedzieć, gdyż on cały czas napiżdża od rzeczy, co do końca nie rozumiem. Że coś tam, że gdyby oni wiedzieli, że tak zareaguję na tę wiadomość, to by wcale nie mówili, tylko cicho sza, tematu nie ma.

Niby że czego jaką wiadomość? – mówię do niego nagle zaskoczony.

No a nie słyszałeś? – on mnie się wtedy pyta niczym głupiego – nie słyszałeś, że Magda nie wygrała na miss?

Ja wtedy zaczynam kumać, że tu się zrobiło na mieście jakieś czary mary pod moją duchową nieobecność i że nie wszystko z tego melanżu jest do końca dla mnie jasne i logiczne. Na jedną chwilę się trochę najebać, na jedną chwilę zniknąć, zostawić ten cały interes sam sobie, a w jeden moment robi się syf i epidemia jednego wielkiego burdelu.

Jak nie wygrała? – mówię – jak niby nie wygrała skoro miała wygrać?

Miała, miała, ale to, że miała, to jeszcze nic nie znaczy. Ściemiony prezes dał dupy. Miał długi odnośnie jakiegoś Sztorma, co jest niby szychą, ma udziały w piasku i czasopismo „Piasek Polski". I Natasza wygrała, co ze Sztormem przyjechała jego samochodem, a jeszcze była z nimi jakaś taka pizdowata metalówa, co dostała tytuł „Miss Publiczności", choć na sto procent, to żaden normalny facet by nie dał rady jej puknąć na trzeźwo.

Milczę na to, gdyż jak ja pukałem Andżelę, to byłem na spidzie i równanie się w takim wypadku zgadza, lecz to nie oznacza, iż mam ochotę naraz o tym dyskutować. Bo nie mam, bo podkreślam, iż czuję się teraz kategorycznie źle, szczególnie nervosolem mi się jak gdyby odbija.

No to idziemy tam niby do amfiteatru, niby w tym kierunku, ale jednak gdzie indziej. Bo nie jest tak, by bynajmniej Lewy był usposobiony pokojowo. Podejrzewam go nawet, iż sam sobie odstąpił nieco z tego spida, sam sobie dosyć tyle pożyczył, co mnie cucił z tej na szeroką skalę apatii i bezsilności. I za to mu chwała i respekt, że mnie owszem uratował od zguby, ale musiał sobie zapodać jakoś sporo, gdyż oko mu mruga, niczym mruganie okiem byłoby jego nerwicą obsesji lub gdyby brał przykładowo udział w zawodach w mruganiu okiem, kto szybciej mruga, ten wygrywa. Mruganie okiem zawód wyuczony, mruganie okiem ulubione zajęcie w czasie wolnym oraz postępujące uzależnienie od mrugania okiem.

On jest cały w nerwach. Najwyraźniej wpierdoliłby komuś, chociażby nawet i mnie. Mimo nawet iż po pierwsze jest moim kolegą i kumplem, po drugie puknął moją dziewczynę i to zapewne nie raz i nie dwa, a po trzecie zatracił na rzecz mojego zgona całego rzuta, to mu teraz się nie opłaca mnie zabijać, bo towaru na powrót i tak nie odzyska, czysta marnacja i zero zysku z poważnej inwestycji. Niejednak usiłuję nie iść zbyt blisko niego.

Suszy mnie, kurwa nędza – mówię mu, mój głos wydobywając się spośród zwałów śliny w stanie stałym. A gdybym przykładowo nie miał na tyle kultury, by po chamsku splunąć, lecz nie robię tego. Gdyż obawiam się, co by na chodnik ni mniej ni więcej nie wyleciała ma ślina w kostkach lub tym bardziej płatach, może nawet zwojach. Zastanawiam się, czy to nie jest wina jakiegoś ściemnionego towaru od Wargasa. Jako że ten typ zawsze trzyma rzuty wewnątrz buta z nie wiadomo jakim innym tałatajstwem i o zatrucie nie jest w dzisiejszych czasach przez to trudno. Teraz może nawet zaraz skonam tu w męczarniach, gdyż całę wodę, jaką w sobie miałem, wyplułem wcześniej Lewemu na katanę i teraz nie ma już we mnie złamanej kropli, a krew w proszku przesypuje się na prawo i lewo z jednej do drugiej żyły.

To pij kurwa, a nie gadaj – mówi mi Lewy świetną poradę życiową, maksymę i przysłowie na całe życie do haftowania na makatce. Z kałuży pić nie będę, nie? – odpowiadam mu posępnie, gdyż również w nastroju na żarty, rebusy słowne i zagadki nie jestem. Wtedy on się lituje w miarę, gdyż on tu, jakby nie było, fundował towar i on tu teraz jest master of ceremony, on tu teraz zapuszcza kawałki, więc idziemy na Mc Donald's. I wchodzimy niczym dwuosobowa drużyna imienia Matki Amfetaminy. Dużę kolę – mówię w konwencji dość szorstkiej do kasjerki, że aż ona wychyla się podejrzliwie spod swego super firmowego daszka, po czym równie podejrzliwie jest skłonna na nasz widok zalepić kasę przylepcem. I również podejrzliwie idzie na zaplecze. Lewy jest dość tyle podkręcony, że cały czas zaczyna napiżdżać różne rzeczy w kierunku tej kasjerki, choć ogólnie rzecz biorąc ona nie ma szans tego na swym firmowym zapleczu usłyszeć, szczególnie iż swe firmowe uszy ma ściśnięte oraz zatkane firmowym daszkiem.

Co kurwa, lej tą kolę i streszczaj się z tą masturbacją ekspres przez fartuch, bo Silnemu chce się pić, kurwa, a jak nie, to ja tam wejdę i ci pomogę, lecz tego byś nie chciała. A gdy on tak mówi, ja sobie uświadamiam, iż on ma prawdę i sporo racji w tym, że jest tak szorstki i oschły wobec kasjerki. Gdyż prawda jest taka, że w jedną taką kolę jest naliczone również dla niej za jej pracę i uprzejmość obsługi z co najmniej dwadzieścia groszy i nie może być tak, iż ona ma akurat ciotę, to robi miny, fochy i feministyczne nalewanie koli przez pół godziny po gram na minutę, jak mi się akurat chce pić. Tak więc również się podkurwiam razem z Lewym i tak stoimy we dwóch i mówimy za pusty bar: dawaj, kurwo babilońska, nie rób loda Babilonowi, tylko dawaj tą kolę, bo naszczujemy na twe skundlone dzieci kapitalistów, co im wpierw ogryzą rączki, potem nóżki, potem pisiolki, a na koniec ciebie samę odgryzą i już ci nie będzie już tak

146

lekko szło z przyczepnością, będziesz zapierdalać na chmurze i czynić cudy, uzdrawiać wiernych z biegunki.

Z pierdolonej wysypki! – ryczy Lewy, aż się wszystko trzęsie, wiatr wieje, a na tekturowym klaunie pojawiają się zmarszczki, pęknięcia.

A gdy ona wreszcie posłusznie się pojawia i niesie w jednej ręce kolę, i zarówno jak ją lekko wystraszona mi podaje, a ręce jej się trzęsą mówiąc cztery złotych czterdzieści groszy, to Lewemu wtem coś odpieprza i on mówi raptem do niej: e. A gdy ona podnosi głowę z lękiem, to on dodaje: Osama i tak cię zapierdoli.

Ja wtedy słucham tego, co on mówi i myślę, iż to jest mój dobry kumpel, wesoły, z poczuciem humoru, i że nie można tak dać Brukseli się robić w chuja. Więc podchwytuję wątek i mówię: Osama cię zajebie za robienie laskę eurocwelom.

Zarówno ja jak i Lewy jesteśmy wtedy śmiertelnie poważni, nawet oko przestało się puszczać Lewemu, co gdyby jak zwykle się puszczało, to mogłoby być cała sytuacja wzięte za głupi żart, lecz nie jest.

Toteż ze strony kasjerki konsterna. Cisza. Ręka drżąca na firmowym walkie-talkie. Daj mi to – mówi jej Lewy w tonie raczej wulgarnym, wskazując głową na słuchawkę – zawsze chciałem takie gówno mieć na Pierwszą Komunię.

A gdy tak mówi, z jego ust leci wiatr, co rozwiewa kasjerkę, podwiewa jej włosy, rozpina je fartuch. Ona trochę się waha, niczym by się miała co najmniej rozpłakać i zaraz możliwe, że nawet zapłakać gorzko: nie dam, nie dam, to moje, ja to dostałam od szefa. Lecz tak się nie dzieje, ona jakby z frustracją odpina z paska tą słuchawkę i ją Lewemu zgodnie z przykazaniem daje z miną niczym zarzynane zwierzę.

Lecz na tym się nie kończy, gdyż Lewy najwyraźniej jest całkiem podkręcony, zaangażował się totalnie i teraz postanowił doszczętnie zwalczyć wszystkie odciski palców tirówki euroamerykańskiej na ziemi polskiej. A teraz won na zaplecze – mówi do tej zdenerwowanej raczej kasjerki – i skołuj jeszcze jedną taką machinę dla Silnego. Tylko działająca żeby była, a nie żadna ściemniona, inaczej nie żyjesz.

Kasjerka patrzy na niego, raz to na mnie, ma trądzik. Patrzy jakby dostała co najmniej po łapach, co najmniej gałęzią, a teraz nie mogła się jeszcze otrząsnąć z szoku. Natenczas idzie na zaplecze i długo nie wychodzi, a wraca jeszcze bledsza, niosąc przed sobą walkie-talkie, rzuca je na ladę i pospiesznie cofa się w kierunku automatu z kawą.

Wtedy ja biorę to, co nasze, jak również kolę i skoro ona jest taka zszokowana, to nawet specjalnie nie płacę nic, full gratis, Babilon funduje, wielka promocja z okazji USA. A nim wychodzimy, Lewy spluwa w pysk klaunowi, mówiąc do niego: a ciebie też zapierdoli. Osama osobiście. I jeszcze do nieszczęsnej kasjerki: a ty, do kurwy, uprawiaj więcej seksu. I zdejm ten fartuch. Bo źle wyglądasz na chorą.

Wtedy wychodzimy. Koledzy. Zbrojne Bractwo Świętego Dżordża najeżdża na świat. Uwaga uwaga, są groźni, są uzbrojeni. Uzbrojeni w scyzoryk, uzbrojeni w łączność przez krótkofalówki. Uzbrojeni w amfetaminę, uzbrojeni w adrenalinę. Depczą trawnik, obrywają kwiaty. Robią wgniecenia w chodniku, robią podkop pod świat.

Fajne, nie? – mówi Lewy do mnie, jak tak idziemy, i pokazuje mi, jak wciska przyciski na swym walkie-talkie. Zajebiste – odpowiadam mu. Wtedy on mówi do mnie, żebym tam poszedł i stanął tuż przy ulicy, a on będzie stał tutaj, i będziemy ze sobą gadać. Tak też robię, bo to mi się wydaje świetny pomysł.

Wtedy okazuje się, iż to nie są walkie-talkie jakieś sztuczne, pic na wodę, sklep z zabawkami „Bartosz", zestaw mała policja, tylko są to walkie-talkie profesjonalne, niczym na filmach w oddziałach antynarkotykowych.

Halo. Halo. Tu baza. Odbiór – mówi Lewy głosem poważnym i skupionym, a ja mam jego głos stereo, gdyż po pierwsze słyszę to co on mówi normalnie, a po drugie słyszę to też również w słuchawce. Bardzo mi się to podoba, bardzo fajny sprzęt taka krótkofalówka, lepsza nawet zabawa niż komórka, a choć gier sprawnościowych nie ma, to jest to sprzęt fajny, w każdej sytuacji przydatny do zapoznawania nowych osób, do zamawiania sobie spida do łóżka.

Podaj hasło, podaj hasło, odbiór – mówię, popijając ze smakiem swą promocyjną kolę i patrząc, czy nie nadciąga wróg.

Ptaki latają kluczem – mówi Lewy. Takie hasło on niby podaje. No to ja mu mówię z czystej uszczypliwości: boot error. Hasło nieprawidłowe.

I tak stoję i się cieszę z własnego dowcipu, kola jest dobra, zimna, promocyjna za darmo.

Wtedy, czego ja się zupełnie nie spodziewam, Lewy wtem wyłącza odbiór. Nagle wrzeszczy tak: co powiedziałeś?! – lecz w tonie zaczepnym.

Ja wtedy też odłączam i mówię dość obrażony: no co kurwa, nieprawidłowe hasło żeś zrobił!

A on na to: co kurwa nieprawidłowo, co niby nieprawidłowo, coś się nie podoba? W podstawówce to jeszcze mówili, chyba na tyle nie mam jeszcze blachy pogięte, żebym nie pamiętał.

Poczym rzuca swoje walkie-talkie o trawnik.

To jest, kurwa, hasło chyba nieprawidłowe, nie? – mówię do niego wytrącony całkowicie z równowagi napadem adre-naliny. Co, że niby jakimś kluczem, ocipiałeś?! – i w przypływie gniewu odrywam od swego walkie-talkie antenkę, co rzucam ją na trawnik.

To jakie jest, kurwa, hasło twoje, no wal, jakie jest twoje do kurwy nędzy hasło jak nie te?! – drze mordę Lewy, full powaga, czerwony na gębie.

Inne, kurwa! – ja się wydzieram, gdyż nagle moja słabość całkowicie ustępuje i czuję się raptem podkurwiony do granic całą tą sytuacją z wal-kie-talkie. Zasady są proste, albo się umie bawić, albo się nie umie, albo się zna hasło, albo się nie zna, a jak nie, to niech się nie zaczyna.

Wtedy Lewy podnosi swą słuchawkę z ziemi i jeszcze raz włącza. Tu, kurwa, baza – mówi do słuchawki niby że tonem spokojnym – podaję hasło: Silny robi Moskwie lachę. Silny robi Moskwie lachę. Odbiór.

Wtedy ja się do reszty wkurwiam, bo co jak co, ale o tendencje proru-skie nikt mnie nie będzie bezkarnie insynuował.

Uwaga uwaga – wrzeszczę do walkie-talkie, by mimo urwanej anten-ki było wyraźnie słychać – Łącza zerwane, sytuacja alarmowa. Lewy to pedał, gej i kastrat.

Komunikat odwołany – wrzeszczy wtedy do słuchawki Lewy – prawi-dłowe hasło: Silny to cwel, a jego matka zdejmuje majtki dla Ruskich.

Wtedy ja już nie wytrzymuję. Nie wytrzymuję psychicznie. Myślę o tym, by go zabić. Powaga. Gdyż moja matka co jak co, wszystko o niej można wypowiedzieć, ale by nosiła jakieś majtki, to jest to podłe oszczerstwo, jest to osoba z natury spokojna, płci matka, żadna to nie jest jebnięta kobieta, tym więcej proruska, i żadnych zboczonych rzeczy nikt nie będzie o niej mówił, a szczególnie Lewy. Okej. Jak tak, to tak. Byliśmy kolegami? Byliśmy. Lecz już nie jesteśmy? Nie jesteśmy. Tyle. Łapię więc za walkie-talkie i mówię tak, gdyż to już nie są przelewki: odbiór. Odbiór.

I wtedy walę bez żadnych skrupułów. Arka Gdynia kurwa świnia.

Po czym rozłanczam się ostatecznie na wieki, choć i tak już tą słuchawkę popsułem i w sumie po chuja ją wyłączam, dla efektu chyba, dla pointy. Lewy stoi w miejscu, z wrażenia upuszcza swę krótkofalówkę. Stoi. Ręce kołyszą mu się na wietrze. Szok, frustracja, chaos, panika. Zastanawiam się, czy nie przesoliłem teraz trochę z siłą swego argumentu.

Więc wtedy zaraz mogłoby być tak, iż akcja dzieje się już szybko. Raz dwa trzy, czary mary, liść na twarz, bo Lewego wkurwić idzie go łatwo, więc niczym w *Dynastii* kamera by zrobiła w tył zwrot, gdyż by to był program na żywo dla telewidzów wyłącznie po pierwszej w nocy, wyłącznie powyżej lat czterdziestu. Pokazaliby teraz klomb, drzewa, totalna sielanka, wsi spokojna wsi wesoła, Mc Donald's o zachodzie słońca, jakbym mógł, to bym kupił Izabeli taką fototapetę do dużego, co by sobie wieczorem siadała na wersalce i spoglądała. Natomiast na zapleczu poza kadrem, gdzie by już nie pokazali, by miał miejsce totalny hardkor między mną a Lewym, na paznokcie i zęby, na szarpanie się za włosy. Których zresztą nie ma, lecz to już by można było zrobić efekty specjalne. Gdyż łącznie z Lewym jesteśmy tak na siebie napaleni, by sobie napierdolić, iż byśmy szli na szajbę, a nie żadne nunczako, taktyki techniki i boks zawodowy, tylko wydłubane oko i wywleczone gardłem wątroba i jajnik. I przyznam iż ja również miałbym udziały w tym interesie, bo rozkurwiony jestem równo na całej linii. Nawet powiem tyle, iż to ja może bym uderzył pierwszy, jako że jestem takiego zdania, iż by nie miało sensu co wiele urządzać wielkich oczekiwań, „to nie tak, Lewy, jak myślisz", „ja wcale tak nie uważam, to są poglądy Kacpra" i inne ściemy. Arka Gdynia kurwa świnia i koniec, raz się rzekło i klamka została otwarta, Lewy by dostał parę klapsów na pysk, ja co swoje to też bym dostał na adres zwrotny, gdyż to jest chłopak duży i mocno naspidowany. I tak byśmy się napiżdżali przez

jakiś czas dość ostro, raz ja bym był na wierzchu, to bym mówił: Arka
Gdynia kurwa świnia, raz on by był na wierzchu, to był mówił: Lechia
Gdańsk kurwa szajs. I tak by się cała historia może skończyła, nawzajem
byśmy się zajebali i potem już tylko życie pozagrobowe, które nawet nie
wiadomo, czy jest, czy go nie ma, czy inna jeszcze trzecia możliwość.

Lecz, jak już wspomniałem, tak się nie dzieje, o nie. Wręcz całkiem
odwrotnie. Gdyż gdy on już ma podejść i zabrać się kategorycznie za zaje-
banie mnie, wtem pojawia się Andżela. Andżela. Ni z gruszki, ni z pietruszki. Całkowicie bez sensu. nadjeżdża nagle na rowerze górskim marki
Mountain City. Jest to ładny rower, jakie kradzione można łatwo kupić
u Ruskich. Srebrny, bajerancki, z kulkami na szprychach. Od strony
amfiteatru nadjeżdża. W diademie zatkniętym na głowie i odpowiedniej
szarfie „Miss Publiczności 2002" zatacza wokół nas kółko, jedną rękę ma
na kierownicy, a drugą macha i pozdrawia tłumy, czyni gesty rozdawania
autografów, zakłada z torebki czarne okulary do odganiania tłumów. Ja
wtedy, jak również Lewy, z miejsca od razu zapominam o sprawie. Gdyż
ona jest jak czarna królowa, zwycięska królowa jeżdżąca na rowerze, ma
koronę i szarfę, i czekoladę od bombonierek w kącikach ust, łopoczą jej
czarne włosy niczym osobna chorągiew, gdyż to ona prawdopodobnie
wygrała tę wojnę.

Zatacza koła, przyjechała tu rowerem prosto z zagranicy, z zimnych
krajów, z czarnych krajów, zbawić nas. Przywiozła nam szkiełko do oka,
przywiozła zagraniczne słodycze, pomarańcze i mleko w kartonach,
i zgrzewkę dobrej zagramanicznej amfetaminy w opakowaniach po dwa
rzuty o smaku owocowym musującą. Przyjechała nas zabrać, mnie na
bagażnik, a Lewego na ramę. I wtedy co? I wtedy nic. My od razu zapo-
minamy z Lewym o wszystkim, co nas dzieliło, szybko idziemy w jej
kierunku, ramię w ramię macamy rower, co najwyraźniej okazuje się, iż
Rada Miasta ufundowała kradziony.

Natasza mi się dała karnąć – mówi z dumą Andżela i sprawdza, czy
wiatr jej nie zwiał z głowy diademu. Ma ciemne smugi w kącikach jej ust.
Dziś będzie rzygać węglem opałowym.

Daj pojeździć – prosi Lewy i składa ręce jak do pacierza, Boże, bądź
dobry i daj pojeździć, na co ona mówi, że dobra, ale niech nie popsu-

je przerzutek ani dzwonka, bo Natasza nas wszystkich razem wtedy zapierdoli.

A gdy Lewy jeździ, to nim zdążę pogadać z Andżelą, co i jak, i jak się dawało Sztormowi, fajnie czy głupio, to zza zakrętu ni stąd ni zowąd wydobywa się niebieski samochód marki policja z uchyloną szybą niczym obwoźny handel Sądem Ostatecznym. Wtedy wszystko mi się wydaje nagle jasne, bo dochodzi wtem do mnie, iż ta klempa z Mc Donald's zadzwoniła w zemście po suki. Zapewne obraziła się, jak jej Lewy powiedział, że źle wygląda. I zaraz za słuchawkę, halo, tu dwaj tacy mnie przezywają, korona mi z głowy spadła, daszek firmowy mój mi spadł, złapcie ich, panowie, i do kamieniołomu z nimi. I zaraz suki oderwały się od swych ważnych robót ziemnych z przeganianiem pijaków i proruskich zamieszek, halo halo, tu mówi Żbik, chłopaki, jest sprawa, próba wyłudzenia koli w Mc Donald's, jedziemy na miejsce zdarzenia. I przyjechały wnet tu ratować świat boży przed anal seks terrorem.

Ja pierdolę – mówię, gdyż nagle wszystko zdaje mi się przegrane. Gdyż jestem świadom, jako że nie będzie teraz lekko, buzi buzi, nie plujcie, nie przeklinajcie i nie piszcie kredą po chodniku. Że będzie grubszy hardkor, gdyby jeszcze to jedne walkie-talkie urwana antenka, gdyby jeszcze to drugie, co użyźnia teraz trawnik, gdyby jeszcze ten klaun opluty, to wszystko by było wporzo, wszystko by można było jeszcze wytłumaczyć, załagodzić, a to, co nazylane, obetrzeć. Ale nie. Bo kasjerka z żalu posikała się w firmowe majtki, Mc Donald's narażony został na poważne finansowe i moralne straty.

Za co zarówno ja, jak i Lewy, a czy może i nawet nie Andżela, kipniemy.

A Lewy jeszcze nie wie, ufnie robi rowerem kółka, raz to włancza, raz wyłancza dynamo. A gdy podjeżdża do nas, wtem również widzi, jaka jest sytuacja. A jestem pewien, że ma przy sobie towar. Lecz już jest za późno. Samochodzik podjeżdża. Szybka uchyla się. Palant w czarnym kombinezonie przeciwpożarowym o twarzy seryjnego mordercy z dożywociem i karą śmierci na karku, wozi tym wózkiem swą państwową, czarną dupę jakby co najmniej jechał na wakacje, ramię wystawione, pełen luz, jeszcze może drink i rozkładane łóżko. Ten obok to samo, tyle jeszcze, że w ramach swej pracy, swych super poważnych obowiązków trzyma kierownicę. Za to mu płacą, każdy by tak chciał, trzymasz kółko, masz z tego kupę kasy i jeszcze gratisowo kombinezon kuloodporny do prac w ogrodzie i na działce.

I on mówi do nas: dokumenciki są? Ani dzień dobry, ani spierdalaj, zero kultury, czyste chamstwo bez sztucznych barwników.

Jest to jak moment śmierci, już umierasz, już nie ma przebacz, a wiesz, że jeszcze masz pełno towaru upchanego po kieszeniach, pełno grzechu zapisanego ołówkiem na marginesach, a właśnie, że nie, żadnego mazania, pani wyrywa ci kartkę, czas się skończył. I tak też jest właśnie teraz, koniec tego dobrego: dokumenciki proszę, my tu się z takimi jak wy nie pierdolimy, mamy tu taką specjalną ekstra maszynkę zakupioną przez podatników, pana dowodzik wkładamy tu i on wychodzi z drugiej strony w postaci paseczków, i pana już NIE MA, nie istnieje pan, zero świadczeń, zero opieki społecznej, nie ma pan dzieci, nie ma pan NIP-u, nie ma pana. Baa, żeby jeszcze pana, nie ma cię, chuju, właśnie zniknąłeś, możesz iść do domu, choć tego domu też pewnie już nie ma, został on anulowany.

To stoimy i patrzymy na nich. Oni już wtedy są bardziej kategoryczni. Klapka otwiera się i oni wysiadają, stają w dwuszeregu i mówią do nas: dokumenty, lecz w taki sposób, że można powiedzieć tylko jedną odpowiedź na to: już, już daję. Plus przyklęc na jedno kolano, ucałować kolejno w sygnet rodowy i zegarek.

My z Lewym patrzymy po sobie. Tak czy nie. Dajemy czy nie dajemy. Liżemy tych palantów po trzewiczkach samym czubkiem języka, czy nie. To się dzieje szybko, to są ułamki sekund, co sypią się jak szkło spod naszych stóp. Starczy. Jedno spojrzenie i wiem, że nie będzie dobrze. Czarne świnie rasy gestapowskiej tupią z niecierpliwości butem z ludzkiej skóry.

W tym samym czasie Andżeli przewraca się rower.

Dokumenty na rower – oni zaraz mówią do niej, jak to widzą, celując w nią krótkofalówką – zaświadczenie na prawo posiadania roweru. Jest to ich zawodowy odruch warunkowy, tego ich uczą w liceum policyjnym, pokazać im człowieka, to im ślina napływa do pyska, zapala się odpowiednia żarówka i mówią: dokumenty, a pokazać im rower, to to samo, ślina, żarówka i tylko hasło inne: dokumenty na rower.

My z Lewym zaraz patrzymy na Andżelę. Gdyż nagle uświadamiamy sobie, iż całe zdarzenie jest przez nią osobiście sprowokowane do dziania się. To nie jest nasza wina, to ona tu przyjechała na rowerze, porobiła ślady na chodniku, o proszę, wielka wyznawczyni sekty przyrodniczej, a zniszczyła bez skrupułów piękny, firmowy, niczemu winny trawnik. Poza tym ta amfetamina, co Lewy ma w kieszeni, to od niej. Ona sama ciągnie jak smok, zeszła już na trzydzieści kila, bo wali już teraz sobie pół kila dziennie, a potrzebuje coraz więcej, zresztą to po niej widać, że praktycznie składa się już z samej amfy, a resztę ma wyrysowaną na twarzy węglem.

No i przyjechała tu teraz, jak myśmy stali tu sobie z kolegą, pili kole. My od razu mówiliśmy, by nie jeździła po trawniku, nie niszczyła zieleni. Ona nic. Wepchnęła koledze do kieszeni towar i powiedziała: macie, chłopaki, pierwsza dawka za darmo, zobaczycie, jak będzie wam dobrze, wszystkie wasze problemy ze szkołą i rodzicami znikną. Myśmy nie chcieli tego bagna, tego po prostu szamba, ale ona nalegała. I po wzroku Lewego widzę, iż mamy w tej kwestii zeznań całkowitą współpracę i porozumienie.

Andżela mówi do nich tak, choć ewidentnie się boi: ale ja jestem Miss Publiczności.

Oni patrzą na nią, potem na siebie. To można sprawdzić – rzuca jeden. No to wywlekają przez okno z radiowozu czarną gestapowską gałkę na kablu i jeden mówi do Andżeli taki wiersz, co się nauczył w pierwszej klasie w liceum policyjnym wieczorowym. Nazwisko, imię, data urodzenia i zamieszkania, numer domu, nazwisko panieńskie rodzica, numer buta, ilość okien w mieszkaniu. Jest to ustna tabela do wypełnienia przez Andżelę. Wtedy wszystko idzie po kolei. Wiadomo, Andżelina Kosz i tak dalej. Waga dwadzieścia osiem kilo. I tak dalej. Wtedy oni to, co zdołają zapamiętać, nadają do swojego gestapowskiego radia. A na zapleczu tego całego systemu siedzi Wielki Brat, pali fajkę i odpowiada. Potwierdza, iż

Andżela jest, iż ją mają w swoich notatkach. Wtedy potwierdza dane, co ona podała. A jednocześnie dodaje co nieco od siebie ze swego archiwum. Że widziana w podejrzanych towarzystwach, podejrzewana o obrazoburcze zaplamienie autobusu linii numer 3, co doniósł jeden w mieszkańców miasta, przywódczyni opozycji ekologicznej donosząca rządowi i organizacjom roślinnym na władze miasta w sprawie ścieków. Wyznanie: satanistyczny fundamentalizm antyruski, tegoroczna miss publiczności Dnia Bez Ruska. Wszystko to płynie przez słuchawkę, ta audycja radiowa ku chwale Andżeli, a my z Lewym rozglądamy się, przeczesujemy ręką włosy, sto procent niewinności, my z nią nie mamy nic wspólnego, nawet innej płci jesteśmy.

Wtedy ci policjanci przez chwilę naradzają się w pełnej gestapowskiej konfidencji. I wtem mówią tak, czego myśmy się z Lewym najmniej spodziewali. Mówią tak: panią proszę jechać dalej i uważać, bo drogi są śliskie od farby, i nie rozmawiać już z żadnymi podejrzanymi typami. I jeśli byśmy mogli z kolegą prosić o mały autograf.

Ależ to nie ma żadnej sprawy – uśmiecha się Andżela i błyskają flesze, czerwony dywan rozwija się jak język wywalony na mnie i do Lewego z paszczy tego systemu. Z którym ona współżyje na dogodnych warunkach.

A kolega by jeszcze chciał dla swojej żony i dzieci – mówią suki i podają jej bloczek do wypisywania mandatów.

Imiona żony? – mówi fachowo Andżela i zamaszystym pismem obrazkowym podpisuje wszędzie: Miss, Miss Angela, Miss Publiczności roku 2002, dla Anety i Wojciecha z najlepszymi pocałunkami miss publiczności Angela Kosz. Plus, jak zaglądam jej przez ramię, to jeszcze widzę, że dopisuje gdzieniegdzie „szatan 666" i „jedna rasa, polska rasa".

Hola – mówię, bez już zważania, że policja słucha – co ty się nagle taka radykałka zrobiłaś, co Andżela? Sława uderzyła ci chyba na bańkę.

Co – odpyskowuje Andżela, proszę bardzo, jaka się wygadana zrobiła raptem, powiedziała trzy zdania o swych ulubionych gatunkach warzyw i raptem teraz sprawność „gadanego" dostała od zastępowego Sztorma przyszyte na rękaw sukni – wybrali mnie Polacy, to jestem chyba za Polakami, a nie za żadnymi Ruskimi, logiczne, nie?

Po czym mówi w kierunku policjantów: chwileczkę, i bierze mnie na stronę.

Nie rozumiesz, Andrzej? – mówi szepcząc, pełna konspira – czy Polska czy przyrost ZSRR, i tak koniec jest bliski. A Sztorm mi parę rzeczy uświadomił. Mówi, że jak wystąpię z ramienia narodowego prawicy, to i dostanę własny wieczorek w centrum kultury, a i może nawet będę drukowana w „Piasku Polskim", to się jeszcze zobaczy. To była dla mnie wielka szansa.

A co, pani kolega za Ruskimi optuje? – pyta podejrzliwie ten suk, jak widzi naszą postępującą konfidencję i tryb ściśle tajny naszej rozmowy, kabel przeciągnięty z ust do ust, top secret.

Andrzej? – mówi Andżela jak głupia, jakby w ogóle nic nie kumała, iż on trzyma swe łapsko na pistolecie. My się to właściwie dość krótko znamy – dodaje ni do rymu, ni do sensu. Po czym widząc, co narobiła, bierze rower, przesyła mi i Lewemu pocałunek z ręki, poczym macha do policjantów i przydusza na pedał. – Jak będę wiedziała, co i jak z tym odczytem, to dam znać! – woła odjeżdżając niczym tramwaj zwany pożądaniem i dzwoni dzwonkiem.

No to zostajemy sami. Wtedy w jedną chwilę już się nie robi tak znowu miło.

Może mały autograf? – mówię, by rozluźnić nieco tę napinającą się atmosferę, co jest rozciągnięta między nimi a nami tak bardzo, iż zaraz pęknie, a że myśmy ciągnęli mocniej, to my dostaniemy z całej pety po pysku.

Może mały chuj? – mówi ten jeden suk i spluwa, zupełnie już bez krycia się ze swoimi zamiarami. Już mi, do bagażnika – mówi do nas drugi wyjmując pałkę. – Jedziemy na komisariat.

Ja niby to stoję, spoglądam na Lewego. Lewy całkowicie w rozstroju, domyśla się już, iż to jego ostatnie chwile na świeżym powietrzu, więc stara się jak najwięcej nałapać w płuca i do buzi. Rozgląda się cały czas, namierza, by prysnąć, łzy mu kręcą się w oczach. Oko mu już chodzi niczym oszalała żaluzja, niczym zepsuta szatkownica

Ale panowie władzo, niby dlaczego? – mówi wreszcie płaczliwie, gdyż zapewne ma nadzieje, że my tu gadu gadu, pogoda zanosi się na burzę, a festyn bardzo udany, a w międzyczasie pstryk – cała amfa raptem zniknie od niego z kieszeni. Jak zatrzymywanie się tu jest zabronione, jak stanie tu jest zabronione, to my najmocniej przepraszamy. Obiecujemy, iż już nigdy nie będziemy tak po chamsku się zachowywać. Raz nam się zdarzyło – prawda. Ale wiedzą panowie władzo jak to jest. Jak idzie człowiek, zdyszy się, przystanie, popije. Raptem zagada się i zapomina, że tu jest zakaz zatrzymywania. Lecz my już z Silnym idziemy...

Idziemy wpierdolić jednym typom... – dodaję ja, gdyż mimo całej oschłości może oni tam w tych wszystkich ściśle tajnych kieszonkach w swych kombinezonach ogrodniczych trzymają jakieś służbowe serce prócz sekatora. Znaczy się nie – tłumaczę i gestykuluję, gdyż łapię się, iż wszystkie brzydkie słowa zostaną zamazane na czarno. Znaczy się idziemy pokazać gdzie pieprz rośnie takim jednym cholerom...

...z Kazachstanu – ożywia się Lewy i uderza w sentymenty prawicowe. Bo przyjechali tu podobno, jakaś jebnięta wycieczka, robić pomiary pod przyszłe wysiedlenia Polaków, pod grabienie polskich domostw... idziemy im spuścić manto. I tak przystanęliśmy złapać oddech, gdyż się spieszymy, by nie odjechali...

Jednak suki nie są wrażliwi całkowicie na tę smutną przecież propolską historię, zero współczucia, zero wyrozumienia dla nastrojów patriotycznych, całkowita oschłość. Jeden mnie bierze pod rękę do tańca, drugi Lewego, panowie proszą panów, święte oficjum, jednocześnie wpychając nas do radiowozu i recytuje do pierwszego: pisz, kurwa, tak, bez żadnego popuszczania. Kilkakrotna obraza policjanta. Wulgaryzm i obelżywość. Bezprecedensowe na szeroką skalę niszczenie zieleni i kwiatów publicznych własności państwowej. Próba nawiązania kumoterstwa i usiłowania korupcji, proruski oportunizm.

I nim my się obejrzymy, co się dzieje, nim w ogóle nam przyjdzie myśl, że oto koniec tego dobrego, to już oni pizd nam drzwiczkami w żywą twarz, i światło gaśnie, dopływ powietrza zostaje wyłączony, i nie, koniec, nie ma pogody, jest czarna pogoda. Lecz nim jeszcze oni zdążają nas zakluczyć na kłódkę, to Lewy w rozpaczy zdąży krzyknąć w odwecie złamanym na wpół głosem:

Pierdolone zasrane lego! Pierdolone lego policja!

Na to oni też są całkowicie niewzruszeni, gestapowscy sanitariusze. Pisz dalej tak – mówi ten jeden na słowa Lewego w tonie „Wy nam tak, to my wam jeszcze bardziej" – oboje pod ciężkim wpływem narkotyków bez możliwości nawiązania szeroko pojętego kontaktu. Ciężkie halucynacje, krzyki, prawdopodobnie szeroko pojęta choroba psychiczna z przerzutami.

A nim odjedziemy, to oni jeszcze sobie zapalą fajkę. Nic wcześniej nie miałem im tak bardzo za złe, gdyż samemu łapię się na tym, iż chcę tak bardzo palić, że jestem skłonny Lewego choćby w proteście wziąć jako zakładnika. Poza tym chce mi się pić, czuję się coraz to bardziej źle. I jak na podłodze w wozie znajduję długopis firmowy z napisem „Policja Polska Spółka Z.o.o, Przedsiębiorstwo Porządkowe wł. Zdzisław Sztorm", to od razu wystawiam go przez kratkę w wozie i kolę jednego suka w plecy, błagając, by mi dał choć trochę pomachać papierosa.

Na co on się zaraz jak oparzony odsuwa i mówi do drugiego: Oż kurwa. Pisz zaraz tak, byś nie zapomniał. Nieuzasadnione napady agresji z użyciem ostrego narzędzia.

I na tym się kończy. On niedopaloną nawet fajkę gasi, rzuca, co tę marnację widzę dokładnie przez okienko, pierdolony pies ogrodnika, sam nie spali, a drugiemu nie da. I jedziemy. Lewy w rozpaczy, płacze. Tamci tak. Jeden kręci kółkiem, drugi zerka, czy nic nie kombinujemy. Lewy mi oczami daje do zrozumienia na swą kieszeń, gdzie amfa płonie suchym białym ogniem, że jesteśmy skończeni, a on tym bardziej. No to ja wtedy już nie wiem, co robić, to wrzeszczę: uwaga, pali się!

Oni mimo szyby jakby słyszą, więc oglądają się na nas. A wtedy ja mówię: po prawo! Pokazując na prawo. I w ułamek sekundy, jak oni z czystego głupiego odruchu patrzą na prawo, to nim zdążą się skapnąć, że to ściema, to Lewy nadąża z wywleczeniem amfy z kieszeni i skitraniem jej pod jakiś koc, a drugą ręką przeżegnuje się. Tak to się dzieje.

No i wszystko wtedy jest raz dwa. Wysiadamy. Idziemy potulnie bez nawet kajdanek, gdyż już jesteśmy nauczeni, że cokolwiek powiesz lub zrobisz, są na to niezliczone paragrafy, każde twe słowo jest poprzekręcane na lewą stronę i wykorzystane przeciw tobie.

Ja pierdolę – powtarza tylko Lewy – pierdolone lego, pierdolone lego.

Wtedy są różne święte inkwizycje, robią nam wpierw zdjęcie legitymacyjne, co myślę, że muszę dość źle wyglądać. A potem pokój numer dwajścia dwa, a Lewy jeszcze inny. A ja właśnie mam przydzielony dwajścia dwa, do którego jestem za ramię podprowadzony przez suka, jeszcze przez krótkofalę słyszę, jak nadaje: prowadzę go na dwudziestkę dwójkę, to niech Masłoska spisze zeznania i koniec z tym burdelem.

Ja już jestem całkiem obojętny na to, co ze mną robią, ale to akurat coś mi się wydaje dziwne, to nazwisko. Gdyż słyszałem je już gdzieś, co nie jestem pewien gdzie, lecz nadzieja we mnie odżywa, iż może się uda coś się zakręcić po znajomości, tu i tam podać rękę, powiedzieć coś miłego zarówno za mnie, jak i za Lewego i wszystko jeszcze jakoś się ułoży, uda, jeszcze nas pocałują rękę przed wyjściem, a ślady naszych butów obwiodą czerwonym flamastrem, tu chodził Andrzej „Silny" Robakoski i Maciej Lewandoski „Lewy" męczennicy w obronie rewolucji anarchistycznej w Polsce, niesłusznie oskarżeni i aresztowani w łapance dnia 15 sierpnia 2002 o godzinie ósmej wieczór. A na komisariacie w ogóle pierdolną tu muzeum sponsorowane przez Radę Miasta, w gablocie moje dżiny i katana na manekinie, w klapie katany ordery za wierność anarchistycznym ideałom, za obalanie faszyzmu, spuszczanie wpierdol faszystowskim turystom. A dżiny jeszcze z plamą jako relikwia po miss publiczności Dnia Bez Ruska, będą przychodzić tłumy, przykładać rękę do szyby i wszystko im się w kilka dni uzdrowi, i wysypka, i trądzik, i dałn, wszystkie choroby im raptem odejdą, a tym dziewczętom, które są już po, a na przykład wolałyby nie być, to odrasta co trzeba i mogą spokojnie się żenić bez wyrzutu sumienia i w razie spisu ludności i inwentarza, zakreślać sobie dziesięć na dziesięć punktów w rubryce „czystość i niewinność". A ja nie będę wtedy próżnował, pierdolnę sobie jakieś grubsze przebranie i będę szefem tego całego interesu. Wstęp – dziesięć zeta, uzdrowienie: pięćdziesiąt, ptasie mleczko, zeta od sztuki, od pudełka czterdzieści (reklamówka – 50 gr), wycieczka do grobu Suni – trzydzieści zeta plus autokar dziesięć od łebka, porada Ali – dwadzieścia, choć sam nie wiem w sumie ile, bo tak naprawdę to jej porada jest gówno warta, a ja nie chcę ludziom wciskać szarlataństwa i proroctw sekty New Age. Tylko samą anarcho-lewicową istotę wszechrzeczy i statki wolności pływające po morzu wolności.

A kiedy to tak sobie myślę, wyobrażam, widzę to oczami duszy swojej, to naraz otwierają się drzwi. I wychodzi z nich facet jakiś, który właściwie to nie ma nic do całej sprawy, gdyż jest niby to zwyczajnym jednym z wielu statystów, którzy pracują w tym filmie. Ale ja go od razu zauważam, iż coś jest z nim nie tak i to ma bezpośredni związek z tym pokojem, wszedł pewnie uśmiechnięty, pełen optymizmu i o prostym kręgosłupie, a jak już wychodzi to postępująca skolioza i garb pełen zapasowej wody na moralnego kaca, a wszystko, cała jego zmiana, to była kwestia wejścia na ten jeden właśnie pokój dwajścia dwa. Lampę mu w oczy, tortury psychiczne, przyzna się czy nie przyzna się do faktu, iż ma u Ruskich kuzynostwo, mamy na to dowody, mamy twoje zdjęcia, tu niby patriota, a wkłady do ołówków automatycznych kupowało się dzieciom ruskie, ot, za to mu lampa w oczy, za to mu skolioza. Za maszyną siedzi jakaś ściemniona maszynistka i spisuje wszystko, co powiedział, ale tak, jak jej pasuje do formularza, jakkolwiek pytanie by było sprekonfigurowane, to ona wpisze: tak. Tak, żywi orientację proruską, tak: chce zaboru, tak: przysięga na Polskę, iż to nie Ruscy wpuścili zasolenie do Niemenu. A wszystko tylko dlatego, iż „nie" w tej maszynie nie działa, ten wyraz akurat został wyeliminowany z czcionki. I to jeszcze zanim rozpętała się wojna, wyrwali je już, jak przesłuchiwali artystów plastyków o ciągotach solidarnościowych.

No ale jak słyszę „następny" i tam włażę, to stwierdzam, iż tej maszynistki akurat nie można oskarżyć o fałszowanie wyników wyborów moralnych ze stanu wojennego, gdyż obliczam sobie w pamięci, iż ona wtedy nawet nie wiedziała, co to tak, a co nie, gdyż ona wtedy prawdopodobnie jeszcze nie żyła ot co i nawet się na nią nie zanosiło. Gdyż na oko to ma maksimum trzynaście lat.
Dzień dobry – mówię z góry, żeby być uprzejmym dla niej, to może raptem nauczy się pisać „nie". Ta nie odpowiada, to od razu zaczynam

podejrzewać, że jest między nami brak respektu, szczególnie iż ona ma krzesło wyższe niż moje. Za mną zaraz wchodzi ten suk i mówi: te zeznania, Masłoska, to masz potem zanieść razem z kawą i ciastkiem do komendanta, tak on mówi, i sama też masz do niego przyjść na dłuższą chwilę na poważną gawędę, on tak mówi. Na to Masłoska mówi głośno: tak, panie sierżancie, a równocześnie stereo coś mruczy do siebie, jakieś wulgaryzmy, coś o ZHP. Jak to słucham co ona mówi, kiedy tak gapi się w te klawisze i celuje w jeden po drugim jednym palcem, a drugi ogryza paznokieć, to od razu zdaje mi się, iż to ja tu powinienem prędzej siedzieć za tą maszyną i spisywać jej historię choroby. Umysłowej zresztą.

Nazwisko – ona mówi. No to ja nic. Robakowski – mówię. Imię? Andrzej, bardzo mi miło dodaję a ty?

Ja Dorota – mówi ona i na mnie dziwnie patrzy, że aż dostaję halun na bańkę, iż ona wszystko jak gdyby o mnie wie. Lecz o co chodzi. Patrzę na nią, czy może ją gdzieś kiedyś już spotkałem, na jakiejś dyskotece w Luzinie czy w Choczewie latem, lecz trudno mi to poznać, gdyż ma na sobie niebieski kombinezon, kostium pod tytułem „kierowca autobusu Neoplan", za duży zresztą. Zegarek ma ze złą godziną ustawione, na lewej ręce napisane ma długopisem „L" jak lewy, a na prawej „P" jak pinda, co pisząc lub robiąc cokolwiek, często gęsto sprawdza.

Imię matki... – ona szemrze do siebie – jo, imię matki kurwa...Ma...ci..ak....Iz.. a ...b.. ela.. i jedno „l", a po mężu...Ro... ba... kos.. ka... kurwa.

I wtedy coś mnie tchnęło. Coś mnie tyka wielkim palcem, e, Silny, obudź się, jakiś grubszy halun się kręci na twoich oczach, oto siedzi tu ta maszynistka, nawet nie wiesz sam jeszcze, czy chciałbyś ją przelecieć, czy nie, a raptem zna imię i nazwisko twojej rodzonej matki. Obudź się, Silny, bo kręci się tu coś, o czym nie wiesz, pod spodem, w ścianach poukrywane czyjeś są tajne, jasnowidzące oczy.

Pracujesz? Uczysz się? – zagaduję ją, by trochę się oderwać od tego chorego filmu, co mi został wkręcony i zamyślam się, czy to przypadkiem nie początek jakichś tortur.

Ta pisze dalej, ma tak wolny zapłon, a jak wtem nie powie raptem: co? do mnie, to sam aż się jej boję, gdyż wygląda na raczej nienormalną, jakby całkowicie nie z tego osiedla była co ja, tylko z innego. No i wtedy

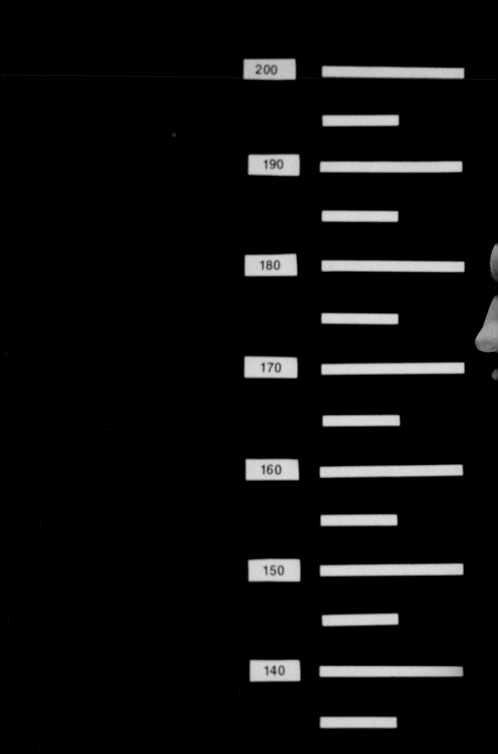

jakby zrozumienie tekstu mówionego przez nią z jej strony, ma dziewczyna tą zaletę przynajmniej, że rozumie po polsku, choć najprawdopodobniej mówi jakimś własnym narzeczem wewnętrznym śródlądowym, w który zalicza się również palenie papierosów. Nawiasem mówiąc, jak ona tak pisze na tej maszynie, to najwyraźniej toczy ze sobą jakieś grubsze potyczki słowne w myślach, jakąś śródwewnętrzną wojnę domową i walki bratobójcze na noże do smarowania chleba, jakieś wewnętrzne obliczenia na własnych liczbach niewymiernych. No ale po polsku też jako tako się porozumiewa, to mówi do mnie tak: Jo. I to, i tamto też. Wszystkie. Odpowiedzi. Są Prawidłowe. Wygrałeś. Tę nagrodę.

Wtedy bierze, wyrywa z maszyny literkę „n" i do mnie rzuca. Ale nie trafia, bo pewnie pomyliły jej się strony.

No to wtedy ja już postanawiam nie popuścić, bo nić przyjaźni między nami została nawiązana, a kto wie, jak to będzie, od słowa do słowa, fajny film widziałem wczoraj, potem ona się rozkręci, da mi swój numer na komórkę, ja od Kacpra pożyczę jego golfa, to po nią przyjadę, pojedziemy gdzieś nad jezioro czy na kawę, herbatę, a raptem w międzyczasie okaże się, iż literki „n", „i" oraz „e" się odnalazły i zaczęły gwałtem działać, i cisną jej się pod palce jak oszalałe w odpowiedniej konfiguracji, konfiguracji „nie", proruski? – ona wpisuje: nie, alkoholik? – ona wpisuje: nie, winny? – ona wpisuje: NIE.

No to mówię do niej tak: a gdzie się uczysz? Gimnazjum, ekonomik, maturka zaocznie?

Ona na to coś tam majstruje przy tej maszynie raczej agresywnie, tłucze w nią ręką. NIE, odpowiada raczej z niezadowoleniem, jakby żalem. Wtedy znów ładuje się ten suk, mówi do Masłoskiej, by się pospieszyła z tą kawą i ciastkiem, bo komendant się nudzi i by się nauczyła jakichś nowych dowcipów i kawałów, bo tamte już się komendantowi podobno znudziły. I ma jeszcze natychmiast rzucić palenie, bo to jej szkodzi na kaszel czy coś, a to komendanta denerwuje. Ta znowu mówi: tak, panie sierżancie, a pod nosem coś burczy do siebie, złorzeczy coś znowu o ZHP i obozach koncentracyjnych.

Wtedy jeszcze coś tam niby klepie niczym by grała na jakimś instrumencie klawiszowym w zespole nurtu regres, a potem raptem odsuwa tą maszynę z wielkim hałasem tak bardzo, iż ta maszyna ledwie co się na mnie nie zjebie i latają przez to różne papiery, kartki, jak białe, pierdolnięte ptactwo jej domowe, które ona żywi okruszkami z kanapek. Takiej palniętej jeszcze nie widziałem.

Fajnie tu masz, przytulnie – zagajam strachliwie, by coś jeszcze gorszego nie przyszło jej do głowy, by mnie przykładowo zabić, zakłuć ostrzem długopisu i ołówka, bo widać po niej, że jest do tego zdolna. Nawiasem mówiąc jest ruda. Ale ma odrosty. Na parapecie wszystkie kwiaty są na amen zwiędnięte, pionowe żaluzje produkcji ruskiej na amen zaciągnięte, plus jeszcze szklanka porośnięta drobnymi, nieruchawymi zwierzętami wodnymi, plus na biurku są rozłożone różne wykresy, co ona robi cały czas, nawet podczas rozmowy ze mną. I jak ona tak siedzi, to ja tylko zdanżam podejrzeć, że pionowa kreska igrek oznacza kurwicę, a pozioma iks upływ czasu. Funkcja jest rosnąca. Teraz, w stosunku do obecnej godziny, jest poziom kurwicy bardzo wysoki.

No to ona zapala, mi też nawet daje, co czuję, iż będzie jeszcze między nami dobrze.

A gdzie się uczysz? – nalegam.

Studium. Zaoczne. Nauczania. Początkowego – mówi ona takim tonem „ja tu zostawiam swój pionek, dalej grajcie sami". Dla osób. Bez. Matury.

A co zrobiłaś, zawodówkę? – naciskam.

Nie – ona mówi – liceum. Zrobiłam. Ale na maturze. Mnie oblali.

O, do chuja pana – ja na to mówię, niby, że oburzony, z nią zsolidaryzowany, ramię w ramię idący na gmach MEN-u wywozić prawicę na taczkach – a czemuż to?

Czemuż? – ona mówi gorzko – bo mam moralność. Ujemną. Minusową.

Wtedy ona zaczyna coś niby odpowiadać mi. Że niby tam wygrała jakiś konkurs, coś gdzieś, jakaś gazeta, „Ty i Styl", czy „Kobieta i Życie", że niby wygrała to dwa lata temu, ale teraz nadrukowali dopiero, gdyż wcześniej mieli dużo pilnych reklam do drukowania. I jeśli nie zgubiłem wątek, to chodziło o to, iż tam był wydrukowany jej niby jakiś dziennik lub pamiętnik. Ja pierdolę, co za historia – mówię, by nie być wzięty za głupka, że niby nie rozumiem i z rozpaczą kręcę głową. No zamknij się

– ona się jak gdyby rozżala i pstryka na wyścigi długopisem, kto będzie pstrykał szybciej, ona, czy ja szyję nogą. To jest jeszcze pikuś, a teraz dopiero będzie hardkor, co się dalej stało.

I opowiada. Że ten dziennik to niby przeczytała jakaś jej nauczycielka czy coś, i wtedy jak ona poszła na maturę, to ta nauczycielka była dla niej z gruntu nieprzyjemna, wrogo i podchwytliwie nastawiona. Bo chodziło, że ona coś w tym dzienniku napisała nie tak, że pali na przykład, że różne rzeczy się działy w jej życiu natury immoral, i ta nauczycielka przechwyciła ten dziennik i to po chamsku przeczytała. Tak to rozumiem, tą całą historię.

I oblałam – ona mówi, waląc głową w biurko – z religii oblałam.

Serialnie? – pytam, niby że to z zainteresowaniem, bo z wariatami należy ostrożnie, należy ich obchodzić na palcach, cicho sza, jesteś całkiem normalna, tylko nieco inaczej niż wszyscy.

No serialnie – ona mówi załamanym głosem i z rozpaczy obwija sobie twarz papierem do maszynopisania – Serialnie, ustną z religii. Zapytała mnie ta kobieta, czy Bóg jest. To ja całkiem zgłupiałam z nerwów, w końcu strzelałam, że odpowiedź A, że jest. Ale ona była na mnie tak cięta za ten dziennik, za wszystko tam opisane, palenie papierosów, pokazywanie majtek, że i tak mnie oblała, powiedziała wobec komisji, że niby że zrzynałam, że sama tego niby nie wiedziałam, tylko zrzynałam od kogoś. I oblała mnie.

Co za suka – mówię dobitnie, by wiedziała, iż się z nią całoliniowo zgadzam i jeszcze jestem skłonny przyjść z ekipą do tej nauczycielki na osiedle i jej najszczać na drzwi, a także jej dzieciom przemówić do rozumu, by więcej się nie pokazywały ani na klatce schodowej, ani na dworzu, ani na drabinkach.

Wtedy ona popłakuje, siorbie nosem, pyta, czy mam chusteczki.

Nie płacz, masz tak piękne oczy, ja na to mówię. Lecz gdy ona je podnosi raptem znad biurka, wtem error, zwarcie, nie te hasło, nie te napięcie, wybuch, porwane instalacje. Gdyż wtem nagle dochodzi do mnie w przerażeniu, iż choćbym nawet bardzo chciał, to bym jej nigdy nie mógł puknąć, całkowity zakaz, czerwone światło plus wibrujący brzęczyk, kontakt grozi śmiercią. Lecz dlaczego. Gdyż wtem jest to odczucie rodem z mego snu dawnego, co dobrze pamiętam, ale tu nie będę mówił, powiem tylko, iż w rolach głównych ja i mój bracki, lecz w tym miejscu twarze są zamazane i głosy komputerowo zmodyfikowane, gdyż to grubsza czysto psychiatryczna iberacja od normy, zboczenie nie w tę stronę co trzeba, jakieś chore filmy dżordża lecące ze złej jakości taśmy, jakiś podświadomy hard porno thriller odwijający się przez sen ze szpulek. Jednym słowem kazirodcza perwercha zaczyniona we wzajemnym łonie rodzinnym na rodzinnym tapczanie. Zbudziłem się wtedy w przerażeniu, w rozpaczy i cały dzień z niesmaku na mego brackiego nie mogłem spojrzeć, iż ja i on, wiadomo. I zarówno właśnie teraz mam podobne odczucie przerażenia i chęci ucieczki przed tą dziewczyną, gdyż gwałtem nabieram przekonania, że ona jestem moją jakąś genetyczną być może siostrą lub matką, choć raptem może jej nigdy nawet nie spotkałem. Bo co jak co, lubię różne kobiety i dziewczyny, ale totalnie tak zboczony nie jestem, by postulować współżycie wewnątrzrodzinne. A już szczególnie, biorąc pod uwagę jej wygląd, pedofilię.

A ona również wygląda na tym wystraszoną. Weź mi daj spokój, Silny – mówi zniesmaczona, poczym zaraz się poprawia – to znaczy Andrzej.

Lecz ja już wszystko słyszałem, co powiedziała, powiedziała „Silny", co pogłębia moją paranoję. Gdyż jeśli to są jakieś utajone tortury, mające wydobyć ze mnie skryte proruskie kompleksy Edypa, to ja się poddaję i ona, jak chce, może z góry wszędzie wpisać: tak, tak, tak, byleby tylko już mnie zostawiła, możesz już iść, Robakoski, ja tu wszystko za ciebie wpiszę sama, jak mi pasuje, ale za to ty jesteś zwolniony, koniec z wkręcaniem ci tego chorego filmu i drożdżówka na drogę.

Lecz ona nie.

Ostatecznie nie jest mi tu aż tak źle – ona wzdycha, wolną ręką wskazując na swe zrujnowane księstwo zaciągniętych żaluzji i pozdychanych kwiatów, księstwo praktycznie bez okien, w którym jest jedna pora dnia: noc, i jedna pora roku: listopad, a dziwne, iż z sufitu się nie sypie brzydka pogoda, grad ze śniegiem i że ona tu nie siedzi w płaszczu zaciągniętym na twarz. Wiesz, nie jest źle, mam od niedawna własne krzesło – ona mówi – własną maszynę do pisania...

Co jest pewnie dalszy ciąg niby to zwierzeń, ale mających ujawnić moje proruskie zapatrywania nienarodowe antypatriotyczne

Bo ja niby miałam iść na studia – ona ciągnie. Na polonistykę, bo wiesz, zawsze byłam dobra z polskiego, z gramatyki. Najbardziej lubiłam rozbiór gramatyczny zdania. Poza tym pisałam wiersze, różne utwory. Niektórzy nawet moi przyjaciele i znajomi twierdzili, że ładne, że mogłabym nawet z nimi wygrać niejeden konkurs. Bo wiesz. Miałam talent, umiałam i użyć odpowiednio podmiotu lirycznego, i epitetu gdzie trzeba. I im się to niby podobało, ale jednocześnie słyszałam opinie, że widać wpływ frazy Świetlickiego przetworzonej przez Dąbroskiego..., sam rozumiesz, jak to wtedy przeżyłam, ja myślałam, że piszę o swych odczuciach, a okazało się, że piszę o odczuciach, które Świetlicki i Dąbroski już mieli. I tak to wygląda, co tu dużo opowiadać. Wtedy nie zdałam matury i wszystko runęło, mama mi tu załatwiła po znajomości posadę. Tak to wszystko wygląda.

Ty mi tu za dużo nie pierdol – ja mówię, bo ja powoli tracę cierpliwość dla tych jej dwulicowych zwierzeń, dla tych jej fałszywych, pośpiesznie składanych mi na pohybel zeznań, co je zmyśla na poczekaniu, bym być może też coś od siebie powiedział „nie martw się, Dorotka, moje życie też nie jest łatwe, odeszłem od dziewczyny, wdałem się w rozboje, grubsze kłopoty z sukami, bo w głębi duszy to mam na domu położone ruskie panele, a mój bracki diluje amfą, nie mówiąc nic o matce, co mówiąc między nami robi przekręty na imporcie kafelków" i tak dalej, od słowa do słowa, ta suka by sobie niby nigdy nic klepała w tą swą maszynę, butem przyduszała pedał, a w rezultacie by wyszło na jaw, że jestem ugotowany na wyrok pięć lat w zawiasach na dożywocie i zsyłkę. Choć taka niby miła, otwarta, z wyglądu trzynaście lat, a będzie już tylko młodsza, aż zniknie. Niby by nawet pozbierała okruchy ze stołu i mi dała, niby by mi nawet powróżyła przyszłość z fusów od zgnitej herbaty, gdzie hoduje zwierzęta niewidzialne, ale skuteczne. Taką ona udaje moją wielką przyjaciółkę, od razu jesteśmy na ty, mimo iż ona ma maks trzynaście lat, to od razu jesteśmy na ty, od razu ona nie wiadomo skąd zna moją ksywę.

A nawet, jeśli tak nie jest, jak myślę i ona mnie tak po chamsku nie zrobi i mnie nie zakapuje, to zawsze ona może wziąć i mnie opisać w jakimś swoim utworze, a co jej zależy, z użyciem prawdziwego mego nazwiska i danych osobowych, niech nie wychodzi ten prorusek z domu na miasto do końca życia ze wstydu.

Teraz tak – ja mówię full powaga, bo dowcipy i żarty się skończyły, więc popycham nawet oburęcznie biurko dla wywołania u widzów grozy. Skąd znasz mą ksywę? Tylko bez żadnej ściemy.

Na to ona trochę się miesza, trochę nie wie, co powiedzieć. Rozgląda się, gdzie by się tu schować przed moim gniewem, może do szuflady, proszę bardzo, ja i tak ją stamtąd wywlekę ze włosy, jak się dosyć tyle podkurwię. Wtem ona mówi tak.

Skąd znam twoją ksywę? No znam, to się nie da ukryć. I wtedy wyjmuje jakieś teczki, akta, cały burdel, całą swą hodowlę papierzysk, białych ptaszysk gruntownie rozprasowanych na płask, pospinanych w pliki. I zaczyna mi czytać, co ma opanowane biegle mimo wieku ewidentnie dziecięcego. „Andrzej Robakoski, pseudonim „Silny", nazwisko panieńskie matki Maciak Izabela rozwódka zatrudniona oficjalnie przy promocji artykułów higienicznych Zepter przez Zdzisława Sztorma numer pesel, to nieważne. Widziany w dniu dzisiejszym 15 sierpień 2002 na festynie w amfiteatrze miejskim pod hasłem „Dzień Bez Ruska" z niejaką Arletą Adamek pseudonim „Arleta", skazaną w zawieszeniu za współudział w pobiciu paragraf numer, to nieważne, w rozprawie z dnia 22 luty 1998, numer seryjny rozprawy jeden trzy osiem trzy jeden jeden, numer seryjny pobicia tysiąc siedemdziesiąt osiem, numer seryjny oskarżenia jaki, to już nieważne. Podejrzewany o doprowadzenie do upadku mieszkańca miasta Adama Witkowskiego i przewrócenie go w błoto, jak również prowokacyjnego zniszczenie jego mienia w postaci kiełbasy zwyczajnej w barwach manifestujących sympatie pronarodowe. Poszkodowany Adam Witkowski zeznaje..."

Dość – mówię, gdyż zaczyna mi się kręcić w głowie. Gdyż również może i w wannie, i nawet moje sny są być może permanentnie inwigilowane. Masz tego więcej? – dodaję słabo.

Wtedy ona wzrusza ramionami, odsuwa jakąś szufladę i wtem ja mówię: ja pierdolę, bo ujawnia się moim oczom jakieś całe wypasione archiwum kagiebe rodem z filmów sensacyjnych USA, gdzie niczym osobne zwierzęta, poprasowane i pospinane, są akta, istne laboratorium, gdzie na masową skalę kwitnie inwigilacja i mentalne ocieractwo.

Lecz nim ona to zdąży zamknąć, to już wchodzi jeden jakiś suk i mówi tak: Masłoska, streszczaj się i do komendanta, on czeka na ciebie, ma zero towarzystwa, jest całkiem o to rozkurwiony. To po pierwsze. Kazał, żebyś się przedtem przyzwoicie uczesała, a ogólnie narzekał na twoje odrosty. A po drugie teraz zostaw tego buca na moment, bo jest taka sprawa, którą komendant nakazał w trybie ściśle pilnym. Podobno jacyś kazachstańscy szpiedzy, co przyjechali na wycieczkę, dostali po pyskach od wracających z festynu – tłumaczy ten suk – lecz dowodów nie ma i zero świadków.

To ona szybko zmienia kartki w maszynie i zaraz tamten jej dyktuje tak z kartki:

„Do ambasady kazachstańskiej w Warszawie – ambasady z małej litery pisz. To ma być bardziej pośrodku. I teraz tak, od akapitu. Informujemy, iż Rada Miasta – to dużą czcionką walnij – nie przyznaje, jakoby doszło do napaści ze strony rdzennych polskich – polskich z dużej – mieszkańców miasta na wycieczkę krajoznawczą z Kazachstanu. Rada Miasta z przykrością – to dużą czcionką – zaprzecza, jakoby doszło do zamieszek, a cztery obywatelki kazachstańskie zostały poturbowane i znieważone ze względu na pochodzenie (legitymowały się one nieudowodnionymi korzeniami polskimi prawdopodobnie sfałszowanymi, śledztwo w toku). Wyrażamy ubolewanie nad tymi nieudowodnionymi napaściami ze strony Kazachstanu, a także tolerowaniem i wspieraniem szpiegostwa. Z bólem ogłaszamy zerwanie stosunków dyplomatycznych oraz całkowity zakaz wjazdu na teren miasta autokarów i wycieczek krajoznawczych z Kazachstanu. Z Kazachstanu – to walnij dużą czcionką, a pod spodem: podpisano, Prezes Rady Miasta Niezależny Przedsiębiorca – Mgr inż. administracji zasobami naturalnymi i stosunków wodnych – Roman Widłowy".

Masłoska wyjmuje wtedy kartkę z maszyny, dmucha na nią, poczym w miejscu na podpis składa zamaszysty podpis „Roman Widłowy mgr inż" i wali odpowiednią pieczątkę.

Suk bierze ją od niej, patrzy, czy nie narobiła literówek, czy wszystko jest full powaga i mówi: spisz tego buca i idź do starego. Poczym wtedy wychodzi.

Co ty tu jesteś, dupa komendanta? – pytam się jej wtedy wprost, jak jest. Gdyż ona tu taka nieśmiała, cienki głosik, wielka satysfakcja z tytułu własnego krzesła obrotowego, wstukuje skromnie po jednej literce na minutę, a po cichu zapewne wykrada komendantowi order generała, kompas i lampas, i z ukrycia trzęsie całym przedsiębiorstwem, popalając jego fajki.

Jooo – ona mówi pełna goryczy – wręcz odwrotnie, ten Landau istny mnie zabija. Co piętnaście minut on mnie woła, bo mu się nudzi. Każe sobie malować pejzaże, swoje portrety en face na tle niby lasu. Go kręci, że ja czytam różne książki. Każe mi najpierw powiedzieć tytuł i autora, co sobie notuje. Obiecuje mnie za to niby przenieść na inny pokój z podnoszącą się żaluzją. I niby mundur w moim rozmiarze, ale to niepewne, bo niby budżet. Muszę mu zawsze wszystko powiedzieć, plan ramowy tej przeczytanej książki, okej. Cały świat przedstawiony. On wszystko notuje sobie do kalendarza, a potem uczy się na pamięć. Potem jak coś, jakieś starcie z Zakładem Oczyszczania Miasta, jakiś protest anarchistów, to on przez mikrofon wali odwołaniami literackimi na prawo i lewo, i udaje wykształconego. Naprawdę. Na tej podstawie zresztą on w Komendzie Wojewódzkiej nakręcił Ogólnopolicyjny Klub Czytelnika, tak zwane tu Okace. Wyjmuje za to kasę. Jest tam przewodniczącym. W wolnych chwilach muszę mu pisać referaty na zebrania, czaisz? Przykładowo ten ostatnio, co pisałam – tu Masłoska wyciąga jakieś pokreślone kartki – „w ostatnich tygodniach czytelnictwo w służbie porządku wzrosło nawet o 25%. Wypożyczane są najczęściej pozycje fantasy i przygodowe. Najniższym zainteresowaniem cieszy się półka z literaturą radziecką, są to sporadyczne i szybko wykrywalne przypadki wśród personelu niższego. Najwięcej wypożyczeń odnotowano natomiast w dziale polskiej literatury romantycznej, w związku z czym komitet OKC zadecydował o zakupie nowych wznowień Mickiewicza i Słowackiego".

Takie rzeczy muszę pisać, a czasami celowo robię błędy. Przykładowo dwa dni temu nawet ostentacyjnie zrobiłam kilka antysystemowych ortograficznych i interpunkcja, policja maską Babilonu. A nikt się nie skapnął nawet, ci z klubu pewnie w ogóle tego nie słuchają, jak on czyta, tylko ukradkiem żrą słone paluszki i rzucają się papierkami.

Wtedy wzrusza ramionami i mówi tak: bo to ich wszystkich to tu wszystko tak naprawdę gówno obchodzi. I tak tego miejsca tak naprawdę nie ma, to po co się męczyć, po co brać to na poważnie, przykładać się, mieć motywację do lepszego udawania? Wtedy ona głośno puka w ścianę i mówi tak: tu przecież w ścianach nie ma żadnego żelazobetonu ani muru nawet, ani nic, Silny. Sprawdź sobie, tam są napchane stare gazety. To wszystko jest prowizorka, Silny, tego wszystkiego tu nie ma.

Jak ja na nią patrzę, to mi się robi słabo. Bo to już jest grubsza przesada, ostentacyjny prowokacyjnie robiony mi na moich oczach halun, jak ja mam patrzyć na takie rzeczy, to chyba wolę zacząć chodzić do kościoła. Przecież albo ona jest spalona tak bardzo, że jej złącza poszły na bańce, albo ma jakiś grubszy schiz, drzwi percepcji z nawiasów na amen wywichnięte i tak chodzi tu po komisariacie, złorzeczy swoje chore doszczętnie filmy o tworzywach sztucznych. A że co ma zrobić, wpisać do maszyny – to wpisze, to dają jej spokój, czasami jej najwyżej doleją nervosol do herbaty, by za dużo nie przepowiadała komendantowi pójścia do piekła za malwerchy.

Nic nie rozumiesz, Silny? – ona mi się jeszcze usiłuje wszystko wytłumaczyć i jeszcze się dziwi, że mnie jej zeschizowane horoskopy nie robią wrażenia, na żadne zbiórki do tej sekty przychodził nie będę i nie chcę ani mundurka, ani cukierka, co ona mi wciska, pierwsza dawka za darmo, mówi, to jest zajebisty drag, zdaje ci się, że niczego nie ma.

Ale ona dalej z tym swoim filmem: chyba nie wierzysz, że ten komisariat istnieje? Ja ci nie chcę nic mówić, ale on jest tu podstawiony. Ja też jestem tu podstawiona, a ten mundur, co mam na sobie – tu mi pokazuje, jak ma za duże rękawy o pół metra, co sięgają do kolan – to wszystko jest wypożyczona ściema, włókno szklane, papier. A za oknem nie ma ani pogody, ani krajobrazu, tylko jest scenografia. Że jak mocniej uderzysz, to się rozleci i przewróci. To się nie dzieje naprawdę, tylko, rozumiesz, to jest napisane. W wykresach, w tabelach, w aktach, w dziennikach lekcyjnych...

Okej okej – ja mówię, i przesuwam swoje krzesło do tyłu, by mnie jeszcze ta psychiczna nie uderzyła ni stąd, ni z owąd jakimś prętem, nie dźgnęła długopisem dla podniesienia ekspresji – ja wszystko rozumiem. Nie ma mnie, nie ma ciebie, nie ma nas, to już ustalone. A teraz koniec porad na temat sens istnienia i istota wszechrzeczy, bo my tu gadu gadu, a Ruski się zbroją. Pytaj mnie, co tam trzeba, i ja stąd spierdalam, gdyż nie przyszłem tu na elektrowstrząsy psychiczne, tylko na uczciwe autentyczne zeznania. Albo zeznaję, albo koniec, ja na sekty nie idę, mam dość innych zainteresowań w czasie wolnym.

Masłoska już nabiera powietrza, by jeszcze coś powiedzieć mi i wytłumaczyć swoje urojenia,

Zaraz jest gotowa wyciągnąć planszę, wskaźnik i pokaże wzrost swojego urojenia w stosunku do ilości wypitej herbaty. Ilość herbaty wzrasta, to pojawiają się efekty dźwiękowe, świetlne, żurawie z origami latają jej przed oczami, pani już na dzisiaj podziękujemy, było miło, ale powinna pani się porządnie przespać. I ona o tym wie, odpuszcza sobie. I dobrze gdyż jeszcze jedne słowo i bym dzwonił z komórki po szpital, żeby tu przyjechali, przywieźli ze sobą cały budynek i ją natychmiastowo pod haloperidol podłączyli.

Ale ona rozumie chyba moje zaciekłe niewzruszone stanowisko, mówi, okej, Silny, okej, tematu nie było. To jak już chcesz, ja ci zostawiam wolną rękę. Mogłabym wszystko w twych zeznaniach ujawnić, twoje poglądy lewackie, a nawet posunąć się do tego, że bym ci wpisała do karty udział w związku wojujących bezbożników. Miałbyś przesrane w całym mieście. Ale nie, respekt, cokolwiek ty tam sobie masz za poglądy, ja ci tu wpisuję kategorię: radykalnie antyruski o tendencji prawicowej. W „osiągnięcia indywidualne na rzecz polskości" to damy... nieważne, coś wpiszę, działalność agitacyjną, propinację chłopów... zaraz pomyślę. A ty, jak chcesz, możesz już iść, jesteś zwolniony, wpadnij jeszcze kiedyś, to pogramy w warcaby, przepadam za warcabami.

Jasne – ja mówię na koniec w konwencji niby bardziej przyjacielskiej, gdyż generalnie była to dziewczyna miła, uczuciowa, choć na wskroś na wylot chyba pierdolnięta. Póki co jeszcze nic nie jest pewne, czy to nasze solo przeżyję, na razie tu stoję i przykładowo, nim zdążę wyjść, ona mnie może rzucić nożem lub strzałką wyjętą spod biurka. Temu ja nie zadzieram z nią i głośno mówię jej serdeczne życzenia na nową drogę życia, żeby dostała jakieś zupełnie nowe, wypasione literki do maszyny, co dotychczas takie nie istniały.

Czego i ja sobie życzę – wzdycha ona, przekładając papiery – bo już

wariuję tutaj. Teraz ostatnio, pomyśl sam, są same sprawy o proruskość, kolaborację z wrogiem, sianie fermentu. Jedna, dosłownie jedna była o usiłowanie wymuszenia amfetaminy, co się ze szczęścia prawie posikałam, że jakieś nowe słowa prócz „proruski", „antypolski" i „tak" mogę wpisywać. A tak to ciągle jakieś odpiłowanie łańcucha z barierki, jakieś poplamienie flagi, jakiś handel niepolską herbatą, już dostaję dosłownie filmu, że książkę tu o tym piszę.

No jasne, pisz – mówię jej na koniec – najlepiej wspomnieniową. Pod tytułem *Byłam pierdolnięta*.

I to mówiąc nim ona zdąży mnie za to zabić, co jestem pewien, iż planuje, czmycham z pokoju w trybie fast forward, trzaskam drzwiami. Gdyż muszę się jeszcze wrócić po tą utraconą krótkofalę, co nie popuszczę, a ją odzyskam. Gdyż podobała mi się, fajna to była zabawa.

A jak wybiegam na podwórko przez nikogo nie zatrzymywany, to od razu chcę sprawdzić, czy to, co ona mówiła, to czy aby przypadkiem to nie jest jakaś niby prawda. I ja muszę to sprawdzić, bo inaczej wtem okaże się, iż wszyscy mnie tu ostro chujali. Podbiegam pod mur i wpierw leko w niego pukam puk puk. I istotnie ku memu zszokowaniu rozlega się dźwięk niczym bym nie stukał w mur, tylko bawił się w styropian przy rozpakowywaniu telewizora. Styropian tektura i wata szklana, oto z czego zbudowane jest to miasto, zdawało ci się, Andrzej, mówi moja matka znad kuchenki smażąc kiełbasę, zdawało ci się, że żyjesz, sam się sobie przyśniłeś, miałeś na swój temat sen erotyczny. Przecież nie myślisz chyba, że to się dzieje naprawdę, przecież to miasto jest papierowe, gdyż ja również jestem zrobiona z tektury i jeżdżę do pracy niby samochodem, a jak ty patrzysz przez okno, jak odjeżdżam, to nie kumasz, że to resorak zakupiony w kiosku. Tak tak, Andrzej, łudź się, współpracuj z fotomontażem, co Masłoska wysmażyła na twoje potrzeby, wsadzaj głowę w ten otwór.

A ja już takiego chorego filmu nie zniosę. Nie zniosę. Takiego chamstwa psychicznego, jakie oni na mnie praktykują, nieznani wrogowie zza drugiej strony rzeki, co pociągają w tym całym teatrze za żyłki, przeprowadzają na mnie eksperymenty na zwierzętach, z moich tkanek produkują kremy z elastyną i kolagenem, hodują mnie na buty i torebki. Nie wytrzymam tej niepewności, cały drżę z oburzenia, z rozpaczy. I jak się nie rozpędzę z niejakiej odległości, jak się nie rozbiegnę i nie pierdolnę w tę ścianę, ramieniem, całym ciałem włącznie z głową, jak nie walnę w ten cały interes. A wtedy to już nie wiem, co jest prawda a co jest papier. Znowu rozlega się ciemność.

★ ★ ★

A dalej już nie było tak lekko, jak to pokazują na animowanych kreskówkach o szmacianym piesku czerwonym w czarną kratkę. Że tralalala, piesek zapierdala po podłodze, pizdnie się w kant szafki i widzi gwiazdki, lajcik, zaraz wstanie, otrzepie się z tego, co mu odpadło i zapieprza dalej, fikając ogonkiem. I że jak on zbije wazon, to spoko, bo wazon zaraz sam się sklei, pan montażysta już zadba, by taśma poleciała do tyłu, wciśnie rev, zanim Ola łamane na Ela wróci ze szkoły i się wkurzy, coś narobił, głuptasku, co za nieporządek, istna stajnia Augiasza, jak mama wróci, to dopiero cię złaja.

Nie ma tak, w tym urządzeniu jest tylko jeden przycisk play, wciśnięty już na wieczność, wrośnięty w obudowę. I film leci. Lecz jednego jestem pewien, ta maszynka się panu popsuła, proszę pana. Jakiś elemencik, jakaś śrubka nie tego, taśma się zerwała i łopocze na wietrze.

Ostatecznie nie chcę być oskarżony, iż jakoby kłamię. Bo każdy powie: tak tak, Silny, do widzenia, idź się leczyć do przychodni rejonowej z mitomanii, a my ci jeszcze założymy kartę stałego pacjenta i za ciebie będziemy składki do ZUS-u płacić. Bo takie rzeczy się nie dzieją, powiedz sam, kto rzyga kamieniami, przeż to jest z gruntu niemożliwe. Rozumiem, raz niby Kisiel się napił piwa z kipami, to połknął jeden, a wyrzygał dwa, ale to jest fizycznie możliwe. A natomiast ty tu coś kręcisz, coś ściemniasz grubo, a twój halun jest niewspółwymierny, masz blachy grupo pogięte, halun cynkowski, już nie odróżniasz człowieku, co się dzieje naprawdę od twych omamów. Tak tak, Silny, to wszystko fajnie się opowiada z twojej strony, my cię lubimy, szacunek na osiedlu, ale w to nie wierzymy, co to to nie i bądźmy dorośli.

A ja powiem tak: ja tu nic nikomu udowadniał nie będę. Dupa. Koniec. Przysięgi na flagę biało-czerwoną nie złożę.

Powiem tak wprost: ta noc nieprzebrana zapadła prawdopodobnie uchwałą z dnia 15 sierpień 2002 z okazji mojego zderzenia z murem komendy rejonowej Policji Polskiej Sp. z o. o., co w pełni sobie zdaję z tego sprawę i mówię z góry uczciwie. I to nie są żadne czary mary, palec włożony mi w oko przez dystrybutora krainy Oz na Polskę. To jest utrata przytomności w wersji klasycznej, o czym można przeczytać w każdym poradniku sympatyka PCK. A jeśli jeszcze doliczyć do tego inne nalecia-łości chemiczne, zatrucie trującym amerykańskim panadolem i niepożą-dane koreakcje z innymi lekami amfa i nervosol, to logiczne chyba, że nie jest ze mną dobrze, i blacha w mózgu nie tyle pogięta, co złamana na dwie części, i nie żadne tam zwarcie na stykach, Kasia Kowalska bierze spida lecz nie ma spida, tylko ostateczny krach systemu instalacji nerwo-wych. I biorąc nawet na logikę, to to nie było możliwe, bym po prostu w takich okolicznościach przyrody walnął głową w ten mur i co. Poszedł spać na kilka godzin, obudził się w świetnej formie, rześki i pełen sił na nowy lepszy dzień, i zaczął przestawiać meble.

A powiem jeszcze tak: gdyż zapewne straciłem przytomność, ale to nie jest taka zwykła utrata przytomności, że ciemność, patrzysz w prawo, patrzysz w lewo i nic. Tylko różne sny, haluny ostre i wyraziste, z któ-rych nie sposób tak po prostu wyjść, powiedzieć do widzenia i trzasnąć drzwiami. Nie da się. Impreza się kręci, a ty jesteś na tej imprezie, podłą-czony do sufitu tysiącem kabelków i nie ma odwrotu.

Powiem tylko, że odnośnie tego co powiedziałem wcześniej: był to gruby, naprawdę gruby halun, największy mój halun życia i jeśli wcze-śniej miewałem złe sny, to nie były one nigdy złe aż w tym stopniu. Zawsze jakieś naczynie połączone z rzeczywistością. A tu słoik pełen haluna zakręcony starannie i UHT.

Więc było tak i mówię to wprost, bez już wielkich teorii, metafor i tłu-maczenia trudniejszych wyrazów: fabryka godeł. Facet odkręca orłowi łeb, drugi wyjmuje zawartość, zakręca, trzeci prasuje i dokleja koronę, czwarty przykleja na czerwone tło. Pełna współpraca, wydajność sto godeł na minutę. Odgłosy totalnej rzezi, prasowane orły wrzeszczą ze ścieżki produkcyjnej o pomstę do nieba, zostawcie nas, my się nie zgadzamy. Wtem okazuje się, że to taki film puszczony z rzutnika. Masłoska stoi pod ekranem, macha wskaźnikiem. Jest publiczność. Podwójna, bo odbija się w oknach, więc dwa razy więcej publiczności, coraz to więcej publiczności. Kto to są? – wrzeszczy Masłoska do wzburzonego tłumu, tłukąc wskaźnikiem w ekran. Mor der cy – skanduje rozjuszona publiczność. A co oni robią? Mor du ją. A co czują orły? Cier pie nie. I co jeszcze? Ból! I tak w kółko. Wtem na ekranie pojawia się ni mniej ni więcej tylko Kwaśniewski z Jolantą Kwaśniewską, przekopiowani z gazet, kolejno pod rękę, za rękę, w lesie i na spacerze, co za halun, publiczność już zobaczyła, już skojarzyła i wrzeszczy raptem: wypchać prezydenta, wypchać prezydenta! Tłum szaleje, niszczy wszystko co napotka i wtem ni z tego ni z owego słyszę wrzask wznoszący się nad inne: wypchać Silnego! I już tłum podchwytuje, ja raptem też, by się nie ujawnić ze swymi poglądami, wołam razem z nimi: wypchać Silnego! wypchać Silnego! A wtem jak Masłoska nie wyceluje we mnie wskaźnikiem, widzę jego czubek, co mierzy mi w klatę, na co ja mówię: no co, Masłoska, przecież jesteśmy kolegami, nie? Jesteśmy przecież koleżanką i kolegą, co ty tak nagle, nie lubisz mnie już? Jak cię obraziłem wtedy, no to sorka, no przeż nie mówiłem poważnie, no Masłoska... nie rusz... zostaw... lecz mam przeczucie, że koniec mój jest blisko, że to już niedługo, że coś pulsuje, jak gdyby wręcz pika i myślę, iż to memu sercu zebrało się na takie desperackie rozruchy tuż przed śmiercią.

★ ★ ★

Kurde, mówił coś o Masłoskiej – mówi ktoś do kogoś i ja dostrzegam wtem, tyle ile jestem w stanie zobaczyć przez szparę, że to jest dziewczyna, Andżelika Kosz zresztą. A założyłabym się, że on nie czyta „Twój Styl", że go takie gazety denerwują. Jak go poznałam, wiesz, to myślałam, że on jest taki z gruntu męski, mroczny, pierwotny. Ale okazało się, że jest wrażliwy, najpierw ta desperka teraz, a jeszcze okazuje się, że on czyta „Twój Styl", naprawdę się tego nie spodziewałam, pozory są tak mylne. Gdybym wiedziała, to nasza znajomość by też potoczyła się inaczej. Przecież ja znam tą Masłoską, to wszystko mogło wyglądać inaczej, ona czasami czyta przecież w „Strychu", mogliśmy tam razem pójść, posłuchać, razem to poczuć. Jej poezja jest właśnie taka jak lubię, o zniszczeniu, o rozkładzie kobiety przez mężczyznę, przecież mogliśmy tam razem pójść. Ta cała tragedia, ta przelana Silnego krew, co miała miejsce, była niepotrzebna, po prostu zbędna.

No kurwa – słyszę drugi głos. Tym razem bardziej z pierwiastkiem męskim, lecz przez szparę widzę w słabej jakości obrazie Nataszę Blokus i to jest prawidłowa odpowiedź. – To jest pojeb, żeby się do takiej despery uciekać, poniechaj go, Andżela.

Ale nie rozumiesz, że kimkolwiek bym teraz nie była miss publiczności i objawieniem środowisk młodoliterackich, to on nie może w takich ciężkich chwilach pozostać sam zdany na pastwę cierpienia, oschłości ze strony otoczenia.

No i kurwa co, ja tam go teraz przewijać nie będę, przejebał sobie na policji, przejebał sobie na mieście, to ja teraz też mam ważniejsze sprawy. Widziałaś tego tapicera w dżinsach, to on wziął ode mnie numer na komórkę.

Szpara we mnie, przez którą ja to wszystko widzę, a prawdopodobnie i słyszę, jest wąska. Reszta wokół szpary jest czarna, bezbrzeżna i sięga niewiadomokąd, a w dodatku boli. Robię wysiłki, by tę szparę mocniej uchylić, i choć wszystko mnie boli, to udaje mi się, co prócz Andżeli Kosz i Nataszy Blokus, w tle widzę różne rzeczy białe, jak gdyby umieszczono mnie w samym środku poszewki na kołdrę. Wszystko jest białe, a zapach jest jak gdyby lizolu, więc mam różne wizje na temat tego, jak i czym mnie tu potraktowano, a przede wszystkim, gdzie jestem, bo to jest kwestia kluczowa. Już reszta mnie nie obchodzi, czy popełniłem samobójstwo, czy nie, chociaż go nie popełniłem. Chcę po prostu wiedzieć, na czym leżę, bo wiem tyle, że leżę i nie próbuję nawet tego faktu zmienić, gdyż wiem, iż jak tylko jakaś dywersja, próba ruchu z mojej strony, to bach, i oni z powrotem mnie do tamtej sali, gdzie Masłoska wbija we mnie cyrkiel i rysuje wokół mnie koła coraz większe i większe, a publiczność bije brawo, bo wie, że mi się należało.

Cicho, kurwa, bo się budzi – mówi Natasza, bierze i brutalnie podnosi mi na siłę powieki, co ja nie jestem nawet w stanie oponować, tak jestem powszechnie ciężki, jestem chyba w ciąży z samym sobą, tak ciężki się czuję i bezbrzeżny. Wołaj tę pizdowatą salową, niech mu zapoda jakieś swoje czary mary, by trochę przejrzał na oczy.

To wtedy ja mrugam dość nieumiejętnie i widzę obraz kręcony z ręki.

Przytrzym mu te powieki – mówi Natasza do Andżeli i przekazuje jej do moje powieki do potrzymania – idę po tę białą herbaciarę, bo ona chyba poszła na wakacje pić drinki.

Wtedy podług mojego rozeznania Natasza wychodzi i Andżela nachyla się nade mną, co widzę własne odbicie przybliżające się do mnie w jej oczach, dość źle wyglądam, co więcej, wcale nie wyglądam, gdyż jestem gruntownie zasłonięty, okablowany i zapieczętowany, do odbioru po wpłaceniu kaucji.

Andrzej? – ona pyta – nic ci nie jest?

I wtedy porażka, bo kiedy ja chcę coś powiedzieć, obojętnie co, to me usta zamiast się otworzyć, są jeszcze to bardziej zamknięte. Są zamknięte tak bardzo, że aż nie da się ich otworzyć, a co więcej, już ich chyba wcale nie ma, tak bardzo stały się organem szczątkowym. A jak chcę podnieść rękę, to jej też jakby nie ma, lub też być może jest przymocowana na stałe do podłoża. Gdyż raptem to stałem się może w ogóle rośliną doniczkową, kwitnę w białej ziemi na parapecie, a Andżela mówi do mnie po to, co bym lepiej rósł i wypuszczał więcej korzeni, to mnie na wiosnę przesadzi.

Okej, nic nie mów – ona mówi i robi gest poprawiania poduszki – ja ci powiem, jak jest. Bo pewnie nie wiesz. To już nie jest wczoraj, to jest jutro. To znaczy dzień następny. Usiłowałeś popełnić samobójstwo. Ale odratowali cię. Niniejszym leżysz w szpitalu, a jak myśmy z Natą to się dowiedziały od Lewego, to zaraz Sztorm nas tu podwiózł. No to jesteśmy. Nata poszła teraz po pielęgniarkę. Jak wróci, to potwierdzi moje słowa.

To mówiąc, ona wyjmuje z torebki osprzętowanie bojowe, promocja piekła, poprawia sobie oczy, by były bardziej na czarno. Po czym zastanawia się chwilę, liczy coś, może kiedy dostanie okres, i ostatecznie decyduje się na pocałowanie mnie w policzek.

Nie musiałeś tego zrobić dla mnie – mówi, malując sobie na twarzy różne kreski kredką świecową wyjętą z torebki – nie jestem warta tyle cierpienia, bólu, zagubienia. Wiem, co musiałeś czuć, gdy wtedy odjechałam rowerem, pozosta-wiając cię samego ze zdeptanym kwiatem naszego uczucia niszczejącym na zgliszczach. Teraz to wiem: nie grałam fair, zraniłam cię, lecz gdy byłam wtedy ze Sztormem, to nie obchodziło mnie to, jaki on jest, bo on nie był taki jak ty.

Ja chcę coś powiedzieć, że to miło z jej strony, że o mnie wtedy myślała, ale zamiast tego z moich ust wydobywa się bańka, co spektakularnie pęka i się po mnie rozpryska, a może i nawet odłamki szkła idą Andżeli w twarz. Dochodzę do wniosku, iż w ostatecznym rozrachunku usta jednak mam, nie odkleiły się od reszty, za co serdecznie wszystkim dziękuję.

Cicho, bo Natasza idzie – mówi Andżela i zaraz łapska z powrotem na moje powieki, pełna gotowość do zdania służby, niby że cały czas je trzyma i neutralny temat. A wiesz? Bo niby ta wojna z Ruskimi została wczoraj załagodzona. Wiemy od Sztorma. Ma być podarowany statek, taki symbol przyjaźni, na którym polscy obywatele będą mogli jeździć na strefę bezcłową. A dla Rady Miasta bilety za darmo i barek. Dla uczniów i studentów zniżkowe na 37%.

Okej, Silny – dodaje Natasza, siadając mi na rękę. Ta franca tu zaraz przyjdzie, puści ci Eleni różne kawałki o słońcu, żeby cię trochę rozkręcić tu, bo ty nic nie gadasz. Albo inną zajebistą grecką piosenkarkę. Pizdę Gratis ze swym mężem z castingu Kutasem Gratisem.

I tyle ja widzę przez tę szparę, co mi raz to Andżela, raz to Natasza podtrzymują, istny poród kleszczowy przeprowadzony na żywca na moich oczach. Wtedy widzę jeszcze jakieś szwindle i matactwa w handlu bielą przed moim oczami, wszystko jest tak bardzo rasy białej, iż podejrzewam, że właśnie Izabela zapakowała mnie w papier śniadaniowy pergamin i że sam siebie niosę do szkoły na drugie śniadanie, że wokół wielki szept szelest idący echem po korytarzach. Co jakiś czas zapala się jarzeniówka i rozlega się wokół galeria twarzy w kamiennych bluzkach, gadające popiersie Andżeli, waza o twarzy Nataszy, muzeum interaktywne, autentyczny zapach autentycznego lizolu B, autentyczny szelest prześcieradeł. Tu postawimy łóżeczko, Magda – wapienne łóżeczko dla odlewu naszego dziecka, a tu sztuczny telewizor. Biali ludzie o białej krwi i mięsie też białym, bo drobiowym, wapiennym.

I zero czerwieni, biały orzeł na białym tle, wojna pomiędzy rasą białą pod flagą biało-białą.

Ej, Silny – słyszę szept w całkowitej konfidencji i zostaję popchnięty bardziej w głąb łóżka, co mnie już nawet nie zdziwi. Gdyż jestem do niego szczerze przywiązany, jest moim dodatkowym organem w ramach kompensacji całej reszty narządów, które mi być może odpadły. Nie umieraj jeszcze, na razie jeszcze żyj. To ja, Magda.

Nie kłam – mówię lub też mi się zdaje być może, że mówię, granice są w płynie, granice są w proszku, przesypują się po planszy i nie wiadomo, czy jestem jeszcze na polu czerwonym, czy już na białym, lecz to nie obchodzi mnie. Gdyż ten lizak po obu stronach ma dla mnie smak całkowitej goryczy. Nie kłam, Magda, iż niby przyszłaś. W chuja mnie robisz, „jestem tu, Silny, przyszłam, ale prima aprilis i wcale mnie nie ma". Koniec. Mogłaś przyjść.

Mogło być jeszcze wszystko dobrze. Ale nie przyszłaś.

No, Silny, głupku – mówi Magda wtedy i samodzielnie otwieram oczy bez udziału rąk. I przerażam się, bo rzeczywiście niby ona, ale może to tylko jej makieta, jej atrapa zakupiona dla mnie przez Barmana w zestawie ze strzałkami do rzucania. Palant z tego Barmana, czy on nie jarzy, że kurwa ja mam nogi i ręce w awarii, że oni mnie tu obwiązali różnymi rurkami i tylko dzięki temu jedynie trzymam się kupy. Zastanawiam się, jak ja na dłuższą metę będę w ten sposób żyć. Bo łaź teraz wszędzie z tym całym osprzętowaniem, butle jakieś, jakiś radar, kable się plączą pod nogami, poruszaj się teraz w promieniu metra od ściany, nurkuj w powietrzu na głębokość metra i jeszcze nie pomyl wtyczek, bo wtedy zwarcie i osobiste użyźnienie gleby.

Silny, to ja, Magda – mówi Magda i macha do mnie ręką z odjeżdżającego autobusu na wakacje. To ja, Magda, wpadłam tak ot, pogadać. Kupiłam ci malborasy, mentole, pomyślałam, że się ucieszysz. I gazetę o motocyklach, „Świat Motocykli", żebyś tu do reszty nie zdurniał.

Fajnie jest, myślę. Jedziemy autobusem. Mnóstwo pyłu jest, ale jest fajnie, silnik furczy, wszystko się trzęsie, białe pola, plantacja kredy, muzeum interaktywne, tyle zrobili pyłu, że nie widać eksponatów. Może to zresztą amfa unosi się w powietrzu, bo to jest akurat czas kwitnienia amfy, pełno pyłków lata w powietrzu, powszechna akcja narodowa alergia, zatrudnienie dla bezrobotnych.

Słuchaj teraz tak – słyszę ze strony Magdy – nie bądź, Silny, głupi. Nie daj się tak zrobić, przecież oni chcą tu z ciebie wyhodować rododendron sobie na korytarz.

Wtedy wyciąga z torebki „Świat Motocykli" i próbuje tak zrobić, żebym mógł sobie poczytać. Lecz co ona jedną rękę mi zaciska, to druga się rozwiera i gazeta więdnie. Wtedy Magda wyprowadzona takim moim zachowaniem z równowagi zdejmuje z półki radar, co do niego jestem podłączony i aż dziwię się, że jak ona go bierze, to mnie to nie boli. I buch mi go na brzuch, co aż prawie samego siebie z bólu wyplułem, lecz moje zdolności sprzeciwu są ograniczone.

Nikt nie skuma – szepcze mi Magda z otuchą i kładzie „Świat Motocykli" gazetę na radarze, co cały czas pika i być może jest to moje sztuczne serce, które teraz już zawsze będę musiał nosić ze sobą w reklamówce, to więc niech ona się z tym obchodzi ostrożnie, żeby nie zepsuć. Widzę teraz prosto przed twarzą różne literki idące przez strony do swojego mrowiska. I żałuję iż tak szybko się ruszają, bo to może jest tekst piosenki o mnie i moim bólu, którą mógłbym teraz wszystkim zaśpiewać.

Lecz to jeszcze nie koniec tej modernizacji, gdyż Magda najwyraźniej zdecydowała się polepszyć moje warunki bytowe i sanitarne. Wyjmuję paczkę fajek już napoczętą i kategorycznym gestem wkłada mi jednego do ust, co on mi od razu wypada, ale ona go wtyka na powrót głębiej, prawie prosto mi do gardła.

Tu się nie pali – odzywa się słabo jakiś głos z daleka, zapewne automatycznie włączająca się akcja antynikotynowa, co zaraz powie, co sądzi na temat papierosów i ich skutków.

Jakiś problem? – mówi zaraz Magda głośno – ja pana nie częstowałam.

Wtedy Magda patrzy na mnie, widząc iż coś jest niezupełnie tak z tym paleniem.

Co oni chcą od ciebie, żebyś ty nagle zaczął mówić stereo i podbicie basów? – mówi, bierze i wyszarpuje ze mnie te wszystkie wtyczki od kabli, co ciągną się od mego nosa i z powrotem. Tak będzie ci dużo lepiej.

Wtedy jeszcze udaje mi się zobaczyć w przyspieszonym tempie, jak ona rzuca te rurki na podłogę, podpala mi papierosa, a potem już niewiele widzę. Gdyż raptem coś ciężkiego na mnie spada na klatę, być może kamień, być może to moja własna powieka, być może to wiatrak oderwał się z sufitu, a być może to po prostu jakieś urwanie chmury z drugiego piętra, śnieg łóżek i pacjentów. Lecz już nad tym nie myślę więcej, gdyż możliwość myślenia również nagle tracę, co symbolizuje ostatecznie mój regres w kierunku roślinności.

★ ★ ★

Nie umieraj... – taką audycję nadają w radiu. „Nie umieraj, razem zwalczymy naszą wspólną śmierć" – społeczna akcja charytatywna radia Zet i polskich muzyków rockowych. – Nie umieraj – powtarza radio, a potem jakby spiker gubi wątek, bo pomyliły mu się kartki.

Nie umieraj – mówi – to wszystko moja wina.

Wtedy znowu klamka uchyla się i pojawia się szpara, przez którą bezczelnie podglądywuję, co jest na zewnątrz. Być może nawet rodzę się właśnie, wyglądam na świat z mojej matki, lecz nie podoba mi się to, co tu się dzieje. Otóż nie jest to zwykły sufit, tylko sufit ruchomy, sufit przewija się na moich oczach, świetlówki znikają i pojawiają się na powrót, gdyż może jesteśmy teraz w interaktywnej fabryce świetlówek. I raptem są też różne twarze, jest hałas. To wszystko moja wina – tłumaczy ktoś z płaczem – będę teraz już tylko z tobą, tylko nie umieraj, przecież nie o to tu chodzi, tu chodzi, żeby się dobrze bawić... A to wszystko były takie żarty... tak naprawdę to nie byłam z nikim, ani z Lewym... ani z tym całym dźwiękowcem... zrozum to, tak tylko żartowałam, żeby cię rozzłościć, idioto... a teraz wszystko będzie dobrze....

Nie umieraj, Silny, to mówisz ty, Magda, mówisz to przez telefon, mówisz to przez megafon. Jest to kolejna twa fanaberia, kup mi fajki, kup mi rajtki, nie umieraj. Jeśli możesz, nie umieraj. Nie umieraj, jak chcesz, by było między nami fajnie. Bądź kolegą, nie umieraj, bo mam akurat umówione solarium, nie mam teraz czasu na grożenie, może później. Zadzwoń do mnie pod wieczór i przysięgnij, że tak żartowałeś i nie umarłeś, już zaraz dosłownie lecę, ale obiecaj wpierw, że to wszystko nieprawda.

Chcę coś myśleć, lecz nie. Żadnego myślenia, mam zabronione myślenie, co mam chęć coś pomyśleć w jakimś temacie, to radio z wyrwaną anteną nadaje ekstraciekawą przyrodniczą audycję o wietrze, że wiatr wieje. Że wieje. To jest relacja live nadawana z miasta, początkowo był jakiś reporter na żywo, proszę państwa, nie słyszą mnie państwo, lecz jesteśmy świadkiem niezwykłego zjawiska, w całym mieście wieje wiatr. Pojawił się z zachodu i wyrwał już wszystkie flagi biało-czerwone. Mimo iż mnie państwo nie słyszą lub nie słyszą mnie wcale, zaznaczę, że już osiem osób utraciło włosy, a liczba osób, które zostały zaginione jest ciągle nie znana. Wiatr skręca właśnie w lewo, odrywa balkony od wieżowców. Pojawiły się pogłoski i nadinterpretacje, jakoby wiatr ten został skonstruowany przez Niemców, którzy chcą urządzić tu poligon, a na pozostałościach domów urządzić ścianki alpinistyczne dla oddziałów specjalnych. Wiatr wieje na niespotykaną skalę, nie da się porównać nawet z wiatrem z 1997, o którego nasłanie na Polskę rząd obciąża Moskwę.

Tu relacja urywa się, może redaktor się przewrócił, to nic, dostanie medal, dostanie pośmiertnie Order Uśmiechu i kompas od polskiego rządu na uchodźstwie za szczególny nonkonformizm w służbie prawdy. Wiatr strąca radio z szafki i teraz wyemitowany zostaje wielogodzinny przegląd przez wszystkie rodzaje wiatru, jakie istnieją. Bardzo ciekawe, każdy wieje w inną stronę i wyrywa co innego, czego nie widać, ale słychać.

Jak stąd wyjdę, to jak Boga kocham. Kupię sobie taki wiatr może, wpierw amatorsko, a później już profesjonalnie zawodowo, jak ktoś mi nie podpasuje, temu naślę wiatr na chatę, i do widzenia, instalacja zerwana, sprzęt RTV wywiane, kobiecie widać majtki, dzieci z przewianym uchem, a ja siedzę i steruję dżojstikiem, popijam browcem, Magda się rozbiera, lecz ja mówię, no gdzie, weź się lecz z tym tyłkiem, nie widzisz, że teraz jestem poważnie zajęty, zarabiam pieniądze, odzyskuję dług jednemu kolesiowi?

To są moje marzenia, wszystkie utrzymane w tonacji biało-białej, ktoś mógłby z tego film zrobić i sprzedawać jako uniwersalny film video

„Moja Pierwsza Komunia". Na tym można by zrobić interes, wkładu tyle, co z offu doprawić jakiś podkład muzyczny, pochodzić po parafiach, posprzedawać, nikt by nawet nie wyczaił, że to nie jego dzieci, gdyż wszystko by było białe równomiernie, niby że takie na maksa zbliżenie.

Nie trzeba było umierać, mówię sobie, teraz nawet nie wiem, na czym stoję. I gdyby choć jedna uczciwa osoba by się znalazła, co by mi powiedziała, kurwa, prawdę. Czy żyję. Jak żyję, to spoko. Jak nie żyję, to owszem, zaboli, będzie przykro, lecz jakoś to zniosę. Lecz w ten sposób, nie wiedziawszy w ogóle, o co tu chodzi, dłużej nie wyrobię. Iż me sny, me haluny, co sobie dobrze zdaję sprawę, że wykipiały całkiem, zalały wszystko wokół, teraz już tu mamy granicę ruchomą i święto ruchome mogące pojawić się w dowolnym miejscu i momencie niczym wysypka. Już nic nie czaję, czy to jest prawda, czy nie, cokolwiek wyciągnę rękę i pomacam, jest zrobione z prześcieradła, dokładnie to już wybadałem. Jak oni mnie tu robią w chuja, posiali na mnie prześcieradło, gleba jasna, ale żyzna i teraz prześcieradło pięknie się rozrasta, salowa przychodzi i obcina regularnie, lecz ono i tak zarosło już wszystko, wypełzło przez okno i uderza na miasto.

Gdy tak zdaję sobie z tego sprawę, wtem zachodzi taki numer. Powaga. Zmiędzy prześcieradeł, zmiędzy pergaminów wyłania się nikt inny jak Masłoska. Może wyciągnęła mnie właśnie z szuflady, otworzyła kopertę, położyła sobie na stół, siedzi i patrzy. A jak zacznę się ruszać, to ona we wrzask i trzaśnie mnie jakąś książką. Tyle jeszcze kojarzę, że to ona. Lecz muszę to powiedzieć, iż ona wygląda gorzej jeszcze ode mnie, o matko. Że ja wyglądam być może źle, to jest logika, związki przyczynowo-skutkowe w przyrodzie, lecz dlaczego ona. Spuchnięta czajna tałn, dostała pracę w Berlinie Zachodnim i robi się na Japonkę, ostatnio płacze sobie trochę w wolnych chwilach o mój wypadek, by bardziej wyglądać egzotycznie. Och, ależ mi cię żal, moja piękna, niby ty mi to wszystko wyrządziłaś, lecz ja ci przebaczam, porozumienie ponad podziałami, ja odeszłem, lecz to nie znaczy, iż ty również masz o to płakać, upijać się flegaminą i robić sobie zamach na kable. Siedź tu sobie, czytaj książeczkę, ja nie mam nic przeciwko, ja się jeszcze przesunę, jeszcze się ciebie spytam, co czytasz, choć w duszy serca gówno mnie to obchodzi.

A, takie jedno opracowanie lektur szkolnych, jak chcesz wiedzieć. Bo uczę się do poprawkowej – mówi wtem ona, co mnie szokuje do reszty, że tym bardziej zapominam już, w jakim mówiłem kiedyś języku.

Mogę ci nawet na głos poczytać, jak masz chęć – mówi ona, taka jest dobra, takie ma raptem dobre serce, dokarmia sikorki, ściera śliną wulgarne napisy w windzie, proszę proszę, niewidzialna ręka odbita z całej pety na mej twarzy. I ku memu zdziwieniu czyta mi w skrócie różne książki, czasem nawet ciekawe to są historie, cała Polska czyta dzieciom, a czy ty czytasz swemu dziecku? Szczególnie mnie rusza jedna taka baśń, co jeden gość, Zenon z imienia, dostaje w pysk kwasem na odlew, co za hardkor, myślę sobie, to pewnie gra wstępna, a potem jest już tylko bardziej, lecz tego już nie napisali, gdyż to było politycznie nierentownie. Ja staram się dawać Masłoskiej znaki kciukiem, czy dany bohater ma zginąć czy przeżyć, lecz ona zawsze na złość mi przeczyta inaczej niż ja chcę, co za niereformowalna cipa, ja bym był ją w stanie nawet podpłacić, by tylko Zenon tamtej francy oddał po pysku, ale nie żadnym kwasem, lecz łomem i jeszcze ją zabił, by było po równo, a nie że jedna płeć jedzie na drugiej i kurwia ręka kurwią rękę myje.

Okej, a najlepsze jest to, że do tych historii są jeszcze różne pytania. A najlepsze są do tych pytań odpowiedzi, co Masłoska też mi czyta. Są to pytania o rzeczy, których w całej tej danej historii nie było, gdyż autor o nich zapomniał i teraz czytelnik musi wypełnić puste ponumerowane pola od góry do dołu, które utworzą hasło. Taki rebus. Różne rzeczy trzeba zgadnąć, znaczenie tytułu i informacje o autorze, charakterystykę głównego bohatera i nauczyć się na pamięć, co się po kolei wydarzyło.

Potem są wiersze, super, jeszcze, jeszcze czytaj, Masłoska, co ci poeci napisali za listy protestacyjne do Boga, że na zdjęciach w prospekcie wszystko było pięknie, rany się goją i nie ma wypadków, a w rzeczywistości co, warunki sanitarne fatalne, brzydki hotel, na ścianach same kiczowate obrazy, zero gustu i niekompetentni przewodnicy. Jak urodziłem się z raną na froncie twarzy, to do tej pory się nie zarosła i powiem tyle, że jest tylko głębsza, mówię już tylko metaforą. I jak tu się wbije sanepid, to zamkną Panu cały ten szemrany interes, ubrudziłem sobie mankiety, ma żona zgubiła spinkę, żądam zwrotu kosztów i spotkamy się na sądzie.

Czesław Miłosz nadaje depeszę z Berkeley, Edward Stachura z nieodłączną gitarą, fotostory. Nic się nie dzieje, ale to bardzo ważne, weź podkreśl sobie na czerwono wszystkie ilustracje, to na pewno zdasz. Albo daj mi tę książkę, jak przeżyję, to sobie wytnę te obrazki, będę nosił w portfelu, jak mi się kiedyś zachce cię zarwać, to je tylko wyjmę: cześć Dorota, ten, co kroczy w pelerynie, to mój jeden kuzyn – powiem. Wybiera się właśnie na bankiet do artystów, flirt i alkohole, jakbyś chciała się tam wbić, mogę cię mu przedstawić. O czym porozmawiamy, o ruchomych marginesach czy wzniosłych tęsknotach? Wiesz, mnie od urodzenia coś bolało w piersiach, czułem niepokój. Wreszcie jednego dnia zajrzałem sobie do gardła, a tam podwójne dno.

Serialnie, ci się wydaje, że ja jestem taki ot, wiesz, dwie ręce, dwie nogi, dżordż zmienia biegi, ci się zdaje, że mogłabyś mnie przerobić na grę komputerową. Trzy ciosy na krzyż, z kopa, z płata i podpalanie dżinsów, szukasz po mieście fety, bo kończy ci się poziom energii, a do następnego levelu musisz przelecieć jeszcze dwie panny i zabić cztery bezpańskie psy. Ci się zdaje, że załatwiłabyś to trzema żetonami i congratulations, we've got a winner, gwałtowne opady monet, możesz sobie kupić wszystko, co zobaczysz włącznie z wieszakiem, ladą i ekspedientką. Mówię wam, jakby Silny otworzył okno, to ja bym otworzyła drugie, jakby on ruszył uchem, to ja bym ruszyła lepiej, wklepywałam jego akta do maszyny i wiem wszystko, jego głębokość równa się długość jego przełyku, on zna dosłownie dwa słowa: nie i tak we wszystkich przypadkach, co i kurwa w różnych konfiguracjach.

Co, Masłoska, nie jest tak? Teraz jesteś taka mądra, siedzisz sobie i patrzysz, może ci tu jeszcze słońce przynieść i podwiesić pod sufit, i drink z wisienką w rękę? Patrzysz sobie niby, a jak tylko coś, to we wrzask. Mamo, mamo, przynieś łapkę, to się rusza.

A może właśnie jest inaczej? Może to, co tu leży w łóżku, to jest tylko mój przedstawiciel na Polskę, może to tylko taka moja demówka? Może ja też coś czuję, a jak ty sobie nawet nie umiesz tego pojąć, skocz do kiosku po trójwymiarowe okulary i wtedy przyjdź, bo pod plecami ciągnie mi się kilometrami w głąb ziemi zaplecze, kłęby kabli i tranzystorów, nie patrz, bo się utopisz, nie dotykaj, bo zgubisz rękę. Serialnie, gdzie ty żyjesz, dziewczyno, nic nie kumasz, jak chcesz zdać ten cały interes, to weź lepiej kup sobie opracowanie do rzeczywistości plus ściąga do wycinania gratis i wtedy możemy gadać. Wpadniesz tu do mnie, mogę cię nawet odpytać, pytania kontrolne z kserokopią dowodu osobistego. Uważaj, bo pytania są podchwytliwe: tło społeczno-polityczne? Czy wojna polsko-ruska to tylko udokumentowany fakt historyczny czy też zestaw okolicznościowych uprzedzeń? Jak ewoluuje zbiorowa halucynacja względem walk z wyimaginowanym wrogiem – naszkicuj odpowiedni wykres funkcji. Czy to, co trzymasz, to jedynie zwykły długopis? (wytłumacz głośno pojęcie: symbol falliczny). Jaka jest wymowa umieszczonego na nim napisu „Zdzisław Sztorm"? (ustnie wyjaśnij termin: kapitalizm, reklama, spółka akcyjna). Postawy bohaterów na tle ich drogi życiowej, wymień ich cechy charakteru i wyglądu, na czym polega animalizacja postaci? W jakim celu nakreślona wizja śmierci głównego bohatera ziszcza się? (wymień założenia filozofii New Age, zdefiniuj zwrot: kompozycja klamrowo-cylindryczna). Zadanie na ocenę celującą: przedstaw w postaci wykresu teorię podwójnego dna. A czy i ty masz podwójne dno? Swój sąd uzasadnij. W lokalnej dyskotece spotykasz szatana – co mówisz? Zareaguj spontanicznie na zadaną sytuację.

A teraz cię zatkało, Masłoska. Teraz już jest kurs dla zaawansowanych, a ty zamiast odpowiadać, gapisz się w radar, może język ci wyrwali, nareszcie. Włóż go w pudełko po zapałkach i zakop tu zaraz obok mego łóżka w podłodze, bardzo to przykre, lecz dla mnie jak najbardziej, teraz najwyżej możesz Ruskim pokazać me dane osobowe na migi. Tak bardzo ci współczuję, załóż stowarzyszenie, niech inne takie wariatki też bez języków walczą przeciwko mnie alfabetem Morse'a, jak chcesz to dam ci numer do Andżeli, ona na to pójdzie, ona wskoczy we wrotki i tu będzie w pięć minut.

Masłoska, co ty tak? Co ty taki masz wyraz, co? No nie musisz być chyba od razu na mnie taka ostatecznie zła, no. Nie musisz robić te swoje miny, jak gdyby to była śmiertelna powaga oraz życie i śmierć oddzielone po dwóch stronach talerzyka i wyżęta torebka od herbaty. Ej. Chyba możemy to wszystko pokojowo, nie? Ja będę się nudzić, ty będziesz ziewać, ja założę koszulę, a ty zapniesz spinki, wzajemne ONZ, a nie że od razu wojna i podcinanie sobie żył jedno przez drugie, co? A jak będę umierał, to ci dam cynk, czy pani też umiera? – tak pomyślę żartobliwie, a ty odczytasz to sobie z radaru, co stoi na półce lub po gestach mych dłoni, zobaczysz, jak to będzie fajnie. Jak ci zrobiłem przykrość, to to był tylko żart, a nie, że ty od razu.

Lecz tyle co potem widzę, iż ona patrząc mi się bezczelnie w oczy sięga ręką ku wtyczce. O nie, Masłoska, zostaw to, poparzysz się, to nie są żarty, prąd nie służy do zabawy, prąd plus dziecko równa się nie ma dziecka i dziura po dziecku, no przestań, ja wiem, że to tylko takie foto z wakacji, taki slajd, ja z tobą w muzeum kabli, jesteśmy tak uśmiechnięci, tak razem szczęśliwi, ty ciągniesz za jakąś rurkę, to są fantastyczne wakacje, zaraz nie wytrzymam, zaraz pójdę się z tobą ożenić, bez kitu. Lecz tego już na zdjęciu nie widać, gdyż pada flesz i raptem robi się ciemno.

Właśnie mówimy o śmierci, machając nogą, jedząc orzeszki, choć nie mówi się o nieobecnych. To są zaledwie siniaki i zadrapania, które zrobiłyśmy sobie, jeżdżąc na rowerze, ale na naszych nogach wyglądają jak rozlewiska, jak fioletowe morza i zaciekle mówimy o śmierci. I wyobrażamy sobie swój pogrzeb, na którym jesteśmy obecne, stoimy z kwiatami, podsłuchujemy rozmowy i bardziej niż wszyscy płaczemy, nasze mamy trzymamy pod rękę, na pustą trumnę rzucamy ziemię, bo tak naprawdę śmierć nas nie dotyczy, my jesteśmy inne, my kiedy indziej umrzemy albo wcale nie umrzemy. Jesteśmy śmiertelnie poważne, palimy papierosy, zaciągając się tak, że echo odpowiada w całym domu i strzepujemy popiół do pustego pudełka po akwarelkach.

Tymczasem knujemy, na ścianie wydrapujemy wielki plan ucieczki do wnętrza ziemi. I zaczynamy robić przygotowania, ścieramy odciski palców, czyścimy z włosów grzebienie, pakujemy ubrania. Wszystko tak, żeby światu wyrósł na dłoni szósty, martwy palec, żeby mu się pomyliło, pogubił się w rachunkach, żeby zdawało mu się, że nigdy nas nie było. Żeby się powiesić do szafy na wieszaku, wyciągnąć z kieszeni wszystkie monety, zapałki i papierki, i wyjąć się z powrotem dopiero, kiedy będzie już po wszystkim. W międzyczasie nosić inne rzeczy, ciała starych dziewczynek zasuszonych między kartkami książki, twarze anemicznych dzieci.

Wieczko zostało podważone, zawartość napoczęta i wystawiona na to powszechne, mordercze słońce. I staramy się zaciskać powieki, ale skóra zrobiła się przezroczysta i wszystko wyraźnie widzimy, porzucone, pozbawione zawartości ubrania, kilkudniowy zarost pokrywający pokój, wydęte przez wiatr spodnie, puste opakowanie po nas, po nas, która zostałyśmy z niego wyjedzona.

Mówimy kokieteryjnie: proszę, ale zamiast podkopów w podłodze kilka mizernych, bezsilnych zadrapań zrobionych spinką na rękach. Usiadły na nas ćmy i złożyły na rękawie jaja, i teraz jesteśmy chore, opatrunki odchodzą ze skórą, rajstopy odchodzą ze skórą, skóra odchodzi z płaszczem. Jest coraz gorzej, wyplułam mały, czarny pęcherzyk, który

Wanda złapała w locie i mamy teraz nagłą wadę wzroku, bo wszystko widzimy oblepione naftą, powieszone na drzewach za nogi, cały świat w kołyszących się smętnie na wietrze ozdobach choinkowych.

Zrób coś, już tak nie mogę, wszystko ma kolce, powietrze ma kolce, deszcz wymierza policzki. Włosy wplątały się w szprychy roweru, odchodzą razem z głową, zrób coś, zabierz mnie stąd.

A przez noc wybudowano na nas miasto, wstrętne miasto, wielki śmietnik, śmieciarze stoją i opierając się o kubły, czytają stare, rozpadające się gazety. Mosty, linie kolejowe i telefoniczne, samochody i ciągnące się w nieskończoność ulice, po których krążą śmieciarki, wydzierając ludziom z rąk niedopałki, papierki i chusteczki higieniczne. Obleźli mnie ludzie, podarły im się siatki, chodnikami potoczyły się ziemniaki, jabłka, potłukły się butelki, słońce zachodzi za odłamki szkła i szklarnie.

Był szum, bębny i piszczałki, szepty jak gniecione w dłoniach papiery. Kiedy poruszyłyśmy ręką, wszystko się rozpadło, na twarzy został tylko jeden długi ślad po czyichś sankach. Myślałam, że to już, że już jestem umarła, ale zamiast swojego ciała znalazłam okruszki w załamaniach pościeli.

Mamy tu mnóstwo pamiątek: pocztówki z widokiem na dworzec i paznokcie obgryzione do krwi i mama mówi: nie wiem, czym kierowałaś się, jedząc własne paznokcie, zapasy kończą się, zostały już tylko palce i ręce. Zobaczysz, wyrosną ci niedługo twoje własne dłonie w żołądku, będą cię drapać i ściskać od środka, sama sobie wyrośniesz w żołądku. Jedna dziewczynka jadła swoje włosy i w żołądku wyrósł jej włosowy potwór. Jeden chłopiec zjadł pestkę i całe drzewo w nim wyrosło, przez uszy i przez nos wychodziły mu gałęzie. Jeden chłopiec zjadł czereśnie, popił oranżadą i umarł. A potem: ta siatka nie służy do zabawy. Tyle razy powtarzałam ci: nie wkładaj głowy do siatki! Jedna dziewczynka włożyła głowę do siatki, nie mogła jej wyjąć i się udusiła. Zakaz. ZAKAZ. Zakaz picia alkoholu i uderzania piłką o ścianę szczytową. Zakaz gier i zabaw Uśmiechamy się do siebie porozumiewawczo: uwaga uwaga uwaga uwaga! szepczemy szyderczo, wszystko grozi wszystkim, życie grozi śmiercią, siedź tu, siedź na dywaniku i nigdzie nie wychodź.

A my, jedząc orzeszki, jesteśmy bardzo poważne, każdego dnia wymierzamy w siebie widelec i umieramy, i każdego ranka jest Mała Niedziela. pełne zawodu zmartwychwstanie. Zacieramy dłonie i rzucamy lśniącą norkę mamy, norkę o smutnych, plastikowych oczkach, kotom na pożarcie, mówiąc: bawcie się razem, no, bawcie się ładnie. Żywi i martwi przekroczyli linię demarkacyjną i zlali się nam w jeden szemrzący tłum, przechodzący w kolumnach i rzędach koło naszych łóżek, patrzymy na wszystkich z zadumą, kiwamy głowami i poprawiamy się na poduszkach.

Ale teraz chyba zachorowałyśmy naprawdę, wszystko rozmyło się, fotografie, na których bierzemy do ust cały świat, zostały zalane czarną herbatą. Jest ciągle ten sam, nie kończący się dzień z bielmem na oku. Kurtyna spada co jakiś czas i pomarańczowi robotnicy zmieniają pospiesznie scenografię, gaszą światło, zmieniają pogodę, wpuszczają w niebo atrament. Zdążamy zamknąć oczy i już ustawiają orkiestrę, która tłucze talerze i zgrzyta zębami.

W mętnym świetle wszystko jest coraz bardziej takie samo, kobiety, mężczyźni, dzieci, zwierzęta, zlani w jednolitą masę. I w tej ciemności, w czarnej, gęstej herbacie przestajemy rozróżniać siebie nawzajem, tracimy kształty i coraz bardziej przypominamy ptaki: i babcia wsadza nam palec między żebra albo klepie nas po tyłkach, sprawdza, czy można zrobić na nas rosół, albo zabrać nas i sprzedać na rynku. Czyni już pierwsze przygotowania i po cichu nocą opala nam brwi i rzęsy.

Łyżeczka włożona do szklanki, czarna herbata zaczyna wirować, wirować wokół nas, najpierw cichutko i powoli, a potem coraz gwałtowniej, coraz głośniej, żeby szczękają o łyżkę. Światła sypią się na nas jak kryształki pomarańczowego cukru, mały księżyc jest do krwi obgryzionym paznokciem, gałęzie tryskają z nadgarstków, wszystko łączy się, kurz, popiół, stłuczka szklana, ludzie zrastają się ze zwierzętami. Obie patrzymy coraz bardziej do środka, przewody pozrywały się, bezwładne słuchawki kołyszą się na kablach. Wieje wiatr, cały świat jest wiatrem, deszczem tłukących się szklanek i morzem rozlanej herbaty

Kiedy nikt nie patrzy, zaciekle prujemy te nitki. Cały czas wyczekujemy na ten moment, drżące i niepewne, jakby po bloku krążył ksiądz z kolędą i już było słychać złoconych ministrantów, pobrzękujące dzwoneczki. Czekamy, aż dzwonek zadzwoni, odepną się wszystkie guziki i runiemy bezwładne i bezpańskie w miasto, przez chmury, przez drzewa, zaryjemy głowami w lejący się ulicami asfalt. Utoniemy w pieniącej się rzece jak marzanny, z cegłami uwiązanymi przy szyjach, z kieszeniami pełnymi kamieni, z płonącymi włosami.

Szarpiemy nieśmiało, kiedy nikt nie widzi, robimy drobne, nieznaczne zamachy na te wstrętne pępowiny. A kiedy ktoś patrzy, chowamy narzędzia zbrodni za plecami, nożyczki i nożyki, którymi przed chwilą obierałyśmy pomarańcze.

Wychodzę z domu. Dzień skulony z nieszczęścia, krawędzie tak bardzo podwinięte, że właściwie od rana, od samego rana jest noc. Mama mówi gdzie idziesz, nigdzie nie wychodź, są stada bezpańskich psów na ulicach, nie wychodź. A ja proszę bardzo, nawet jeśli mnie zjedzą, to to są przyzwoite psy i zaraz mnie zwrócą wymiętą pod wszyty w połę płaszcza adres. Pod stopami mam płaską, niewzruszoną twarz miasta. Miasto, wielkie pole minowe, rozwałkowane pode mną jak bezludny, asfaltowy kraj.

Idę bardzo niepewnie, nikogo tu nie ma, wszyscy wiedzą o czymś, o czymś, o czym ja nie wiem, skryli się w bramach. Psy skuliły się w podwórkach, koty czmychnęły do piwnic. Przez miasto dzisiaj idzie prąd, każda płyta chodnika pod wysokim napięciem. Dzisiaj w mieście nie ma powietrza, zamiast powietrza puścili gaz albo środek do dezynsekcji. Zakaz wychodzenia z domu, biała czaszka na czarnym tle. Ludzie stoją struchlali za firanką – zatykając usta płaczącym dzieciom, patrzą z przerażeniem, jak naiwnie idę, jak ufnie łopoczę płaszczem,

Niebo dzisiaj ma pęknąć, runąć deszczem pocisków, kamieni, martwych ryb i ptaków, niebo ma dzisiaj pęknąć. Chodnik pełen jest zapadni, robisz jeden krok w złą stronę i nagle jesteś w piekle, smażysz się w czerwonym tłuszczu, szatani jedzą cię nożami i widelcami, wycierając kąciki ust papierową serwetką. Ja mówię: proszę, możecie mnie wziąć, ja już siebie nie chcę.

Oczywiście nic się nie staje, oczywiście nic z tych rzeczy, nie mogliby mi zrobić takiego świństwa, nie w samym środku tego przyjęcia, nie w samym środku tego filmu, trzeba jeszcze co najmniej przez godzinę zająć telewidzów. Spotykam koleżankę i bardzo mi przykro, że nic nie mogę powiedzieć. Pomaga mi trochę, sklejamy wszystkie papierosy razem i nie muszę już każdego osobno podpalać, chodzę po ulicach, ciągnąc za sobą lont.

I kiedy na słupie znajdujemy ogłoszenie „bardzo ładną bielutką sukienkę do I komuni + torebeczkę tanio sprzedam 677 19 09", to odrywamy i chcemy natychmiast zadzwonić, chociaż nie przeciśniemy jej nawet przez głowę i nie wyrosną nam gałązki mirty na czole. Możemy najwyżej oderwać kawałek szeleszczącej koronki z plamą od wosku i nosić w portfelu w kieszonce na drobne. Tam już są pogaszone światła, tam jest nieczynne, zajęte, zamknięte, możemy tylko patrzeć przez kratę, jak małe, porośnięte sierścią zło bawi się razem ze wszystkimi na trzepaku, pokazuje fuck you do Boga, ma kolekcję plastikowych pistoletów, wkłada ręce do spodni. Za kratą mieszka zło słodkie i dobre, plączące się koło nóg, domalowujące przechodniom wąsy. Tego nie da się stąd ukraść, małe zło ucieka przed nami na skrzypiącym rowerze, pokazując fuck you, pokazując zepsute zęby, małe zło chowa się w maleńkiej studzience, do której nie mieszczą się nasze wielkie, coraz większe ręce. My musimy korzystać z dużego zła, z prawdziwego zła dla dorosłych, pić alkohol, dotykać mężczyzn, palić papierosy.

A potem nagle się rozmyślamy, na chodniku widziałyśmy dwóch przytulonych chłopców, byli malutcy i syjamscy jak wytaczające się z ogniska kartofelki. Byli zrośnięci szczerbami, zrośnięci ramionami z zapałek, pękatymi brzuszkami, trzymali wielką piłkę, mieli czapki, mieli czerwone rączki, różowe płomyki języczków, które ciągnęli za sobą jak flagi, flagi różowego państwa, królestwa kredek i ten większy śpiewał: lubię cię kolego! Zostawili po sobie smugi, a my oddychałyśmy tym różowym powietrzem i wiedziałyśmy, że to się nie dzieje codziennie. Dwa małe bożki spacerujące chodnikiem, szczerbaci państwo młodzi, w tym miejscu powinno się postawić świątynię i wszystkie wzniesione tu modlitwy, złożone podania, wypowiedziane życzenia zostałyby spełnione. Mały, śmiejący się Bóg by je spełnił, bawiąc się wełnianą brodą, popękane usta posmarowałby kremem nivea, naprawiłby wszystkie zadrapania taśmą klejącą i klejem szkolnym.

I to przychodzi gwałtownie jak zapalone światło, jak tłukąca się szklanka, wracając z parku czujemy, jak śmietnik śmierdzi i nagle bierzemy do rąk zapalniczki, podpalamy ten śmietnik i patrzymy na płomienie, co jak wściekłe pomarańczowe kwiaty zaczynają zakwitać wzdłuż ściany, i głośno się śmiejąc, uciekamy.

A kiedy będziesz wychodził, pośliń palec i wytrzyj plamy z poręczy, przetrzyj z kurzu skrzynkę na listy. I przyjrzyj się ścianie. Proszę, dopiero co było pomalowane, przyszły te niesforne dzieciaki i napisały: szatan. Chociaż inne stronnictwo prowadzi w sondażach.

A więc powiem tylko tyle, że ze śmiercią nie jest tak łatwo, jak to mi się wcześniej zdawało, że macasz ręką po ścianie, znajdujesz pstryczek i wyłączasz światło, i nie ma. To znaczy owszem, możesz sobie poprzyduszać, powciskać, lecz czy się wyłączy, to już jest inna sprawa. Przykładowo mi prztyczek się przydusił raczej przypadkiem, nie było znaków ani na niebie, ani na ziemi, że światłu zbiera się na zgaśnięcie. To znaczy akurat bym nie skłamał, jakbym powiedział, że Masłoska mnie na ten prztyczek po chamsku wepchnęła i jeszcze przytrzymała. Wiem to, gdyż w ostatniej chwili właśnie ją widziałem z pęczkiem kabli tych i przewodów jak skomplikowanym, plastikowym warzywem w jednej ręce, a w drugiej z miną dość wyczekującą, niczym zestaw małe eksperymenty medyczne na ludziach i zwierzętach, stanie się coś czy nie, zdechnie czy nie lub wręcz ile człowiek może wytrzymać na sucho bez krwi. Jest to ostatnia scena tego filmu, którą widziałem, lecz jest jeszcze epilog, którego się domyślam, iż ona nagle w napadzie inteligencji domyśla się, iż eksperyment nie powiódł się, a człowiek bez krwi raczej nie będzie żył, więc usiłuje szybko powpychać wtyczki w odpowiednią dziurkę, ale prawdopodobnie epilog okazuje się nieskuteczny. Bo to, co było potem, to raczej był już osobny film, również sensacyjny, choć bez już znanych aktorów oraz inna zupełnie scenografia skierowana w dół.

Teraz powiem coś, z czego w sumie mógłbym mieć całkiem niezłe odsetki w różnych tokszołach, gdzie fajna błyszcząca laska w obcasach i paznokciach by robiła ze mną wywiad niczym z prawdziwą gwiazdą, Andrzej „Silny" Robakoski, mistrz świata w zjeździe, mistrz świata w wyprawie do wnętrza Ziemi, reprezentant Polski w zawodach w zejściu. A ja siedzę w fotelu, opalam się w tych wszystkich światłach, w tych spojrzeniach publiczności, co na mnie patrzą i tylko kiwam głową, że tak, wróciłem właśnie z piekła, ekspedycja była czasochłonna i ciężka, lecz nie zamierzam na tym poprzestać, poszukiwani są właśnie sponsorzy wyprawy do nieba, numer telefonu miga właśnie na dole ekranu, chociaż z tą wyprawą do nieba to gówno prawda, nigdzie już nie jadę, oszczędzam się na spokojną starość.

Trochę mówię prawdę, trochę bajeruję, pokazuję jakieś niby pamiątki, fragmenty skał i strzępy ubrań tam znalezione, resztki gipsu mam jeszcze na sobie, na twarzy niedomyte, co wygląda realistycznie i jest oparte na faktach

autentycznych. Co, mówiąc szczerze, zawsze jak tylko ta laska i jej przy-
dupasy od kamery chcieliby coś ściemniać z kasą, mogę powiedzieć im, że
w nich wbijam i robię w przedstawieniu objazdowym po podstawówkach,
moi mili, teraz uspokójcie się grzecznie, ten pan przyjechał tu specjalnie,
żeby powiedzieć wam, żebyście nigdy nie chodzili do piekła.

Ta laska mnie obskakuje jak jednoosobowy balet rosyjski, panie
Andrzeju, a czy?, panie Andrzeju, przecież, och czy to pana nie bolało,
gdy pan poszedł do piekła, czy nie było panu słabo, czy nie bał się pan ani
trochę?

Ja nie ściemniam: co kurwa, no bałem się trochę, przyznam, kto by
się nie bał, obce osiedle i w dodatku spalone prawie doszczętnie, i idź tam
sama, jak nie masz żadnej pozycji i żadnych znajomości, to cię pierwszy
pies spotkany obszcza, nadepnie ci na nogę, zabierze ci mikrofon, takie to
jest osiedle, że nie wychodź z domu po szesnastej. A ona na to: ależ pan jest
odważny, ależ pan jest przystojny.

A ja wtedy całą historię. Bo było tak. Kiedy Dorota M. odłączyła mnie
od prądu, co już nawet nie wymieniam ją z nazwiska, gdyż i tak nałożą
czarny pasek i zmienią jeszcze mi komputerowo głos, by nigdy nie mogła
mnie rozpoznać, to już nawet nie miałem czasu jej powiedzieć, co myślę
o tym, kim ona jest i jakie słowa podaje słownik na określenie takich jak
ona, że jest nie w porządku, chamska, szorstka oraz nie ma uczuć rodzin-
nych. Owszem, miałem to na końcu języka, lecz kiedy ona odłączyła
mnie z sieci i przestałem chwilowo żyć, to już nawet nie miałem czasu
to powiedzieć, bo słyszałem różne hałasy, jak publiczność skanduje game
over, jak niesie game over przez miasto na transparentach. Gdyż raptem
jakby wyłączyli wszystkie żarówki oraz elektryczność w połowie miasta dla gwałtownie czynionych na zimę zapasów światła, że raptem we
wszystkich oknach robi się ciemno i wszystkie lampy więdną i spuszczają
te tępe łby bez twarzy do snu, a słońce zostaje zatrzymane i gruntownie
zalepione taśmą izolacyjną, są bunty i strajki, nikt nic nie wie, suki mamroczą tylko: do odwołania, do odwołania. Było światło, lecz światła nie
ma, zdumieni oraz oburzeni lokatorzy szukają świeczek po szufladach. Ja
gmeram w kieszeni, mówię: kurwa, bo całe życie mówili: noś zawsze przy
sobie różne rzeczy, chusteczki, lecz te ich przysłowia okazują się trafne
dopiero w takich momentach, jak akurat jest za późno i za ciemno, że

nawet nie wiesz, czego powinieneś szukać, już nie mówiąc czy to ty stoisz, czy to po prostu jakieś zagęszczone powietrze w tym miejscu. No i było ciemno, trwało to dłuższy czas i był to raczej nudny etap, gdyż nawet to radio, co mi zawsze nadawało w środku moje myśli i różne piosenki, nawet to radio zostawiłem chyba po drugiej stronie ze wszystkimi rzeczami, ze swoimi najlepszymi spodniami, w których dokładnie pamiętam, iż w tylnej kieszeni razem w grzebieniem miałem zapalniczkę.

W końcu po dłuższym czasie oczekiwań z mojej strony, które były pełne lęków i obaw, ale tego nie wspominam przed tą laską, która wymachuje paznokciami i prawdopodobnie nie wie nawet, co to jest jedzenie, gdyż ona ogólnie nie żyje, tylko jest narysowana, tylko mikrofon ma prawdziwy, to po dłuższym czasie oczekiwań wypuścili mnie z tej ciemności. W jaki sposób, nie bardzo pamiętam, lecz nastąpiło coś jak wygrzebujący się z czarnych szmat i papierów ranek, lecz raczej nie żadne słońce, tylko jakieś bardziej sztuczne światło, zepsuta dość dziurawa lampa wywleczona pewnie z jakiegoś niesprzątanego od dłuższego czasu akwarium, w dodatku nie wiadomo, z której strony dochodząca, możliwe że spod spodu niczym fałszujący śpiew z zatkanych watą ust.

Wtedy zauważyłem, że jednak jestem i mam na sobie nawet swe ubranie, które musiano mi jakoś pospiesznie nałożyć, gdyż byłem raczej rozkojarzony przed przyjazdem tutaj i słaby, także sam sobie go nie ubrałem, to jedno jest pewne. Ja pierdolę, co za zjazd – pomyślałem, gdyż do ostatniej chwili byłem przekonany, że to nie jest żadne piekło, tylko po prostu wczoraj była jakaś grubsza impreza, o której nie bardzo wiem, że potłuczone kieliszki i przypalona wykładzina, a meblościanka raz to się oddala, a raz to się przybliża. Niejednak meblościanki najwyraźniej nie było, natomiast obok mnie zauważyłem, że stoi ten jeden starszy facet, co ze mną tam leżał w szpitalu dwa łóżka dalej i być może przyjechał tu ze mną w transporcie, właśnie dlatego że Magdę wzięło któregoś razu na papierosy. A być może, że to Masłoska rozszerzyła pole swych eksperymentów i wysłała nas na te wakacje razem, siedzieliśmy razem w autokarze a teraz trzymamy się za ręce, bo z braku innych uczestników jesteśmy w jednej parze, ale jeśli ona tam została na tej sali, to zaraz kogoś jeszcze zapewne dowiozą tu równie wyważonego z zawiasów.

Teraz ta laska pyta mnie, panie Andrzeju, co pan czuł, bo wszystko pięknie, pana wiersze i wspomnienia są bardzo trafne, lecz publiczność ziewa, gdyż chciałaby więcej o rannych, zabitych i ogólnej liczbie ofiar. No to ja mówię: to raczej trudno powiedzieć, i zastanawiam się chwilę, a publiczność gapi się na mnie z otwartymi na oścież oczami, ślina im leci na podłogę i spływa ze schodów. No to ja im opowiadam różne rzeczy w tym klimacie, Krzyżacy, ogień, dużo ognia, ta szrama, co mam na policzku od uderzenia w tą ścianę, a co laska od mikrofonu bierze wskaźnik i na nią pokazuje, to ja przytakuję z bólem: tak, to szatan zdzielił mnie przez pysk berłem tylko za to, że chciałem wygrzebać okruszek chleba zmiędzy płyt chodnika, po czym ostentacyjnie wziął i go rozdeptał. Tak, traktowano nas oschle i bez sentymentów, nie można się było nawet zgadzać czy nie zgadzać. Ale laska dalej daje mi znaki oczami, że więcej o bólu i o krwi mam opisywać: lecz panie Andrzeju, czy czuł pan ból? Czy płonął ogień? No to ja od razu mówię, co trzeba, co pamiętam z kreskówek i lekcji religii, batalistyczne sceny z ogniem w roli głównej, od razu ze złośliwości rzucam, kogo tam spotkałem, no różne osoby, wymieniam tu parę z nazwisk, różne nazwiska takie, żeby akurat podbić oglądalność programu, Jaruzelski, Balcerowicz. Wszystko to jednak mówię dość bez przekonania i na pamięć, najważniejsze fragmenty tekstu wypadają mi z głowy i telewidzowie sami już chyba w końcu nie wiedzą, czy to było piekło, czy jakieś ściemnione zimne ognie, namalowany pożar i stare plakaty z Miloszevicem na podpałkę, prowizorka z dziurami na głowę dla turystów, byliśmy w piekle, wspaniała zabawa, posyłam zdjęcia. Lecz brnę w to dalej, gdyż co, raptem mam powiedzieć telewidzom prawdę, by do reszty byli zawiedzeni, mam im powiedzieć, że zapakowali mnie w szary papier i wysłali priorytetem do Rabki na jakieś źle zorganizowane kolonie w deszczowe lato, kotlet i ziemniaki, gry i zabawy? I kto to kupi, i kto mi za taką historię zapłaci? Więc chociaż powinienem opisywać malowane na olejno beżowe ściany z paskiem, to mówię o tym ogniu, pożarze i krwi kapiącej z kranu oraz o

Także podkreślam, że telewizja to się okazała moja najlepsza koleżanka, w dodatku higieniczniejsza i bardziej dużo bezpłatna koleżanka niż dotychczasowe wcześniejsze, które się tu ładowały ze swoimi niedopracowanymi tyłkami zrobionymi z materii organicznej i w niepraktycznym trójwymierze bez żadnego wyłącznika, z samym tylko włącznikiem.

A taka telewizja to jest wszystko w euro i sterylu, kultura, włączasz, wyłączasz i to jest aż nie do pojęcia, iż to się tam w środku wszystko tak bezprecedensowo higienicznie mieści, te domy, ci cali ludzie wszyscy w różnych kolorach i o różnych porach dnia, wszyscy naraz, z lewej strony przemarsz, z prawej pochód, a z trzeciej baba myje ściany domu z deszczu do czysta najnowszym środkiem do czyszczenia domu z pogody, choć akurat to podejrzewam, że to jest pic z tym, że osoby postronne w studio z tego klaszczą i się cieszą, jak ona to myje. Że to już ściemnili, bo to zostało akurat zrobione drogą komputerową.

Dzisiaj jest 5 wrzesień 2002, czwartek. Lecz co mi po tym, że dzisiaj jest ta data właśnie, skoro już jutro będzie jakaś inna większa. Ostatnio swojego czasu całkowicie jebie mi się to całe zamieszanie z datami, które jest przyczyną panującego w świecie burdelu. Mam taki patent dla urzędu patentów, którego nie zdradzę, że powinno się wprowadzić odgórnie jedną, przyzwoitą, praworządną datę zamiast raptem cztery miliony małych zasranych dat, po chuj nikomu niepotrzebnych w 254 odcieniach. Jedną skuteczną datę wybrać w wolnych wyborach tak zwanych samorządowych. 14 lipca. 17 września lub chociażby od biedy 11. Lecz odnośnie czego to mówię: podejrzewam, jakoby Izabela miała prócz Zeptera jakiegoś kochanka na mieście. Bowiem wyraźnie jej nie ma i przestała również zmieniać oraz przesuwać okienko w kalendarzu, bo ciągle jest na 16 sierpnia ustawione, choć za oknem wyraźnie zmieniła się pogoda i ochłodzenie, czasem nawet w porywach do deszczów. Deszcze płyną przez okno, podmywają dom, nawet telewizja jak gdyby została podmyta i wszystkie towary w reklamach pogniły, to podejrzewam niejasno, gdyż obraz zawija się na brzegach. Słońce wyraźnie zaszło w jakiejś dalekiej przeszłości i utknęło pod spodem, może nawet na zawsze, może nawet solarium zaszło na ulicy Rzeźnickiej, co było. Deszcze są, atmosfera powszechnej odrazy i nowe prądy polityczne dekadentyzm, choć ten premier Leszek Miller zapewnia wszystko, że oczywiście, choć wcale nie. Bo co myśleć, kiedy w ogródku się tworzą rzeki co najmniej okresowe, jak nie ulice okresowe, niby po nich chodzisz, niby są jakieś domy, jakieś numery, ale jak tylko zaświeci słońce, przestaną płynąć i domy istnieć, tylko wyschną. W sumie to nawet już pogoda nawet przestała mnie kręcić i mogliby ją spokojnie odłączyć nam, bo po chuj za to płacić, jak i tak nie wychodzę i czy „słoneczko nasze otwórz buzię" czy inna piosenka gra na dworzu, to i tak mnie jako odbiorcy to nie dotyczy. Chyba że Izabelę to dotyczy, czy sobie akurat popsuje włosy na wietrze, czy akurat wziąć parawan. Bo dla mnie świat jest chwilowo zabroniony i nieczynne, Silnego nie wpuszczamy, przystojna selekcjonerka Aśka opędza mnie od drzwi jak systematycznego owada.

Dlaczego i dlatego. Doktór Pstro zabronił to i doktór Sro zabronił gówno, doktór Sro kazał leżeć, doktór Gówno kazał nie oddychać, a co kazał doktór Potwór, to już sam chuj tylko wie, że doktór Potwór w płonącym szlafroku kazał nie żyć, to leżę, sumiennie nie żyję i nic nie gadam, bo czytałem ulotkę i pieczątkę, tymczasem natomiast czasopisma i gazety „Świat Motocykli" oraz „Kalendarz ósmoklasisty", co mi Magda czasem przyniesie niczym pseudointelektualistyczny ochłap drugiej kategorii, są ustawione na już wrzesień, programy w telewizorze lecą po prostu na wyścigi, na którym kanale więcej poleci, i jakkolwiek nie wierzę, by Izabela chujała mnie celowo i bujała, to wyraźnie mi się ta data nie zgadza w końcowych obliczeniach. I teraz kurwa będę się dowiadywał codziennie każdego dnia, jaka to jest łaskawie data, wypytywał, sprawdzał, błagał, pokazywał różne argumenty, najlepiej w dwóch językach i umiejętność obsługi edytora tekstowego. Złożę podanie i życiorys o tę zasraną datę, a jakaś laska po zaledwie może nawet nie podstawówce powie: połóż to tam, to my do pana zadzwonimy, lecz sam nie dzwoń, bo jesteś nie dość kulturalnie ubrany. Leję to, mogę sobie żyć bez pomiarów. Już to tłumaczyłem Magdzie, na co ona odpowiedziała, że tak. Aczkolwiek najwyraźniej dedukuję ze wszystkich znaków na niebie i ziemi, że jest wrzesień, a po czym to poznaję, to być może szóstym okiem widzę to, jak wrzesień się skrada za moimi plecami, a być może nawet i listopad. Także póki co, lepiej nie schylać się po mydło moi mili Państwo, szkoda, że tego w telewizji nie powiedzą: drodzy telewidze, nie schylać się po mydło. Wszystkiego trzeba samemu upilnować, bo inaczej jednego dnia budzisz się przeruchany i wystawiony w krzaki dla ubogich razem z innymi przeruchanymi rzeczami, kanapami.

Aczkolwiek do rzeczy, bo większe pretensje niż do rzeczy ustalanych odgórnie przez premiera oraz instytut, mam do telewizji. Akurat od wielu dni składa się tak, iż to jest moja jedyna sensowna koleżanka.

FILM MEDIA S.A. przedstawia film **XAWEREGO ŻUŁAWSKIEGO** na podstawie powieści **DOROTY MASŁOWSKIEJ „WOJNA POLSKO-RUSKA"** współfinansowany przez **POLSKI INSTYTUT SZTUKI FILMOWEJ** w rolach głównych **BORYS SZYC, ROMA GĄSIOROWSKA, MARIA STRZELECKA, SONIA BOHOSIEWICZ, ANNA PRUS, MAGDALENA CZERWIŃSKA, MICHAŁ CZERNECKI** i **EWA KASPRZYK** scenografia **JOANNA KACZYŃSKA** kostiumy **ANNA ENGLERT** montaż **KRZYSZTOF RACZYŃSKI** dźwięk **JAROSŁAW BAJDOWSKI** udźwiękowienie **MATEUSZ ADAMCZYK** muzyka **JAN KOMAR** zdjęcia **MARIAN PROKOP** scenariusz i reżyseria **XAWERY ŻUŁAWSKI** producent współpracujący **ANDRZEJ SZAJNA** producent wykonawczy **BOŻENA KRAKÓWKA** producent **JACEK SAMOJŁOWICZ**

fotosy © Film Media SA, autor: Wojciech Krzywkowski
projekt okładki: Marcin Nowak

wydanie IV

ISBN 978-83-89603-63-0

wydawca:
Lampa i Iskra Boża
Paweł Dunin-Wąsowicz
adres do korespondencji:
Przasnyska 18 m 20, 01-756 Warszawa
biuro: Galeria Raster
ul. Hoża 42 m 8 (III p), 00-516 Warszawa
www.lampa.art.pl

druk: Efekt s.j.
ul. Lubelska 30/32
03-802 Warszawa